《SketchUpとRevitでつくる建築のカタチ》

建築のカタチ｜第2版

3Dモデリングで学ぶ建築の構成と図面表現

安藤直見・石井翔大・浅古陽介・種田元晴 著

丸善出版

はじめに

　本書は，古代から現代まで幅広い時代の優れた建築を題材として，その美しいカタチを 3D モデルでつくってみるためのガイドブックです。3D モデルの作成を通して，そのカタチの構成と図面表現を学べるように工夫をしています。

　本書が扱う実例は，細部を省略してカタチをある程度単純化した上で，寸法をわかりやすく解説しています（それに合わせて，実際の建築のしくみについても解説しています）。カタチを単純化することで，モデリングの学習が容易になり，単純化することでその特徴が理解しやすくなります。カタチの特徴を把握しながら，建築の構成を学んでいただければと思います。

　著者のうちの一人は，2008 年に『建築のしくみ―住吉の長屋／サヴォワ邸／ファンズワース邸／白の家』（安藤直見・柴田晃宏・比護結子，丸善）を共著にて執筆しました。その本は，3D（立体図）を多用し，模型や CG などの 3D モデルを作成しながら，優れた建築の形態と空間を生み出す「建築のしくみ」（物的な構成）を学ぶものでした。この中で解説している「箱形建築，住吉の長屋，ファンズワース邸」を本書でモデリングしています。本書は，「建築のしくみ」そのものではなく，カタチによる建築の構成と図面表現を学ぶものですが，その方法として，3D モデルを使っている点は共通しています。

　1 章から 4 章（ピラミッド／エッフェル塔／パルテノン神殿／パンテオン）では，歴史上の建築がもつ際だった 3 つの特徴，①量塊性（ボリューム，外形），②構成（柱や屋根などのエレメントによる構成），③内部空間，をモデリングしていきます。
　5 章から 7 章（カップマルタンの休暇小屋／ヒアシンスハウス／住吉の長屋）は，美しい近代の住宅をモデリングしながら，そのカタチの構成とおもに透視図の表現について解説しています。
　8 章は，単純な建築モデルを使って，BIM（Building Information Modeling）という建築図面の作成を前提とした 3D モデリングの方法を解説

しています。ここでは，壁，床，屋根，開口部，階段などの建築の部位によって 3D モデルを組み立てていきます。BIM では，3D モデルと図面が連動しますから，3D モデルを正しく作成すればコンピュータが正しい図面を作画してくれます。BIM を学ぶことは建築図面の作法の学習にもつながります。

　そして，9 章と 10 章（ファンズワース邸／法政大学 55/58 年館）にて，BIM を使って，近代の住宅と大規模なビル（大学の校舎）の名建築の 3D モデルを作成していきます。

　コンピュータを使った 3D モデリングには，ソフトウェア（アプリケーション）が必要になります（もちろん，ハードウェアであるコンピュータ本体も必要です）。
　本書で扱うソフトウェアは，1 ～ 7 章までが SketchUp（Tremble 社），8 ～ 10 章までが Revit（Autodesk 社）です。これらのソフトウェアは，建築の 3D モデリングを学ぶには最適なソフトウェアだと思います。また，これらのソフトウェアを使っていくことで，建築の構成と図面表現をわかりやすく理解できると思います。

　本書の初版は 2020 年 3 月に刊行されました。その後に SketchUp と Revit はバージョンアップしています。基本的な使い方に大きな変化はないのですが，一部の操作方法に変更がありました。アイコンなどのデザインにも変更がありました。この第 2 版では，2024 年のバージョンに合わせて，ソフトウェアの操作方法の説明を刷新しました。また，全体を見直して解説がよりわかりやすくなるようにしました。

　さあ，優れた建築のカタチをじっくりと眺めながら，その 3D モデルをコンピュータの仮想空間上に組み立てていきましょう！

　　2024 年 7 月

　　　　　　　　　　　　　　　　　　　　　安　藤　直　見

目　次

本書で使用するソフトウェアと傍注について

　本書では，3D モデルを作成するためのソフトウェアとして，1 章〜7 章では SketchUp（Trimble 社），8 章〜10 章では Revit（Autodesk 社）を使用します。ここで，2 つのソフトウェアの概要と使用方法について説明します。

　なお，各ページの右または左の端に傍注 [a] の欄を設け，専門用語のほか，ソフトウェアを操作するためのツールやコマンドなどを含む用語 [b] について補足説明をしています（傍注と用語の書式については，このページの右端にある傍注の欄で説明をしています）。

SketchUp

　SketchUp は，3D モデリングのための手軽なソフトウェアとして広く普及しています。2006 〜 2012 年にインターネット関係のサービスを広く手がける Google 社により提供されていましたが，現在は Trimble 社が提供しています。

　2024 年 7 月現在，デスクトップ版（パソコンにインストールして使用するアプリケーション版）が提供されているほか，WEB ブラウザで使用できる WEB 版もあります。WEB 版はパソコンの機種を問わず，主要な WEB ブラウザから使用できます。また，デスクトップ版は Windows 版と MacOS 版の両者が提供されています。そして，WEB 版には無料で使える SketchUp Free があります（2017 年以降，デスクトップ版に無料版はなくなりました）。SketchUp Free は，個人用途や教育用途などの非商業的な用途に限って使用できますので，本書ではこの SketchUp Free を使っていきます。プロ向けの一部の機能は使えないようになっていますが，基本的な機能は揃っています。

　SketchUp を使用するためには専用のアカウントが必要です（Google などのアカウントも使用できます）。以下，専用のアカウントの作成について，手短に説明します。

　WEB ブラウザで，以下の SketchUp のサイトにアクセスすると，図 A 左の画面が表示されます。

　　　　https://www.sketchup.com/ja-jp

　この画面上の「無料トライアルを開始」をクリックしてください。次に，その後に現れる画面（図 A 右）から「個人プロジェクト向け」のタブをクリックし，「SketchUp Free」の「モデリングを開始」をクリックすると，「サインイン」を促す画面が現れます。ここで「Trimble ID を作成」をクリックして

図 A　SketchUp のサイト
https://www.sketchup.com/ja-jp

ください。その後は画面の指示にしたがって，名，姓，メールアドレスを入力し，パスワードを設定すればアカウントを作成できます。

Revit

　Revit は，Autodesk 社が提供する建築設計における BIM（Building Information Modeling）のためのソフトウェアです。BIM は CAD（Computer Aided Design）に代わって（あるいは CAD と共存しながら），今日の建築設計の主流になりつつあるツールです。

　Revit には無料版は存在しませんが，学生や教員は，教育用途に限って，無料で使用できます。学生や教員が Revit をはじめとする Autodesk 社の製品を使用するためには，以下の「Autodesk Education Community」のサイトで，アカウントを作成する必要があります（図 B）。

　　　　https://www.autodesk.com/jp/education/edu-software/

　教育機関が発行するメールアドレスを用いてアカウントを作成すると「無償ソフトウェア」がインストールできるようになります。後述の多くのソフトウェアの中から Revit をインストールできます（図 C）。

　2024 年 7 月現在，最新バージョンとして「2025」がリリースされていま

[a] 傍注
本文中の用語やソフトウェアを操作するためのツールやコマンドなどの語句について，この傍注欄で補足説明をしていきます

解説する語句には，[a],[b],[c],…，などの記号を付し，本文と傍注を対応づけています。本文中に記号を付した語句の説明は，見開きのページの左右の傍注の欄で述べています。記号は，見開きページごとに [a] から始まります

ソフトウェアの操作は，画面上のメニュー，ツール，コマンドなどを実行することで進行します。特に基本的なツールは繰り返して使用することが多いので，繰り返し使用するツールについて，見開きのページごとに傍注を記しています（見開きでページが変わると，傍注を重複して記しています）

[b] 用語
ソフトウェアを操作するためのメニュー，ツール，コマンドなどを含む主要な用語は，本文中の字体をゴシック体としています

図 B　Autodesk Education Community のサイト
https://www.autodesk.com/jp/education/home より，［学生］をクリックし，「オートデスク エデュ
ケーション プランへのアクセス」の［製品を入手］ボタンをクリック

図 C　Revit のインストール
このページより，動作環境，ライセンスなどについてに解説にアクセスできる

[a] AutoCAD
広く使われている建
築図面を作成するた
め の CAD ソ フ ト
ウェア

[b] 3ds Max
アニメーションを含
めた CG(Computer
Graphics) を 作 成
するソフトウェア。
商業映画の製作にも
使われている

[c] Maya
3ds Max と同様にア
ニメーションを含め
た CG を作成する高
機能なソフトウェア

[d] アイコン
ソフトウェアを操作す
るために，画面上に配
置された，絵によって
表されたツールやコマ
ンド

[e] ショートカット
ツールやコマンドに素
早くアクセスするため
の「近　道（Short
Cut）」

す。バージョンが新しくなるたびに Revit には高度な機能が追加されていま
す。また，画面に現れるアイコンのデザインが変更されたりもします。でも，
ここ数年，本書で使用する基本的な機能は変更されていません。

　なお，古いバージョンで作成したファイルを新しいバージョンで読み込みこ
とはできますが，逆はできません（新しいバージョンから古いバージョンの形
式でファイルを書き出すこともできません）。たとえば，学校で使っている
バージョンが「2024」で，自宅のバージョンが「2025」の場合，自宅で作成
したファイルを学校で読み込む方法はありませんので，注意が必要です。

　なお，Revit は高機能なソフトウェアなので，ある程度の高スペックのパソ
コンが必要です。

　Autodesk 社は，Revit のほかにも，AutoCAD[a]，3ds Max[b]，Maya[c] を
始めとする多くの高機能なソフトウェアを提供していますが，学生や教員はそ
の多くを，教育目的の範囲内で，無料で使用できます。

本書サポートページの紹介

　本書の理解を深められるサポートページを用意しております。サポートペー
ジでは，本書で解説している建築の 3D モデル（SketchUp および Revit）の
提供，および，一部の章には限りますが，モデリングについての解説動画を公
開しております。サポートページは，下記の URL からアクセスすることがで
きます。

https://www.maruzen-publishing.co.jp/info/n20857.html

　なお，3D モデルについては圧縮ファイル（zip 形式）で提供しており，解
凍時に必要なパスワードは以下の通りです。

パスワード：katachi2nd

ショートカットについて

　ソフトウェアの操作は，基本的には，画面に配置されたするツール，コマンドなどのアイコン[d]をマウスでクリックすることによって進行します。でも，多くの操作は，キーボードのキーを押下することでも実行できるようになっていて，使用するキーがショートカット[e]として定義されています。無理にショートカットを使う必要はないと思いますが，ショートカットを覚えるとツールを素早く選択でき，操作の効率化が図れます。

　本書では，傍注で示すツール，コマンドのアイコンの右上にそのショートカットを示すようにしています。また，SketchUp と Revit のおもな初期設定におけるショートカットを右表に示します（ショートカットは変更することもできます）。

　SketchUp も Revit も，ショートカットは英文名称のコマンドやツールの頭文字であることが多いです。たとえば，SketchUp の「消しゴム」は「Erase」の [E]，「ペイント」は「Brush」の [B]。Revit の「修正」は「Modify」の [MD]，「壁」は「Wall」の [WA] です。操作に慣れたら，ショートカットを使うようにするといいと思います。

凡例

SketchUp の注

[x] オービット　　←注の番号とタイトル
　　　　[O]　　　←ショートカット

　　　ツール　　　←ツール／パネルの種別

画面を回転　　　　←解説

Revit の注

[x] 壁：意匠　　　←注の番号とタイトル
　　　　　[WA]　　←ショートカット

壁
▼

リボン［建築＞構築＞壁＞壁：意匠］
↑リボン（メニュー）の階層 ※

※ [壁：意匠] コマンドは，「建築」リボンの「構築」グループの「壁」から選択できる

SketchUp ショートカット

選択	[Space]
消しゴム	[E]
ペイント	[B]
線	[L]
2点円弧	[A]
長方形	[R]
円	[C]
プッシュプル	[P]
オフセット	[F]
移動	[M]
回転	[Q]
尺度	[S]
メジャー	[T]
オービット	[O]
パン	[H]
ズーム	[Z]
全体表示	[Shift+Z] [Ctrl+Shift+E]
アンドゥー	[Ctrl+Z]
リドゥー	[Ctrl+Y]

Revit ショートカット

修正	[MD]
建築＞構築	
壁	[WA]
ドア	[DR]
窓	[WN]
コンポーネントを配置	[CM]
柱 構造	[CL]
床 構造	[SB]
建築＞部屋／エリア	
部屋	[RM]
部屋 タグ	[RT]
建築＞基準面	
レベル	[LL]
通芯	[GR]
建築＞作業面	
参照面	[RP]
構造＞構造	
梁	[BM]
注釈＞寸法	
平行寸法	[DI]
注釈＞文字	
文字	[TX]
表示＞ウィンドウ	
タブビュー	[TW]
タイルビュー	[WT]
表示＞グラフィックス	
表示／グラフィックス	[VG／VV]
表示＞プレゼンテーション	
レンダリング	[RR]
クラウドでレンダリング	[RD]
レンダリングギャラリー	[RG]
表示＞ウィンドウ＞ユーザインタフェース	
キーボード ショートカット	[KS]

管理＞設定＞その他の設定	
日照設定	[SU]
修正＞修正	
位置合わせ	[AL]
移動	[MV]
オフセット	[OF]
コピー	[CO／CC]
鏡像化 - 軸を選択	[MM]
鏡像化 - 軸を描画	[DM]
回転	[RO]
コーナーへトリム／延長	[TR]
要素を分割	[SL]
配列	[AR]
スケール	[RE]
固定解除	[UP]
ピン	[PN]
削除	[DE]
修正＞作成	
グループを作成	[GP]
ナビゲーションバー	
全体表示	[ZA]
ビュースケールで表示	[ZS]
直前のビュー	[ZP／ZC]
その他	
プロパティの表示／非表示	[PP]
要素を非表示	[EH]
カテゴリを非表示	[VH]
要素を非表示解除	[EU]
カテゴリを非表示解除	[VU]
非表示要素の一時表示	[RH]
ビュー範囲	[VR]

1章　ピラミッド
SketchUp の第一歩

建築をモデリング[a] することは，そのカタチ（物的構成）の特徴を理解することにつながります。1〜7章では，建築のモデリングを学ぶ第一歩として，SketchUp[b] を使います。SketchUp は，直感的にモデリングを進めることができるアプリケーション（ソフトウェア）で，3 次元形態のモデリングの入門には最適のアプリケーションです。SketchUp にはいくつかのバージョンがありますが，Web（インターネットのブラウザ）で動作する SketchUp Free が無料で使用できます。

本章では，SketchUp Free を使って，ピラミッド（図 1-1）をモデリングします。古代のピラミッドはおよそ 5000 年前，古代エジプトの時代に建てられた現存する最古の建築です。単純ではありますが，建築の原型ともいえる決定的なカタチをもっています。本書は，3D モデリングを，この歴史上の最古のカタチから始めたいと思います。

ピラミッドは，古代エジプトのファラオ（王）の墓であったと考えられています。古代エジプトは，ファラオが国を治めた王朝時代に限っても，紀元前 3000 年頃から紀元前 30 年までのおよそ 3000 年の歴史をもちます。そのうちの比較的古い時代である古王国時代（紀元前 27〜22 世紀頃）に多くのピラミッドが建てられました。なかでも，現在のカイロ近郊にあるギザの三大ピラミッドが有名です。その中で，もっとも古くもっとも大きなものがクフ王のピラミッドです（写真 1-1）。正方形の底面の一辺の長さが 230 メートル，高さは 146 メートルにおよぶ巨大な建築です。

1-1. SketchUp の起動

まずは SketchUp を使ってみましょう。SketchUp Free は以下のサイトより起動できます（詳しくは P.5 の SketchUp に関する解説を参照）。

[a] モデリング
一般に，コンピュータ上の 3 次元形態をモデルと呼び，モデルを作成することをモデリングという。モデルが形態全体を意味するのに対して，モデルを構成する要素は，一般にオブジェクトと呼ばれる

[b] SketchUp
P.5 の「本書で使用するソフトウェア」を参照

[c] オブジェクト
SketchUp は，モデルを構成する要素（図形）をエンティティ（事物）と呼んでいる。しかし，本書では，より一般的な用語であるオブジェクトと呼ぶ

[d] ツール
一般に，アプリケーションの操作は，さまざまなコマンド（命令）を実行することにより進む。SketchUp のコマンドはツールとして用意されている

図 1-1　ピラミッド

写真 1-1　クフ王のピラミッド（エジプト，ギザ）

図 1-2　スタートアップ画面

［新規作成］でモデリングを開始できる。単位を指定してモデリングを開始する場合は，［新規作成］の右にあるアイコン［∧］をクリックして，［10 進法-メートル］などの単位を選択する

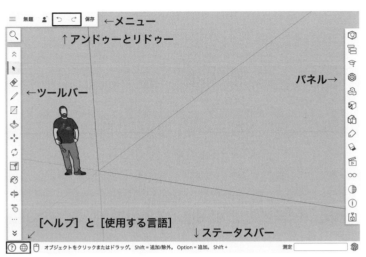

図 1-3　初期画面

初期画面には，人物（SketchUp 開発の関係者）が現れる。日本語で使用する場合は，画面左下の［地球儀］のアイコンをクリックして，「日本語」を選択する

図 1-4　ツールバー

よく使うツール。直前に使ったツールが「その他」の上に表示される

https://app.sketchup.com/app

　サイトにアクセスすると現れるスタートアップ画面（図 1-2）の［新規作成］ボタンをクリックするか，右側のプルダウンメニューから［10 進法-メートル］などの単位を選択すると，図 1-3 の初期画面が現れます。

　初期画面には一人の人物が表示されます。モデリングは，この画面上にオブジェクト[c]（モデルを構成するさまざまな図形）を配置することで進めていきます。画面の上部左にメニューがあります。ファイルの保存や読み込み，モデリングを進める上での設定などをこのメニューから行います。

　画面の左にツールバーが縦に並びます（図 1-3 左，図 1-4）。オブジェクトの配置や変形など，モデリングに必要なツール[d]（何らかの作業をするためのコマンド）がここに格納されています。

　画面の右には，モデリングの作業におけるさまざまな設定を行うパネル[e]を表示するためのアイコンが縦に並んでいます（図 1-3 右）。

　画面の下部には，特別なツールと，作業の状況を示すステータスバーがあります。［?］（クエスチョンマークのアイコン）は SketchUp の使い方を説明する［ヘルプ][f] です。［地球儀］のアイコンをクリックすると，使用する言語を選択できます（図 1-3 左下）。

1-2. ツールバーとパネル

　ツールバーに格納されたツールと，各種の設定などを行うパネルには多くの種類があります。

　ツールバーにはよく使われる一部のツールだけが表示されていて，そのほかのツールはツールバーの最下行の［…］（そのほかのツールを意味するアイコン）をクリックすると現れます（図 1-5）。また，直前に使ったツールが［…］（そのほかのツール）の直上に表示されます。ツールバーの一番上にある［SketchUp を検索][g] に「移動，回転」などの用語を入力すると，関連するツールを検索できます。ツールバーは使いやすいようにカスタマイズすることもできます。ツールをツールバーにドラッグしたり，下部の［編集］をクリックすればツールの並び順を変更できます。

　パネルの構成を図 1-6 に示します。パネルの中には，よく使うものがある一方，あまり使わないものもあります。ツールとパネルの使い方は，使っていくうちに自然に覚えられると思います。

[e] パネル
画面の状態やツールを使う際に必要となるさまざまな設定を行うときに使用

[f] ヘルプ

左が［ヘルプ］ツール。右は使用する言語の設定のためのツール

[g]SketchUp を検索
［Shift+/］ツール

SketchUp のツールを検索

なげなわ　サンプルマテリアル　　　　　　　　　　　　　　　　　　　　　回転した長方形

| 円 | 2点円弧 | 円弧 | ポリゴン | 3点円弧 | 扇形 | フリーハンド | 3Dテキスト |

| オフセット | フォローミー | 反転 | 外側シェル | 交差 | 結合 | 減算 | トリム | 分割 |

| 寸法 | 分度器 | 軸 | テキスト | 断面平面 | タグ |

| ズーム | 全体表示 | 選択範囲をズーム | カメラを配置 | ピボット | ウォーク |

編集

図 1-5　その他のツール
ツールバーに表示されている以外のツール（その他のツール）をツールバーにドラッグしたり，画面下部の［編集］より，ツールの並び順をカスタマイズできる

エンティティ情報
アウトライン表示
インストラクタ
3D Warehouse
コンポーネント
マテリアル
スタイル
タグ
影
シーン
表示
ソフトニング/スムージング
モデル情報
ソリッドインスペクタ

図 1-6　パネル
パネルのアイコンをクリックするとアイコンの右側に設定画面が現れる

[a] モデル情報
パネル

モデルの長さと角度の単位，寸法の書式を設定するパネル

[b] オービット
[O]
ツール

画面を回転

[c] パン（パン表示）
[H]
ツール

画面を動かす

[d] ズーム
[Z]
ツール

画面を拡大縮小

[e] 全体表示
[Ctrl+Shift+E]
[Shift+Z]
ツール
モデル全体を画面にフィットして表示

[f] 選択範囲をズーム
[Shift+W]
ツール

選択範囲を拡大縮小

1-3. 座標と単位

　コンピュータの世界は実体を伴わない仮想空間です。CAD（Computer Aided Design，コンピュータを使った製図）や CG（Computer Graphics）では，コンピュータの中に仮想のオブジェクトを配置します。オブジェクトは，コンピュータの内部の仮想空間に設定された単位（スケール）や座標などの数値に基づき，そのカタチ，寸法，位置などが記述されます。

　平面図や立面図などの2次元の図面なら，オブジェクトはXYの2次元座標系で記述されます。建築を表す座標系は，平面図の左下に原点（0,0）があり，右方がX軸のプラス方向，上方がY軸のプラス方向となるのが一般的です。3次元の立体を扱うためにはXYZの3次元座標軸が必要となります。SketchUpでは，XY平面を水平面とし，高さ方向にZ軸があります（図1-7）。各軸は実線で表された方向がプラス，点線側がマイナスです。

　座標の単位はパネル［モデル情報］[a]から設定できます（図1-7）。なお，SketchUpの初期設定では，単位がメートル系ではなく，米国などで使用されているインチ/フィート系となっていることがあるので，注意が必要です。

1-4. 画面の操作

　画面を操作するツールである［オービット］[b]，［パン（パン表示）］[c]，［ズーム］[d] などを使ってみましょう。図1-4に示したツールバーの中に［オービット］と［パン］があります。［ズーム］は図1-5に示したその他のツールの中にあります。なお，よく使うツールはショートカット（P.7の「ショートカットについて」参照）を使っても選択できます。

　［オービット］は画面を回転します。モデルを見る向きを回転する場合にこのツールを使います。［パン］は画面を上下左右に動かします。これは，モデルを見る向きは変えずに，視点の位置を上下左右に動かす場合に使うツールです。［ズーム］は画面を拡大縮小します。マウスの左ボタンをプレス（長押し）しながら上下にドラッグすると拡大縮小します。なお，画面の拡大縮小は，視点をモデルに近づけたりモデルから遠ざけたりすることと同じことです。

　また，その他のツールの中にある［全体表示］[e] はズームの一種で，モデル全体を画面にフィットさせてくれます（全体表示のショートカット「Ctrl+Shift+E」または「Shift+Z」は覚えておくと特に便利だと思います）。［選択範囲をズーム］[f] は，このツールを選択した後に，画面の領域を囲むと，そ

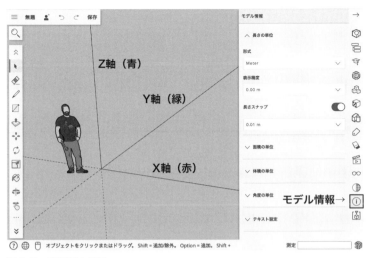

図 1-7　座標系と単位

X, Y, Z の各軸は，赤・緑・青の 3 色によって表されている。この 3 色は，その軸に平行や垂直の
オブジェクトを示す際にも用いられる。単位の設定はパネル［モデル情報］から

の領域がズームされます。

　［ズーム］は，マウスのスクロールボタンでも操作できます。また，スクロールボタンをプレス（押したままに）すると一時的に［オービット］（画面を回転）になります。また，キーボードの Shift キーを押しながらスクロールボタンをプレスすると［パン］（画面を移動）になります。

1-5. 選択と移動

　図 1-8 のツールバーの一番上にある矢印のアイコンがオブジェクトを［選択］[g] するツールです。これはもっともよく使うツールだと思います。

　ツール［選択］を選んだ状態でオブジェクトをクリックすれば，そのオブジェクトが選択されます。試しに人物をクリックしてみてください。人物が青くハイライトされます（青い枠で囲まれます）。選択を解除する場合は，空クリック（画面上のオブジェクトのない場所でクリック）をしてください。

　ツール［移動］[h] を使って，人物を移動してみましょう。カーソルを人物の上にもっていくと，人物の足下などの特別な位置にある点がスナップ（オブジェクトの特別な点をつかむこと）されます。いずれかの点をスナップしてドラッグすると人物が移動します。移動先で再度クリックすれば，移動が確定し

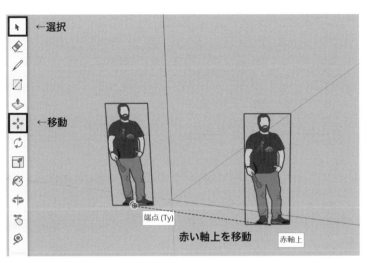

図 1-8　選択と移動

オブジェクト上でクリックするとそのオブジェクトが選択される。移動は，オブジェクトを選択し，
最初に基点を指定し，次に基点の移動先を指定する

ます。

　人物をいろいろな方向に動かすと，特定の方向がスナップされ，点線で示される移動の軌跡が，赤，青，緑のいずれかの色になることがあります。これは，たとえば軌跡が赤の場合は，移動の方向が赤い軸（すなわち X 軸）に平行であることを意味します。緑ならば Y 軸に，青ならば Z 軸に平行な移動となります。

　このように，SketchUp では特別な位置にある点や特定の方向がスナップされますが，この作法は強力でとても便利です。

　移動をする際に，キーボードの Ctrl キーを押すと，単純移動が［移動＋コピー］（コピーを伴う移動）に切り替わります。人物を何人か，コピーしながらいろいろな方向に移動してみてください。

　オブジェクトを削除したい場合は，オブジェクトを［選択］して，キーボードの Delete（削除）キーを押してください。

　なお，ツール［選択］の使い方には，オブジェクトの選択後にそれを操作する方法（あらかじめオブジェクトを選択するプレピック）と，何も選択していない状態で操作したいオブジェクトを指定する方法（後からオブジェクトを選択するポストピック）があります。複数のオブジェクトを一括して操作したい

[g] 選択

[Space]
ツール

オブジェクト上でクリックして選択。SketchUp の操作中は，常に，いずれかのツールが選ばれた状態となる。［選択］の働きは，オブジェクトを選択するだけで，ほかのツールのように単独で描画や変形などの新たな操作を行うことをしない。すなわち，［選択］は，間違った操作をする可能性がないツールである。ほかのツールを使って，何かの操作をし終わったら，このツールを選んでおくと，意図しない間違った操作を避けることができる

[h] 移動

[M]
ツール

移動や回転を行うツールの一つ。最初に移動元となる基点をクリックし，次の基点の移動先をクリック。あらかじめ選択してあるオブジェクトを移動することもできる

図 1-9　メニュー（モデル/環境設定）
モデル（ファイル）の新規作成や保存などの操作に関するメニュー

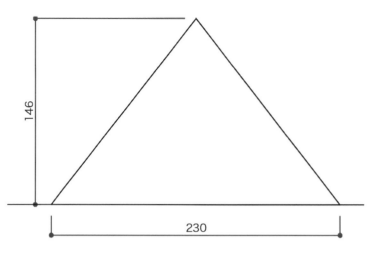

図 1-10　クフ王のピラミッド：立面図
ピラミッドを四角錐と見なした場合の寸法。単位は m

場合にはプレピックが便利です。操作対象が 1 つだけの場合はいずれの方法でも OK です。

　オブジェクトを選択する際に，キーボードの Ctrl または Shift キーを押しながら選択すると，複数のオブジェクトが選択できます。左側から右側に領域を描くとその領域内にあるオブジェクトがすべて選択されます。逆方向に（右側から左側に）領域を描くとその領域内およびその領域の境界に交差するすべてのオブジェクトが選択されます。

1-6. アンドゥーとリドゥー

　SketchUp に限らず，コンピュータで作業をしていると，間違った操作をすることがよくあります。そんなときのために，画面上部のメニューの中に ［アンドゥー］ [a]（元に戻す）と ［リドゥー］ [b]（やり直し）のボタンが用意されています（図 1-3 参照。画面上部のメニューの左向きの矢印がアンドゥー，右向きがリドゥー）。間違った操作の後に ［アンドゥー］ をクリックすれば操作が取り消されます。［アンドゥー］ を間違えた場合は ［リドゥー］ をクリックすれば取り消されます。

　なお，［アンドゥー］はキーボードの「Ctrl+Z」，［リドゥー］は「Ctrl+Y」がショートカットとなっています。これは多くのソフトウェアに共通するショートカットです。

1-7. ファイル

　では，モデリングを始めましょう。モデリングは SketchUp が起動した状態から始めるのですが，もしかしたらすでに何らかの作業が進んでいるかもしれません。その場合は，新しくファイルを作成します（コンピュータで作業をすることは，その結果を記録するファイルを作成することだといえます）。

　画面左上部のメニューの一番左の ［モデル/環境設定を開く］ [c] をクリックすると，図 1-9 に示したサブメニューが開きます。［開く］ は記録されているファイルの呼び出し，［名前を付けて保存］ はファイルの新規保存，［インポート］ は別ファイルからのモデルの追加，［エクスポート］ は画像や 3D プリンタ向けのファイルの出力，［ダウンロード］ は自分のコンピュータへのファイルの保存で，［印刷］ は画面の印刷です。

　［新規］ をクリックすると，新たにモデルを作成するためのサブメニューが開きます。なお，ここで，すでにモデルを作成していたり，何らかの作業をしていると，図中に示したダイアログ ［変更を保存］ が表示されます。作成中あ

写真 1-2　クフ王のピラミッド
ピラミッドは石切場で切り出された石を積み上げて建設されている

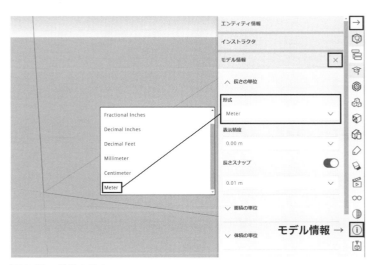

図 1-11　単位の設定
［モデル情報＞形式］にて，長さの単位を m に設定

るいは作成後のモデルがある場合はここで保存をしてください（保存の手順については「1-15. ファイルの保存」参照）。

1-8. クフ王のピラミッド

　図 1-10 にクフ王のピラミッドの立面図を示します。ここでは，ピラミッドのカタチを単純な四角錐（頂点と四角の底面をもつ立体）で表しています。石が積まれてつくられたピラミッドには，実際には，表面に凸凹があります（写真 1-2）。入口もあります。でも，遠くから見るピラミッドのカタチは，単純な四角錐に見えると思いますので，ここでは，ピラミッドを四角錐と見なしてモデリングしていきます。

1-9. 単位の設定

　モデリングを始める際に注意しなければいけないことの一つに単位[d] の設定があります。一般に，建築設計に用いる単位はミリメートル（以下，ミリと表記します）ですが，ピラミッドは巨大な建築なので，ここではメートルを使うことにします。

　単位は，［モデリングを開始］する際に用いる［新規作成］のサブメニュー

から選択することができますが，もちろん，後から単位を変更することも可能です。後から設定するときは，パネル［モデル情報］[e] を表示し，単位を設定してください（図 1-11）。

　ここでは，［長さの単位］の［形式］を［Meter（メートル）］としてください。［表示精度］（小数点以下の数値）は，ここではこだわる必要はありません。図では［0.00 m］としていますが，［0.0 m］や［0 m］でも OK です。

　単位の設定が完了したら，作業画面を大きく表示するために，パネルは閉じるか，あるいは，非表示にするとよいと思います。パネルは，上部のタイトル（ここでは［モデル情報］）の上にカーソルをもっていき，右側に表示される［X］のアイコンをクリックすると閉じます。あるいは，画面右に縦に並んだパネルの最上部（画面の上方）にある［→］のアイコンをクリックすると，パネルが閉じることなく，非表示となります。

1-10. 削除

　さて，初期状態で存在する人物は削除[f] しましょう。人物は，建築の大きさを把握するために有効なのですが，ピラミッドに対して人物はごく小さいので，目安になりにくいと思います。あるいは，XY 座標のマイナスの位置など，

[d] 単位
日本における建築設計に使用する単位はmm である。一方，SketchUp が開発されたアメリカでは，長さの単位として in（インチ），ft（フィート）が使われる。1in は 約 25.4mm，1ft は 12 in で 約 30 cm

[e] モデル情報

パネル

前出（P.10）

[f] 削除
ツールで［選択］し，キーボードで［Delete］

[a] 移動

[M]
ツール

前出(P.11)

[b] 長方形

[R]
ツール

図形を描くツールの
一つ。対角となる始
点と終点をクリック
することで長方形を
作成。長方形の大き
さは数値で指定でき
る。作成の途中で操
作をキャンセルした
いときに，キーボー
ドの Esc キーを押
す

[c] オービット

[O]
ツール

前出(P.10)

[d] パン

[H]
ツール

前出(P.10)

[e] ズーム

[Z]
ツール

前出(P.10)

[f] 全体表示

[Ctrl+
Shift+E]
[Shift+Z]
ツール

前出(P.10)

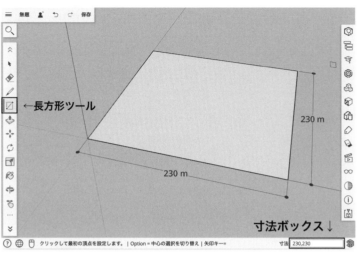

図 1-12　長方形の描画
底面として，230×230 m の長方形を描く。画面右下に寸法が表示される

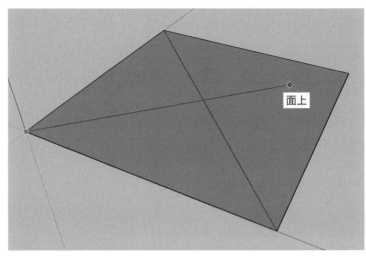

図 1-13　対角線の描画
正方形に対角線を描く。頂点の近くにカーソルをもっていけばスナップされる

邪魔にならない場所に［移動］[a] させてください。

1-11. 平面の描画

　ツール［長方形］[b] で，ピラミッドの底面となる 230 × 230 メートルの正方形を水平面上に描いてください（図 1-12）。カーソルを原点近くにもっていくと，原点がスナップされます。原点でクリックをして，そこを長方形の 1つの角とします。その後に，対角となる点までドラッグし，対角点でクリックすれば長方形が描かれます。正方形を描くようにドラッグすると，方向がスナップされ，正方形が描きやすくなると思います。

　長方形の大きさは画面右下の［寸法］ボックス（図 1-12 右下）に表示されます。また，キーボードから数値を入力すると，正確な大きさとすることができます。対角となる点の方向にカーソルを動かしながら，キーボードから「230,230」（半角数字で 230＋カンマ＋230）と入力をしてください。あるいは，おおよその大きさで長方形を描いた後（直後）に数値を入力しても OK です。

　先にも説明していますが，画面は［オービット］[c]，［パン］[d]，［ズーム］[e]，［全体表示］[f] を使って操作しましょう（マウスのホイールでの［ズーム］，

Shift キー＋ホイールで［パン］も便利です）。

1-12. 側面の作成

　ピラミッドの側面を平面図（上から見たカタチ）上に作成します。ツール［線］[g] を用いて，長方形（正方形）の頂点を 2 本の対角線で結びます（図 1-13）。オブジェクトの端点をスナップして，正確に頂点を結ぶ対角線を描いてください。

　次に，ツール［移動］を使って，対角線の交点（正方形の中心）を垂直上方に移動します（図 1-14）。カーソルを交点の上にもっていき，交点をスナップしてから，Z 軸（青色）に沿って（青色の軌跡を表示させながら）垂直上方に移動させてください。ピラミッドの高さは 146 メートルです。頂点をドラッグしながら，キーボードで「146」を入力するか，あるいは，高さをおおよそ決めた後に，「146」を入力してください。

1-13. 底面の作成

　これでピラミッドができあがったように見えますが，［オービッド］を使って画面を回転させ，ピラミッドを底面の下から眺めて見ると，底面が存在して

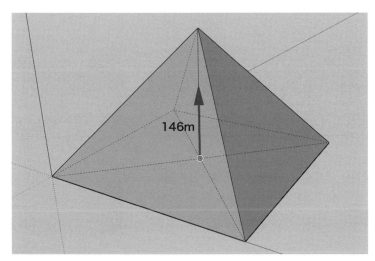

図1-14　頂点の移動
底面の対角線の交点を垂直上方に（青いZ軸に沿って）146 m 移動

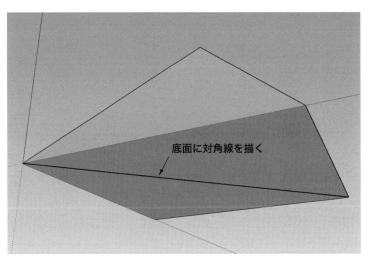

図1-15　底面の作成
底面には面が存在しないが，対角線を描くと，面が張られる（この図はピラミッドを地面の下から眺めている）

いないことがわかります。これは，底面を持ち上げて側面にしてしまったからです。

　上から見れば底面は見えないので，このままでもいいのかもしれません。でも，底面を作成してみましょう。ツール［線］で，図1-15のように，底面のいずれかの対角を線で結んでみてください。すると，底面に面が作成されます。面が作成されたら，面上にある対角を結んだ線は削除しましょう。

1-14. SketchUp の作法

ここまでの作業を通して，以下のことが理解できたと思います。
1) 基本的なオブジェクトとして，線と面がある。
2) 面（たとえば長方形）を作成したいときは，面の輪郭となる線を描けば，線と同時に面も作成される（線の内部に面が張られる）。
3) 面の内部を分割するように線を描くと（たとえば頂点を結ぶ対角線を描くと），面が分割される。
4) 面を分割している線を削除すれば，面は一体化する。
5) 面の輪郭を移動すると，それに追随して，面の形状が変化する。
SketchUp では，こんな風に，線の描画や削除によって自動的に面が張られ

たり分割されたりします。また，面の端点や切片を移動すると，カタチが立体的に変形します。

1-15. ファイルの保存

　モデリングが完成したら，ファイルを保存しましょう。画面左上のメニューの左端のアイコン［モデル/環境設定を開く］[h] をクリックすると現れるサブメニューから［名前を付けて保存］（図1-16）を選ぶと，［プロジェクト］と呼ばれる保存先を指定するウィンドウが開きます（図1-17）。ここでの保存先は SketchUp が提供しているクラウド（インターネット上のサーバー）になります。

　なお，ここで，［未使用のアイテムを完全に削除］というダイアログが表示されることがあります。これは後述するコンポーネントやタグなどのアイテムを使用した際に，未使用のものを削除して保存するかどうかを選択するダイアログです。本章では未使用のアイテムを意識する必要はありませんので，ここでは，「いいえ」でも「はい，完全に削除する」のどちらを選択しても構いません（モデリングの過程では補助的なアイテムを使用することがあります。モデルが完成した際に補助的なアイテムを削除したい場合は「はい」を選択しま

[g] 線

[L]
ツール

線を描くツール。始点と終点をクリックする。キーボードの矢印キーを併用すると，XYZ 軸などに平行な線を描ける

[h] モデル/環境設定を開く

メニュー

メニュー［ファイル操作］の右の［保存］をクリック。保存されると［保存］が［保存済み］に変わる
前出(P.12)

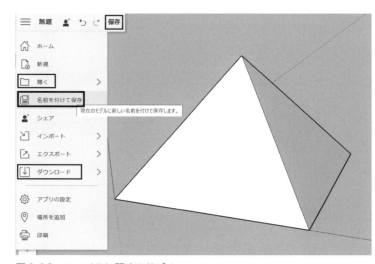

図 1-16　ファイルに関するサブメニュー
ファイル操作に関するコマンドは，メニューの左端のアイコンをクリックすると現れるサブメニューから選択する

図 1-17
プロジェクトの選択

写真 1-3　ギザの三大ピラミッド
写真右の一番遠くにあるのがクフ王のピラミッド。中央がカフラー王。その左手前がメンカフラー王のピラミッド

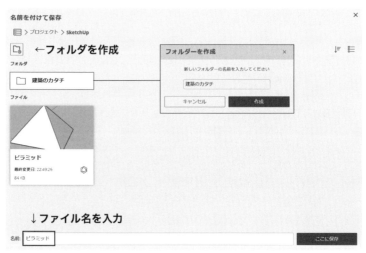

図 1-18　名前を付けて保存
下方の［名前］欄にファイル名を入力し，［ここに保存］ボタンを押す。図中の「ピラミッド.skp」は先に保存済みのファイル

す）。

　あらかじめ用意されているプロジェクトフォルダ「SketchUp」をクリックするとファイルの保存先を示すウィンドウが表示されるので，ファイル名を指定して保存してください（図1-18）。ここで，新たにフォルダを作成して，ファイルをフォルダ内に保存することもできます。

　なお，ここで使用した［名前を付けて保存］は，新しく作成したファイルを保存する際に使用するコマンドです。すでに保存してあるファイルを別名で保存する際にも［名前を付けて保存］を使用します（図1-16）。ファイルを更新（変更）した場合の保存は，メニューの右端の［保存］をクリックすればOKです。モデリングの過程では，随時ファイルを保存してください。

　なお，自分のパソコンにファイルを保存した

い場合は，［ダウンロード］を使用します（図1-16）。保存したファイルは，サブメニューの［開く］から読み込むことができます。

1-16. 3 つのピラミッド【演習】

　クフ王のピラミッドは，エジプトのギザに建つ三大ピラミッドのうちの一つです。クフ王のピラミッドの隣には，カフラー王とメンカフラー王のピラミッドが建っています（写真1-3）。ギザの大ピラミッドは，一つひとつが大迫力なのですが，3つが並ぶ姿はより壮観です。眺める位置によって，3つのピラミッドの見え方が変わってくるのもおもしろいと思います。

　3つのピラミッドのおおよその配置図とその高さを図1-19に示します。演習問題として，3つのピラミッドをモデリングしてみてください（図1-20）。

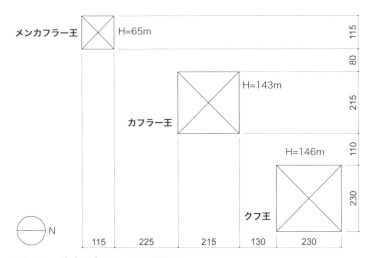

図 1-19 ギザのピラミッドの配置図
北（図の右）から古い順に，クフ王，カフラー王，メンカフラー王のピラミッドが並ぶ。いずれも紀元前 2500 年頃に建造された

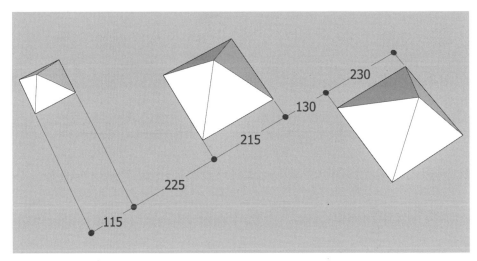

図 1-20 3 つのピラミッド
高さはクフ王のピラミッド（右）がもっとも高く，メンカフラー王のピラミッド（左）がもっとも低い

1-17. レンダリング

　完成した 3D モデルを画像として表現することをレンダリングといいます。3D モデルをさまざまなレンダリングエンジン（レンダリングのためのソフトウェア）に受け渡すことで，用途に応じたレンダリングができます。

　本書では，レンダリングエンジンの解説は割愛しますが，各章の末尾に，レンダリング画像の例を示すようにします。図 1-21 はその一例です。この画像は，V-Ray（CHAOSGROUP 社，https://v-ray.jp/）というレンダリングエンジンで作成したものです。

補足（Tips）

　「1-1. SketchUp の起動」（P.9）で解説していますが，SketchUp Free は使用する言語を指定できます。日本語で使用する場合は，画面左下の［地球儀］のアイコンをクリックし，「日本語」を選択してください（使用する言語が「英語」になっているとブラウザの自動翻訳で用語が変な日本語に変換されている場合があります）。

図 1-21 三大ピラミッド（レンダリング画像）
SketchUp で作成したモデルを V-Ray でレンダリングした例

2章　エッフェル塔

現代のピラミッド　【演習】オベリスク，ワシントン記念塔

本章では，フランスのパリに建つエッフェル塔[a]をモデリングしていきます。エッフェル塔は高さ324メートルの鉄骨構造の建築です。

紀元前2500年頃に建てられたクフ王のピラミッドの高さは140メートルを超えていました。この高さはその後の長い間にわたって世界記録でした。12世紀以降の中世ゴシックの時代に高さが150メートルを超える聖堂（教会）が建てられましたが，更新された世界記録はほんの10メートルほどでした。古代エジプトのピラミッドの140メートルという世界記録は建築の高さを決定づけたマジックナンバーだったと思います。そのマジックナンバーを大きく更新したのが，1889年に，フランスのパリに建てられたエッフェル塔でした。

エッフェル塔の建設当初の高さは312メートルでしたが，この高さは，1930年，アメリカのニューヨークに高さ319メートルのクライスラービル[b]が建つまでの約40年間，世界一でした。

今では高さが400メートルを超える建築もさほど珍しくなくなりました。それでも，まだまだエッフェル塔の大きさ（高さ）はパリのシンボルとして輝いています。

2-1. エッフェル塔の単純モデル

図2-1に，クフ王のピラミッドとエッフェル塔，それに，本章の最後に演習として出題するワシントン記念塔の3Dモデルを示します。写真2-1が，エッフェル塔の写真です。また，図2-2にエッフェル塔のカタチを単純化した立面図を示します。

エッフェル塔は，おおまかには，3段に積み重なった四角錐台（底面と上面が四角形の錐体）の最上部に四角錐（ピラミッド）が載ったカタチです（図2-3）。最下段の四角錐台をカマボコのカタチでくり貫くと，アーチが現れて

[a] エッフェル塔
フランス革命100周年を記念して開催されたパリ万国博覧会のために建設されたモニュメント。ギュスタフ・エッフェル（1832-1923）によって設計された。建設当初の高さは312mであったが，その後にアンテナが設置され324mとなった

[b] クライスラービル
アメリカ合衆国ニューヨーク市のマンハッタン島に建つ超高層ビル。完成時には世界一の高さであったが，翌年に同じマンハッタン島に，高さ381m（電波塔を含む高さは443m）のエンパイア・ステート・ビルが建った

図2-1　エッフェル塔とピラミッドとワシントン記念塔

写真2-1　エッフェル塔（フランス，パリ）

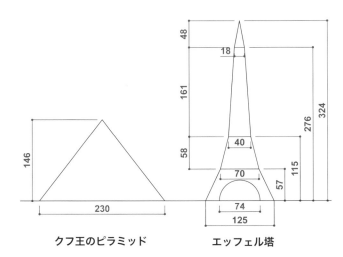

クフ王のピラミッド　　**エッフェル塔**

図 2-2　ピラミッドとエッフェル塔：立面図
エッフェル塔を単純化したカタチ。実際のエッフェル塔は鉄骨が複雑に組み上がっている

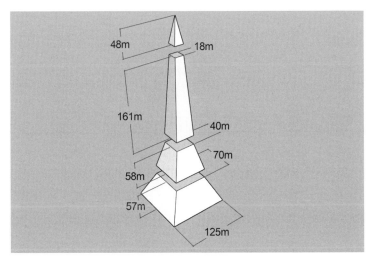

図 2-3　エッフェル塔：分解図
外形の分解図。おおよその外形は 3 段に積み重なる四角錐台の頂部に四角錐が載ったカタチ

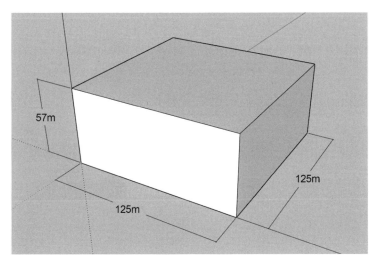

図 2-4　プッシュプル
底面は 125×125 m，高さ 57 m の立方体を作成

エッフェル塔らしくなります。本章では，エッフェル塔の単純モデルとして，このカタチをモデリングします。

2-2. 新規ファイルと単位の設定

　前章のピラミッドの場合と同様に，メニュー［モデル/環境設定を開く］[c] からファイルを［新規］に作成し，パネル［モデル情報］[d] を使って，［長さの単位］を［Meter（メートル）］に設定してください。

2-3. 最下段

　最下段の四角錐台は，底面の一辺の長さが 125 メートル，高さが 57 メートル，上面の一辺の長さが 70 メートルです。
　まずは，ツール［長方形］[e] を使って，水平面に 125 メートル角の正方形を描いてください。そして，ツール［プッシュプル］[f] を使って，その正方形を立体化します（図 2-4）。［プッシュプル］は，平面に高さや奥行を加えて立体化する（押し出す）ツールです。SketchUp の 3D モデリングでは多用することになるツールの一つです。
　［プッシュプル］を選択し，カーソルを面の上にもっていくと，面上に網が

[c] モデル/環境設定を開く

メニュー

前出（P.12）

[d] モデル情報

パネル

前出（P.10）

[e] 長方形

[R]
ツール

前出（P.14）

[f] プッシュプル

[P]
ツール

変形するツールの一つ。面を選択して動かすと面が柱状に押し出される。面はプリピック（あらかじめ選択しておく）できるが，複数の面を一括でプッシュプルすることはできない（一度にプッシュプルできる面は一つだけ）

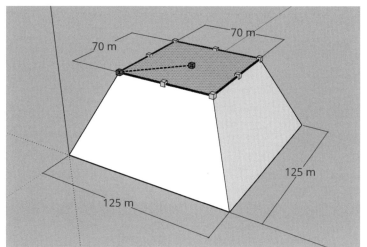

図2-5　面の拡大縮小（縮尺の変更）
［尺度］ツールで上面を 0.56 倍に縮小。Ctrl キーを押しながら頂点をドラッグ

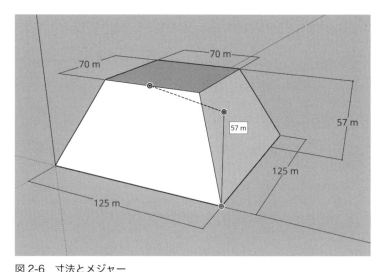

図2-6　寸法とメジャー
［メジャー］ツールを使うと寸法を記入できる

[a] 尺度
[S]ツール

移動や回転などの
ツールの一つ。面ま
たはグループの大き
さを拡大縮小（線は
拡大縮小できない）。
オブジェクトを選択
すると現れるグリッ
プをクリックして動
かす

[b] 寸法
ツール

測るツールの一つ。
寸法を記入する。測
りたい長さの始点と
終点をクリックし，
その後に寸法を記入
したい場所をクリッ
ク。寸法のスタイル
（数値の文字の大き
さと端点の形状）は
パネル［モデル情
報］のタブ［テキス
ト設定］で設定

かかったような表示となります。その面をクリックする
と，面に垂直な方向に，面をプッシュプルできるように
なります。底面の正方形をクリックし，高さ方向に 57
メートルの長さでプッシュプルしてください。プッシュ
プルしながら寸法を入力するか，アバウトな寸法でプッ
シュプルしてから，「57」を入力しても OK です。
　次に，作成された立方体を四角錐台に変形します。作
成された立方体の上面を小さく変形させましょう。ツー
ル［尺度］[a] を使うとオブジェクトの大きさを拡大縮小
できます。
　［尺度］を選択して上面をクリックすると（あるいは，
上面を選択した状態でこのツールを選ぶと），尺度変更
のためのグリップ（枠線）が表示され，面の周囲がつか
めるようになります（図2-5）。グリップのいずれかの
頂点をつかんで動かせばオブジェクトが変形しますが，
ここでは，面の中心を基準としてモデルを縮小する必要
があります。

図2-7　単位の設定
［形式］で単位を設定

図2-8　寸法スタイルの設定
［寸法設定］で寸法のスタイルを設定

図2-9　インストラクタ
ツールの使い方が表示される

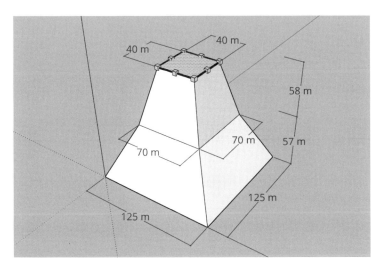

図 2-10　最下段と 2 段目
2 段目は最下段の上面を［プッシュプル］。その上面を［尺度］ツールで 0.57 倍に縮小

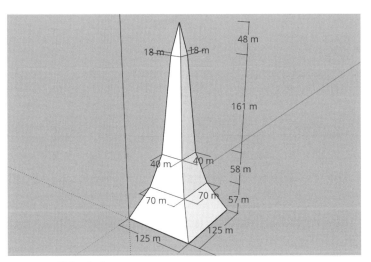

図 2-11　外形の完成
最上段の四角錐は対角線の交点をを垂直に移動して作成する

中心を基準として面を変形するには，Ctrl キーを併用します。上面の大きさの底面に対する比率は 0.56 倍（70÷125＝0.56）なので，Ctrl キーを押しながら，アバウトな大きさで変形した後に，「0.56」を入力してください。

2-4. 寸法とメジャー

　ここで，寸法の記入について説明をします。ツール［寸法］[b] を使って，測りたい長さの端点を指定すれば寸法を記入できます（図 2-6）。

　寸法の精度は，パネル［モデル情報］[c] の［長さの単位］タブの設定に基づきます。［長さの単位］タブをクリックすると，［形式］，［表示精度］，［長さスナップ］という設定項目が現れます（図 2-7）。［表示精度］は表示する寸法の小数点以下の桁数の設定です。［長さスナップ］は描画に用いる長さをスナップするか（丸めるか）どうかとその精度の設定です。寸法の文字のフォントや大きさ，表示する位置（割り当て先），寸法線の端点の形状は［寸法設定］タブで設定できます（図 2-8）。

　寸法を記入するのではなく，一時的に長さを確認したい場合は，ツール［メジャー］[d] を使用します。端点をクリックしてカーソルを動かすとスナップした位置までの距離が測れます。なお，終点をクリックするとガイド（補助

線）が描かれることがありますが，終点をクリックする前にキーボードの Esc キーを押せば，ガイドは描かれません（ガイドについては 3 章の「3-10. ガイドの作成」で後述します）。

　ところで，ツールの使い方は，パネル［インストラクタ］[e] に表示されます（図 2-9）。必要に応じて，このパネルを表示しておくと便利です。

2-5. 2 段目

　2 段目は，高さが 58 メートルで，上面の底面に対する比率が 40÷70＝0.57 です。最下段の上面を 2 段目の底面として，ツール［プッシュプル］で高さを与えてください。そして，ツール［尺度］で上面を「0.57」倍に縮小してください（図 2-10）。

2-6. 外形の完成

　同様に，3 段目は，高さが 161 メートル，上面の底面に対する比率は 18÷40＝0.45 です。3 段目も，［プッシュプル］と［尺度］を使って作成してください（図 2-11）。また，最上段には，高さ 48 メートルのピラミッドを作成してください。ピラミッドの作成方法は，前章と同様，ツール［線］[f] を使っ

[c] モデル情報
パネル

前出（P.12）

[d] メジャー

[T]
ツール

距離を測るツール。距離を測定するほか，ガイド（補助線）を描くこともできる。距離を測る場合は，測りたい長さの始点と終点を指定する

[e] インストラクタ
パネル

ツールの使い方を表示。必要に応じて使用するとよい

[f] 線

[L]
ツール

前出（P.15）

[a] 扇形
ツール

円弧を描くツールの
一つ

[b] 円弧
ツール

扇形と同様に，描き
たい円弧の中心，始
点，終点を順に指定
する。扇形が面を作
成するのに対して，
円弧は外周のみを作
成

[c] 2点円弧
[A] ツール

円弧の始点と終点を
指定した後に曲率を
指定

[d] 3点円弧
ツール

円弧の始点，通過
点，終点の3点を
指定

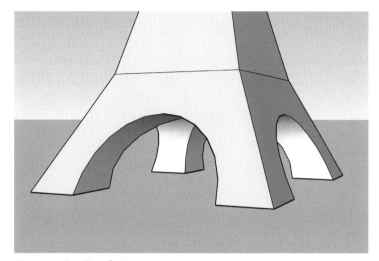

図2-12　最下段のボイド
エッフェル塔の下部にはヴォールト状のボイドが存在する

て底面に対角線を引き，その交点を垂直上方に移動しましょう。

これでエッフェル塔の外形ができあがりました。

2-7. ボイドの作成

エッフェル塔は，最下段の中央にヴォールト状（カマボコのカタチ）のボイ
ド（空洞）があります（図2-12）。ちなみに，エッフェル塔のエレベーター
は，中央にボイドがあるために，垂直ではなく，外形に沿うように傾きながら
昇降するおもしろい構造になっています。

エッフェル塔は，足下に立つ人々の視線をボイドを通してその先にまで延ば
し，都市に軸線を与えています。ボイドはエッフェル塔のカタチを決定づけてい
る特徴の一つだと思います。

図2-2の立面図に示しているように，ボイドの立面は直径74メートル（半
径37メートル）の半円です。ツール［扇形］[a]（中心と半径を指定）を使って，
最下段にこの半円を描きましょう（図2-13）。［扇形］を選ぶと，分度器のよ
うなアイコンが現れます。分度器と同一の面上に，中心，半径，円弧の角度を
指定すれば，扇形が描かれます。

なお，円弧を描くには，ほかに［円弧］[b]，［2点円弧］[c]，［3点円弧］[d]

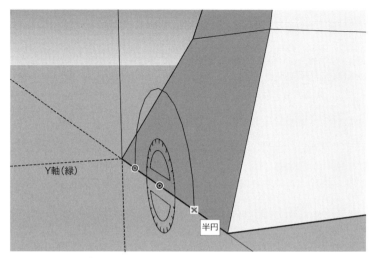

Y軸（緑）

半円

図2-13　円弧の作成
底面の一辺の中点を中心に，半径37mの半円（扇形）を描く。Y軸（緑）に垂直な扇形を描く場合
は，キーボードの［←］（左矢印）キーを押す

などの描き方もあります。円弧と扇形は同じカタチですが，扇形は面，円弧は
外周の線を作成するツールです。

ここでは，四角錐台の底辺の中点（スナップが効きます）を中心に垂直な扇
形を描けばよいのですが，扇形は四角錐台の傾斜した側面上に描かれようとす
ると思います。スナップの働きによりそうなるのですが，ここでは，扇形を垂
直に描く必要があります。

配置するオブジェクトの方向を決めるにはキーボードの矢印キーを併用しま
す。たとえば，図2-13のように，Y軸（緑）に垂直なオブジェクトを描きた
い場合は，中心を指定する前に，キーボードの［←］（左矢印）キーを押して
ください。そうすることで，分度器がY軸に垂直な方向にロックされます。
分度器は緑で表示され，オブジェクトがY軸（緑）に垂直に描かれようとし
ていることを示します。このティップス（技）は，扇形以外の各種のオブジェ
クトを配置する場合にも使えます。［↑］（上矢印）を押せばZ軸（青い鉛直軸）
方向，［→］（右矢印）でX軸（赤）方向にロックされます。

分度器の方向がロックされたら，中心をクリックし，次にカーソルを扇形の
おおよその開始点（底面上）に置き，半径としてキーボードで「37」を指定
します。そして，カーソルを180度回転させれば，半円が作成されます。

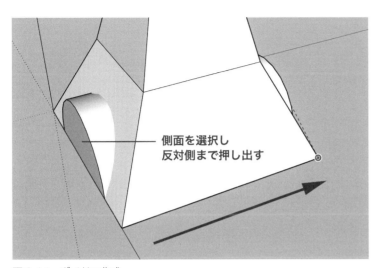

図 2-14　ボイドの作成
半円を［プッシュプル］してカマボコ型のボイドを作成

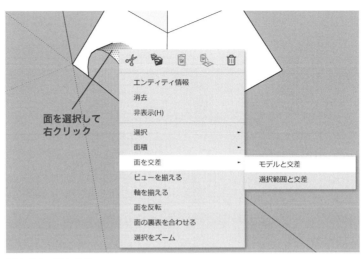

図 2-15　面を交差
カマボコの曲面を右クリックし，サブメニューから［面を交差＞モデルと交差］を実行

[e] プッシュプル
[P]
ツール

前出（P.19）

[f] 面を交差
［モデルと交差］は
選択中のオブジェク
トと交差するすべて
のオブジェクトの交
差線を求める。特定
のオブジェクトとの
交差線のみを求めた
い場合は，［選択範
囲と交差］を使う

[g] 選択

[Space]
ツール

ツール（P.11）

[h] 減算
ツール

最初に選択したソ
リッド（グループ化
された立体）を 2
番目に選択したソ
リッドから引き算

[i] グループを作成
複数のオブジェクト
を選択し，右クリック
で現れるサブメ
ニューから［グルー
プ化］を実行

[j] 外側シェル
ツール

選択したソリッド
（グループ化された
立体）の外形を結合

半円ができたら，ツール［プッシュプル］[e] を使って，底面の反対側まで押し出して，カマボコのカタチをつくってください（図2-14）。底面の反対側の頂点をクリックすれば，面が反対側まで押し出されます。ボイドは直交する 2 方向に存在しますが，まずは 1 方向だけとしておきましょう。

2-8. 面の交差

　最下段の四角錐台から 2 つのカマボコを差し引けば，ボイドが作成できます。でも，実は，無料で使える「SketchUp Free」では，立体から立体を差し引く演算ができません（有料の「Pro」版ならばできます）。そこで，ここでは，やや面倒な方法になりますが，面の交差を判定して，カマボコをくり抜きます。

　前章の「1-14. SketchUp の作法」で述べたように，SketchUp は，面に線が描かれた場合，その線によって面が分割可能ならば，面を自動的に分割します。でも，面と面の交差は自動的に判定してくれません。そこで，四角錐台からボイドを差し引くには，両者が交差する線を求め，四角錐台の側面を分割する必要があります。

　交差するオブジェクトを選択し，右クリックで現れるサブメニューから［面を交差］[f] の［モデルと交差］を選ぶと，ほかのオブジェクトと交差する線が作成されます（図2-15）。カマボコの曲面部分を［選択］[g] し，右クリックで［面を交差］＞［モデルと交差］を実行してください。

　これで四角錐台の側面が交差するカマボコによって分割されますので，四角錐台から飛び出た部分を削除してください。一方向のボイドができあがったら，直交するもう一方向にもボイドも作成してください（図2-16）。

　四角錐台とカマボコの面と線は複雑に交差しています。操作に慣れないうちは，不要な面と線の削除に手こずるかもしれません。でも，この作業で，面と線でカタチを作成する SketchUp の作法が確認できると思います。

　無料の「SketchUp Free」ではなく有料の「Pro 版」を使えるならば，ツール［減算］[h] を使うと，効率的に立体から立体を差し引くことができます（後述する［グループを作成］[i] によって四角錐台とカマボコをソリッド化し，最初にカマボコを，2 番目に四角錐台を指定すれば，ボイドが作成されます）。

　［外側シェル］[j] は選択した立体の外形を結合するツールです。「Pro 版」には，立体同士の演算として，［減算］のほかに，［結合］，［トリム］（減算における引くものを残す），［交差］（交差部分を抽出），［分割］（交差部分によって全体を分割）などが用意されています。

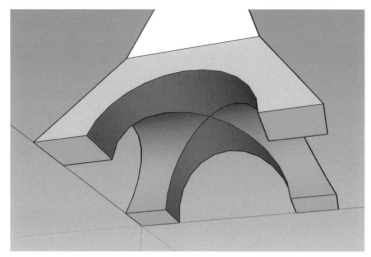

図 2-16　最下段のボイド（見上げ）
エッフェル塔の最下段を下から見上げている

写真 2-2　ルクソール神殿（エジプト，ルクソール）
古代エジプト新王国時代に整備拡張された神殿。正面に 1 本のオベリスクが立つ

[a] オベリスク
古代エジプトには多くのオベリスクがつくられたが，現存するのは，断片を除くと 30 本ほどだけとされる。また，そのうちの多くがエジプトの国外に移築されている

[b] ルクソール神殿
古代エジプトでは，古王国時代（紀元前 27 〜 22 世紀 頃）に多くのピラミッドが建てられた。しかし，時代が過ぎ，新王国時代になると，ピラミッドに代わって多くの大規模な神殿が建てられるようになった。そのうちの一つが，ルクソール神殿である。ルクソール神殿の正面に高さ約 25 m のオベリスクが立つ

2-9. オベリスク

　本章ではピラミッドとエッフェル塔をモデリングしながら，SketchUp の作法と基本的な操作について学んできました。ここで，演習として，古代エジプトの新王国時代（紀元前 16 〜 11 世紀頃）につくられた尖塔形のモニュメント（直立する石柱）であるオベリスク [a] をモデリングしてみましょう。

　写真 2-2 に，新王国時代の首都だったテーベ（現在のルクソール）にあるルクソール神殿 [b] の正面に立つ高さ約 25 メートルのオベリスクを示します。

2-9-1. コンコルド広場のオベリスク【演習】

　もともとはルクソール神殿の正面には，2 本（ペア）のオベリスクが立っていました。でも，そのうちの 1 本は 1836 年にエジプトからフランスに贈られ，パリのコンコルド広場に立てられました（写真 2-3）。

　このオベリスクのカタチを単純化した場合のおおよその寸法を図 2-17 に示します。このオベリスクをモデリングしてみてください。エッフェル塔の高さが 324 メートルであるのに対して，オベリスクは 23 メートルしかありません。両者のスケールは異なりますが，コンコルド広場からオベリスクとエッフェル

塔を眺めると，4000 年ほどの時間を超えて，両者は不思議に類似しています。建築の外形，特にその高さは，決定的なカタチの特徴の一つです。オベリスクは古代エジプト新王国時代のピラミッドであるし，エッフェル塔は現代のオベリスクだと思います。

2-9-2. ワシントン記念塔【演習】

　現代でも，各地にオベリスクが建てられています。例として，写真 2-4 にアメリカの首都であるワシントン D.C. に建つワシントン記念塔 [c]（1884）を示します。この塔の高さは約 170 メートルです。図 2-18 におおよその立面図を，図 2-19 に 3D モデルを示します。

　このワシントン記念塔を作成し，ピラミッド，エッフェル塔と並べてみてください。ファイルとして作成済み（保存済み）のモデルを読み込む（挿入する）場合は，メニュー［モデル/環境設定を開く］[d] のサブメニュー［インポート］で，読み込みたいファイルを指定すれば OK です。図 2-20 に，ワシントン記念塔，三大ピラミッド，エッフェル塔のレンダリング画像を示します。

写真 2-3　コンコルド広場
（フランス，パリ）

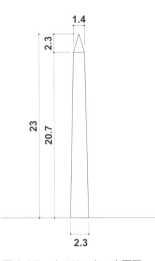

図 2-17　オベリスク：立面図
（フランス，パリ）

1.4
2.3
23
20.7
2.3

写真 2-4　ワシントン記念塔（アメリカ，ワシントン D.C.）

高さ約 170 m の現代のオベリスク

[c] ワシントン記念塔
アメリカ合衆国初代
大統領であるジョー
ジ・ワシントン
（1732- 1799） を
称える記念碑。エッ
フェル塔が建てられ
る 1889 年まで，世
界一の高さを誇った

[d] モデル/環境設定
　　を開く

　メニュー

前出（P.12）

10.5
16.8
152.4
16.8

図 2-18
ワシントン記念塔（立面図）

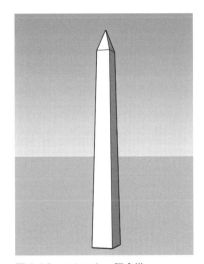

図 2-19　ワシントン記念塔

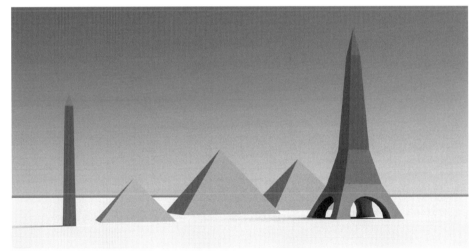

図 2-20　古代と現代のピラミッド（レンダリング画像）

左からワシントン記念塔，三大ピラミッド，エッフェル塔

3章 パルテノン神殿
構成の美学

本章では，ギリシャのアテネに現存する古代ギリシャ建築の傑作，パルテノン神殿[a]（紀元前438年）をモデリングしていきます（図3-1）。パルテノン神殿の写真を写真3-1，3-2に示します。

古代ギリシャは先史より紀元前2世紀頃まで栄えた文明です。ピラミッドに代表される古代エジプト建築が量塊的（マッシブな塊）な外形を特徴とするのに対して，パルテノン神殿に代表される古代ギリシャの神殿は，基壇（建物を支えるベース），柱，エンタブラチュア（柱頭の上部に水平に架かる梁），ペディメント（2つの傾斜面による山形の形状の切妻屋根の側面に表れる三角形の部分）などの部位によって構成される建築です。柱には円柱が用いられ，その上に架かるエンタブラチュアとともに，柱頭（柱の上部）にオーダー（定められたスタイル）をもちます。パルテノン神殿のオーダーはドリス式[b]です。

さまざまな部位（要素）が構成されることによって美しい全体が表れる建築

のあり方は現代では当たり前ですが，その起源は古代ギリシャ建築にあります。その構成の美学を3Dモデリングで確認しましょう。

3-1. 形態の構成

図3-2に本章で作成するパルテノン神殿の単純化モデルの平面図と立面図を示します。前章のエッフェル塔もそうですが，ここでも建築のディテール（細部）を省いた単純化モデルを作成していきます。

3Dモデルにはさまざまな精度がありえます。リアルなモデルが必要ならば，ディテール（細部）をつくりこまなければなりません。でも，カタチの特徴をとらえるためには，むしろ単純なモデルが適していると思います。単純モデルにより，プロポーションの美しさも確認できます。

実際の基壇は3段ありますが，ここでは1段に簡略化します。円柱の柱頭

[a] パルテノン神殿
ギリシャ神話の女神であるアテナ（アテネ）を祀る神殿。アテネのアクロポリス（小高い丘）の上に建つ。アクロポリスには，プロピュライア（門）やエレクティオンなどのほかの神殿も建つ。アテネは，紀元前492〜449年のペルシャ戦争にて，ペルシャに占領された時期があったが，戦争が終結した後，紀元前438年頃に再建された

[b] ドリス式
古代ギリシャ初期のオーダー（様式）。古代ギリシャ建築には，ほかに，イオニア式，コリント式などのオーダーがある

[c] 円錐台
円を底面と上面にもつ錐台。上面の径が底面と異なる場合の円柱

[d] モデル情報
 パネル
前出（P.10）

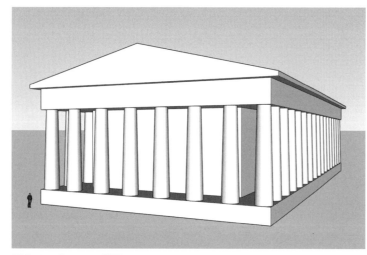

図3-1　パルテノン神殿

写真3-1　パルテノン神殿：正面

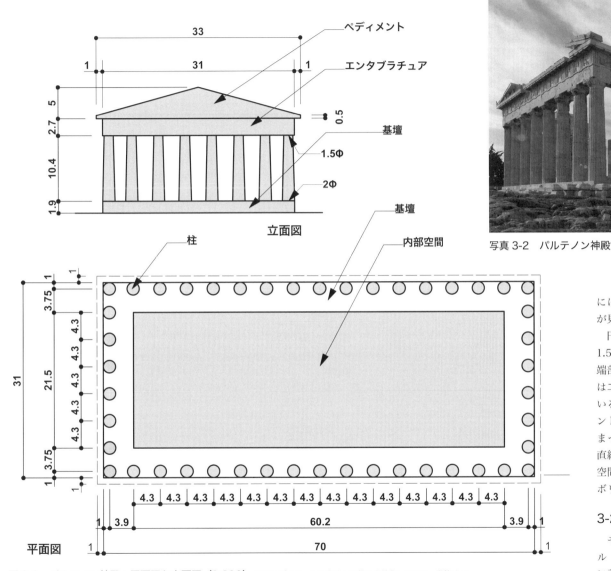

ペディメント

エンタブラチュア

0.5

基壇

1.5Φ

2Φ

立面図

柱

基壇

内部空間

写真 3-2　パルテノン神殿

平面図

図 3-2　パルテノン神殿：平面図と立面図（1:600）　複雑なディテールは省略し形態を単純化している。単位は m

には古典建築のオーダーに基づくディテール（細部）が見られますが，それも省略します。

　円柱は，底面の直径を 2 メートル，上面の直径が 1.5 メートルの円錐台[c] としています。円柱の間隔は，端部のみがやや狭くなっています。実際の円柱の側面はエンタシスと呼ばれる微妙に膨らんだ曲面になっているのですが，膨らみも省略します。基壇やペディメントのカタチも微妙な歪みをもっていて，だからこそまっすぐな整ったカタチに見えるのですが，ここでは直線状のカタチとしています。内部には壁で囲まれた空間がありますが，ここでは，内部は省略し，空間のボリュームだけを表しています。

3-2. 単位の設定

　モデリングの単位は図 3-2 の寸法に合わせて，パネル［モデル情報］[d] の［形式］を［Meter（メートル）］に設定してください。しかし，寸法はセンチメートル

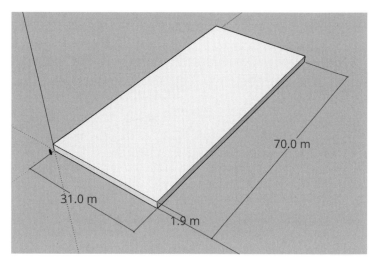

図 3-4　基壇

31 m × 70 m の長方形を描き，それを 1.9 m の高さでプッシュプル。図では寸法の［表示精度］は「0.0 m」（小数点以下 1 位）としている

□ 新たに作成するタグのほかに「タグなし」というタグも存在する
□ オブジェクトにタグを適用する（割り振る）場合は，タグの右端にある「：」（縦に並ぶ 3 点）をクリックすると現れる［適用］を使用する。オブジェクトを選択した状態で［適用］をクリックするか，［適用］をクリック後にオブジェクトを選択する
□ タグの削除，名前の変更は，タグの右端にある「：」（縦に並ぶ 3 点）をクリックすると現れる［削除］，［編集］で行う

上部のアイコンの役割：
a. タグの表示／非表示（可視性設定）のスイッチ
b. タグを作成
c. タグをフォルダに分類して作成する機能は「Pro 版」でのみ使用できる
d. タグを名前順で並び替え
e. タグの色の変更（「Pro 版」ではオブジェクトをタグの色で表示できる）
f. オブジェクトが適用されていない（使用されていない）タグを削除

a 可視スイッチ　**b** タグを作成　**c** フォルダ作成　**d** 並び替え　**e** 色　**f** 不要タグ削除

図 3-3　タグ

建築を構成する部位をタグによって分類していくと，効率的にモデリングできる

---

[a]［表示精度］と［長さスナップ］
［表示精度］は寸法を表示する際の小数点以下の桁数の設定。［長さスナップ］はマウスで図形を描く際に長さをまるめる（指定した小数点以下の長さを切り捨てる）精度の設定。桁数の表示は後から変更することができるが，モデルの寸法の精度に合わせておくとよい

[b] タグ　パネル
レイヤを設定

[c] 移動　[M] ツール
前出（P.11）

[d] 長方形　[R] ツール
前出（P.14）

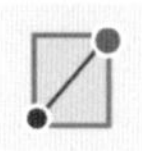

[e] プッシュプル　[P] ツール
前出（P.19）

（以下，センチと表記します）の精度で採っていきたいので，寸法の精度を表す［表示精度］[a] は「0.00 m」，図形を描く際の長さをキリのよい数値に丸める（小数点以下を切り捨てる）ための［長さスナップ］[a] は「0.01 m」に設定してください。

3-3. タグ

パルテノン神殿のモデリングでは，この建築を構成する基壇，柱，エンタブラチュア，ペディメントを 1 つずつモデリングしていくことになります。これらの部位を［タグ］[b] に分けてモデリングすると効率的です。

パネル［タグ］を開いてください。［＋］ボタンをクリックすると新しいタグが作成できるので，「基壇／柱／内部空間／エンタブラチュア／ペディメント」という名称でタグを 5 つ作成してください（図 3-3）。タグの削除，名前の変更は，右端の［：］（縦に並ぶ 3 点）をクリックすると現れる［削除］，［編集］から行えます。

パネル［タグ］の概要については図 3-3 の右欄に示しています。タグには色を設定することができますが，タグの色は「Pro 版」でのみ有効な機能なので，ここでは気にしないでください。

3-4. 基壇

柱のベースとなる床面が基壇です。基壇をモデリングする前に，人物が表示されている場合は，邪魔にならない位置に［移動］[c] してください。

そして，ツール［長方形］[d] とツール［プッシュプル］[e] を使って，幅 31 メートル × 奥行 70 メートル × 高さ 1.9 メートルの基壇（直方体）を作成してください（図 3-4）。

3-5. グループ

さて，ここで，今後のモデリングにおいて多用することになるグループという概念について説明します。

1 つ実験をしてみましょう。図 3-5 に示すように，四角形の頂点を中心とする円柱を作成することを考えましょう。普通に考えれば，四角形の頂点に円を描き，その円をプッシュプルすればよいかなと思えます。でも，それではうまくいきません（試してみてください）。

SketchUp は，ポリゴン[f] と呼ばれる面によってカタチをモデリングするポリゴンモデラーです。1 章の「1-14. SketchUp の作法」でも述べましたが，

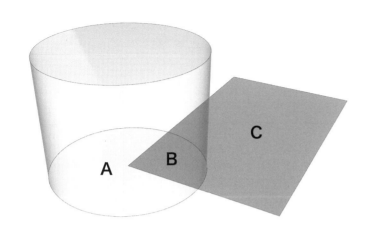

図 3-5　実験（オブジェクトの分割）
四角形の頂点を中心とする円を描くと，円（A）と四角形（C）は重なる部分（B）で分割されてしまう

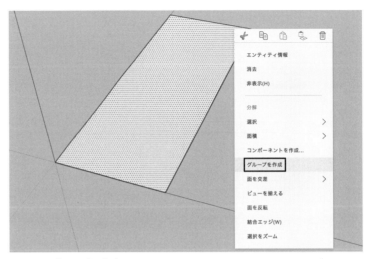

図 3-6　グループを作成
グループ化したいオブジェクトを選択して，サブメニュー（右クリック）から［グループを作成］

SketchUp が扱う基本的な要素は面と線です。面の輪郭となる線を描けば線と同時に面も作成されます。面の内部を分割するように線を描くと面は分割されます。面の輪郭を移動すると，それに追随して，面の形状が変化します。

　うまくいかないのは，四角形の頂点に円を描くと，四角形と円が重なる部分で面が分割されてしまうからです。図 3-5 において，円を描いた瞬間に，円は 3/4 円（図の A）と 1/4 円（図の B）に分割されます。四角形も 1/4 円で切り取られたカタチ（図の C）に分割されます。

　この現象を避けるためには，グループという概念を使う必要があります。図 3-6 に示すように，円を描く前に，四角形の全体（四角形を構成する面と線のすべて）を［選択］[g] してください。カーソルで全体を囲むか，あるいは，ショートカット「Ctrl+A」を使えば，すべてのオブジェクトを選択できます。選択後に右クリックすると，サブメニューが現れるので，［グループを作成］を実行してください。この操作で，長方形を構成する面と線がグループ化（一体化）されます。

　グループ化すると，グループ内の面や線を選択できなくなります（後述する［グループを編集］を使って選択する方法はあります）。グループを解除したい場合は，グループを選択して右クリックすると現れるサブメニューから，［分

解］[h] を実行してください。なお，このサブメニューから［グループを編集］，あるいは，グループをダブルクリックすれば，グループ編集モードになり，面や線を選択して操作できます。グループ編集モードを抜け出るには Esc キーを押します。

　グループ編集モードに切り替わらない限り，グループ化されたオブジェクトは，その面上に線を描いても面は分割されません。頂点が移動することもありません。すなわち，グループはほかのオブジェクトの影響を受けません。モデリングの過程では，いくつかの面と線からなるオブジェクトの集合，すなわち 1 つのグループとして確定し，ほかのオブジェクトによって分割されないようしたいことがよくあります。ですから，SketchUp のモデリングでは，このグループ化（グループを作成すること）を多用することになります。

3-6. 基壇のグループ化

　パルテノン神殿のモデリングに戻ります。作成した基壇の上に柱を立てるには，基壇をグループ化する必要があります。基壇をグループ化しない状態で，その上に線や面を描いていくと，基壇を構成する面や線が分割されてしまうからです。そこで，基壇の全体を選択してグループ化してください。

[f] ポリゴン
立体の表面を構成する平面状の多角形のこと。SketchUp では，曲線は連続する短い直線によって記述され，曲面は小さな多角形平面の集合によって記述される

[g] 選択

［Space］
ツール

前出（P.11）

[h] 分解

選択したオブジェクトがグループの場合，上記のサブメニューが現れる。ここで［分解］を実行すれば，グループが分解される

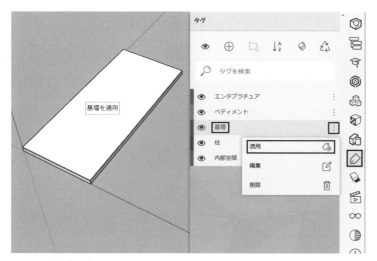

図 3-7　タグの適用

オブジェクトを選択してタグを適用する。あるいは，タグの適用をクリックしてから，オブジェクトを選択する

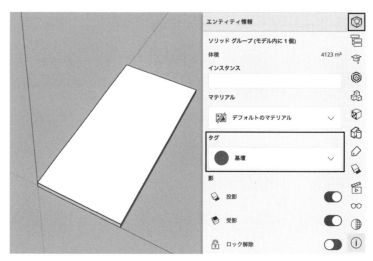

図 3-8　エンティティ情報

エンティティ（オブジェクト）の情報（属性）を確認できる。タグの変更もできる

[a] エンティティ情報

パネル

エンティティ（オブジェクト）の情報を確認・変更

[b] 円

[C]
ツール

図形を描くツールの一つ。中心と半径を指定

[c] プッシュプル

[P]
ツール

前出（P.19）

[d] 尺度

[S]
ツール

前出（P.20）

[e] 移動
[M]
ツール

前出（P.11）

3-7. タグの適用とエンティティ情報

　基壇がグループ化できたら，基壇を選択して，パネル［タグ］のタグ「基壇」の右端の［⋮］（縦に並ぶ3点）をクリックすると現れる［適用］を選択してください（図3-7）。すると，基壇にタグ「基壇」が設定されます。

　オブジェクトのタグはパネル［エンティティ情報］[a]の［タグ］で確認できます（図3-8）。また，オブジェクトを選択して［タグ］をクリックして表示されるタグを選択すれば適用したタグを変更することができます。

　パネル［エンティティ情報］では，選択したエンティティ（オブジェクトのこと）のプロパティ（属性）を確認できます。図3-8では，選択中の基壇が「ソリッドグループ（モデル内に1個）」となっていることがわかります。また，6章の「6-8-1. マテリアル」で後述するマテリアル（オブジェクトの表面の色や模様）を確認したり，変更したりもできます。

3-8. 柱

　次に基壇の上に柱（円柱）を作成してください（図3-9）。柱は基壇の内側に配列するのですが，位置は後で調整することにして，基壇の角などのわかり

やすい位置を底面の中心としておくといいと思います。

　ツール［円］[b]を使って半径1メートル（直径2メートル）の円（中心角が360度の円弧）を描き，ツール［プッシュプル］[c]で高さ10.4メートルまで立ち上げてください。そして，円柱の上面を選択し，ツール［尺度］[d]で，1.5÷2＝0.75倍の大きさに変形させてください。ここで，円の中心を基準に変形するには，Ctrlキーを併用する必要があります。

　ここで作成される円柱は，底面＋側面＋上面によって構成されたモデルとなりますが，一体化させた方が効率的なので，底面＋側面＋上面を選択して，グループ化しましょう。そして，グループ化した柱にタグ「柱」を適用してください。

　柱ができたら，［移動］[e]して，位置合わせをしましょう（図3-10）。グループ化した柱を選択し，スナップをうまく使って，グループの角を基壇の角に合わせてください。

3-9. 柱の配列

　柱を基壇の四周に配列させましょう。まずは，正面（切妻，すなわち屋根の三角面が見える面）に柱を並べましょう（図3-11）。正面の柱は，端の2本

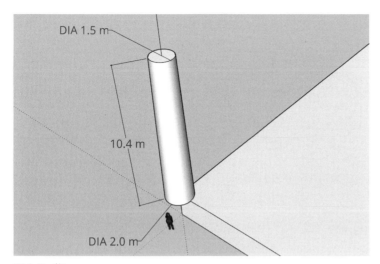

図 3-9　柱

基壇の角を中心，底面は半径 1 m，上面は半径 0.75 m の円柱を作成。図中の「DIA」は直径（Diameter）

図 3-10　柱の位置合わせ

柱を基壇の内側に移動

のみが隣との間隔が 3.75 メートルで，それ以外の間隔は 4.3 メートルです。

　まずは，ツール［移動］を使って，端の柱を内側に 3.75 メートル，［移動＋コピー］[f] してください。オブジェクトをコピーするには，移動をする前に Ctrl キーを押します。すると，単なる移動がコピーモード（移動を伴うコピー）に切り替わります（もう一度押すと，コピーモードが解除されます）。コピーモードでは，画面に表示される十字形の［移動］アイコンに［＋］の記号が加わります。

　端から 2 本目から 7 本目の 6 本の柱の間隔は均等です。1 つずつ［移動＋コピー］をしてもいいのですが，間隔が一定の場合には，一気に配列を作成することができます。2 本目の柱を 4.3 メートルの間隔で 5 回コピーするには，1 つをコピーした直後に，キーボードから「x5」（x に続けて回数）を入力します。ここでは，2 本目の柱をおおよその距離で移動した後に，キーボードから「4.3」を入力し，続けて「x5」を入力します。その後に，もう一方の端の柱を［移動＋コピー］で作成してください。

　次に，側面に柱を配置しましょう。側面の柱は，両端と 2 本目の柱の間隔は 3.9 メートルで，その内側に 4.3 メートルの間隔で 15 本が配列します（コピー回数は「x13」，図 3-12）。背面には正面と同じ間隔で柱が並んでいるの

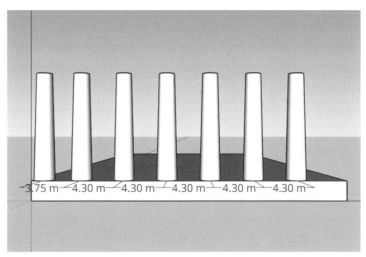

＜3.75 m＞＜4.30 m＞＜4.30 m＞＜4.30 m＞＜4.30 m＞＜4.30 m＞

図 3-11　配列コピー

配列（繰り返し）コピーは 1 つをコピーした直後にキーボードで「xN」（N は回数）を入力

[f] 移動＋コピー

[M] ツール

Ctrl キーを押しながら（押してから）［移動］

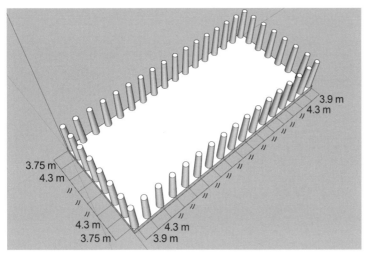

図 3-12　外周の柱
外周の両端の柱はほかと間隔が異なる

写真 3-3　パルテノン神殿のレプリカ（アメリカ，ナッシュビル）
1897 年に建てられたレプリカ。壁には窓が配置されていない

で，正面の柱をコピーすれば OK です。

3-10. ガイドの作成

　基壇の四周に配列する列柱の内側には，壁に囲まれた神殿の内部空間が存在します。現存するパルテノン神殿では，内部空間は崩壊してしまっていて，その姿を見ることはできません。でも，アメリカ・テネシー州のナッシュビルに実物大のレプリカ [a] がつくられていて，内部空間が再現されています。その外形には窓がなくマッシブな塊です（写真 3-3）。古代ギリシャ時代には，まだ内部空間が成熟していなかったのでしょう。

　ここでは，この内部空間の外形となる壁を，幅 21.5 × 奥行 60.2 × 高さ10.4 メートルの単純な直方体でモデリングすることにします（図 3-13）。

　立方体を作成してそれを移動（位置合わせ）すればよいのですが，ここでは，ガイド（補助線）を使う練習をしたいので，やや回りくどい方法でモデリングしていきます。

[a] パルテノン神殿
　　のレプリカ
1897 年のテネシー州 100 周年記念万国博覧会のためのパビリオンとして，ナッシュビルに建てられた。万博後に損壊したが，1931 年までに再建され，現在に至っている

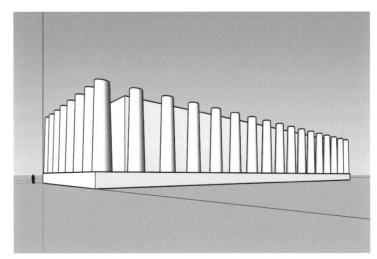

図 3-13　内部空間の外形
内部空間はボリューム（幅 21.5 × 奥行 60.2 × 高さ 10.4 m の直方体）として作成

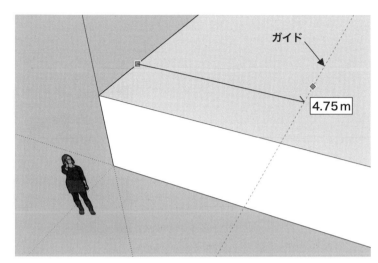

図 3-14　ガイド（補助線）の作成
基壇の上側面の稜線から内側に 4.75 m の位置にガイドを描く

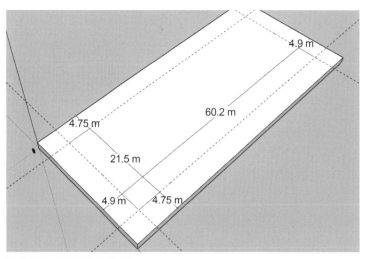

図 3-15　内部空間のガイド
内部空間を表す立方体を作成するためのガイド

3-11. 内部空間

　内部空間のモデリングはタグ「柱」を非表示にして作業を進めましょう。タグの名前の左の［目］のアイコンをクリックするとそのタグが適応されているが非表示（不可視）になります。

　ツール［メジャー］[b] を使って，カーソルを基壇の上面にもっていき，側面の線をクリックをしてください。その後にカーソルを動かすと，線に平行なガイドが作成されます（図 3-14）。ここでは，基壇の側面の内側に 4.75 メートルの距離でガイドを作成してください。アバウトな距離でガイドを作成し，キーボードから「4.75」を入力すれば OK です。

　側面の反対側にもガイドを作成し，正面および背面からも，同様に，4.9 メートルの距離でガイドを作成してください（図 3-15）。

　これで壁の位置が決まったので，ガイドの交点をスナップして壁のボリュームの底面を描きましょう。底面を高さ 10.4 メートルで［プッシュプル］[c] すれば内部空間の外形（直方体）ができあがります。作成された直方体はグループ化し，タグ「内部空間」を適用してください。

　直方体ができてしまえばガイドは不要となります。ガイドを消したい場合は

削除（選択して Delete）してしてもいいのですが，パネル［表示］[d] の［すべてのガイドを削除］をクリックしても OK です（図 3-16）。あるいは，［ガイド］のチェックをオフにすれば，削除しないまでも非表示とすることもできます。

3-12. エンタブラチュア

　正面の柱の上に載る梁（水平な部材）の側面がエンタブラチュアと呼ばれる部位です。実際のパルテノン神殿のエンタブラチュアにはさまざまな装飾が見られ，構成は複雑です。でも，ここではエンタブラチュアを神殿の天井の側面と見なして，直方体でモデリングします。

　エンタブラチュアを側面にもつ直方体の平面の形状は基壇と同一ですが，高さ

図 3-16　表示パネル
画面に表示する項目を設定

[b] メジャー
[T] ツール

距離を測るほか，ガイド（補助線）を作成できる。ガイドとなる点を作成することもできる。ガイドは XYZ 軸またはオブジェクトの稜線（エッジ）に対する平行線として作成する

[c] プッシュプル
[P] ツール

前出（P.19）

[d] 表示
パネル

ガイドはパネル［表示］から非表示にもできる。一括して削除することもできる。そのほか，XYZ 軸，個々のオブジェクト，後述する［断面平面］と［断面カット］の表示／非表示の設定もできる

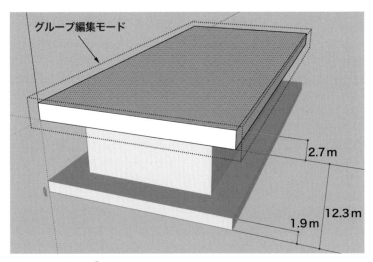

図 3-17　エンタブラチュア

グループ化されたオブジェクトをダブルクリックすると，「グループ編集モード」となり，グループ内のオブジェクトを編集できるようになる

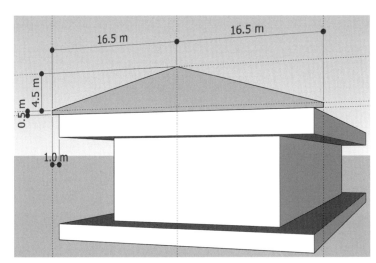

図 3-18　ペディメントのガイド

ツール［メジャー］を使って，ペディメントの三角形を描くためのガイドを作成する

[a] 移動＋コピー
[M]
ツール

Ctrl キーを押しながら（押してから）［移動］

[b] タグ
パネル

前出（P.28）

[c] エンティティ情報
パネル

前出（P.30）

[d] 選択
[Space]
ツール

前出（P.11）

[e] 移動
[M]
ツール

前出（P.11）

は異なります。ここでは，基壇をコピーする方法で，エンタブラチュアを作成します（図 3-17）。

基壇を垂直方向に「1.9＋10.4＝12.3」の距離で［移動＋コピー］[a] してください。コピーしたら，パネル［タグ］[b] で，タグに「エンタブラチュア」を適用してください。あるいは，パネル［エンティティ情報］[c] で，タグを変更しても OK です。これで，エンタブラチュアが所属するタグが変更されます。

基壇の高さが 1.9 メートルであるのに対して，エンタブラチュアの高さは 2.7 メートルなので，上面を上方に 0.8 メートル移動して，高さを 2.7 メートルに変更しましょう。でも，ここでは，コピーした直方体はコピー元の基壇と同様にグループ化されていると思います。グループ内の要素（面や線）を選択したい場合には，グループ編集モードを使う必要があります。

グループをダブルクリックすると，グループの内部を編集できるグループ編集モードに切り替わります（図 3-17）。グループを含むボリュームが点線で表示された状態で，上面を［選択］[d] して［移動］[e] すれば，グループ内のオブジェクトを移動できます。移動が完了したら，空クリック（画面の空いている場所をクリック）するか，キーボードの Esc キーを押せば，グループ編集モードが終了します。

3-13. ペディメント

切妻屋根（二方向に傾斜した屋根）の側面に表れる三角形の面がペディメントと呼ばれる部位です。正面にペディメントの立面を描き，奥行方向に［プッシュプル］[f] すれば OK です。

前出の図 3-2 の立面図を参照して，ツール［メジャー］[g] を使って，ペディメントの形状を表すガイドを描いてください（図 3-18）。ペディメントの底辺の端部はエンタブラチュアから 1 メートル外側に飛び出させましょう。ガイドが描けたら，ツール［線］[h] でペディメントの形状を描きましょう。それを［プッシュプル］すれば，屋根ができあがります（図 3-19）。屋根が作成できたら，タグに「エンタブラチュア」を適用してください。

3-14. 古代ギリシャから古代ローマへ

以上，本章では，古代ギリシャ建築の傑作，パルテノン神殿をモデリングしました。図 3-20 に，パルテノン神殿のレンダリング画像を示します。

基壇，列柱，エンタブラチュア，ペディメントなどによる建築の構成は，古

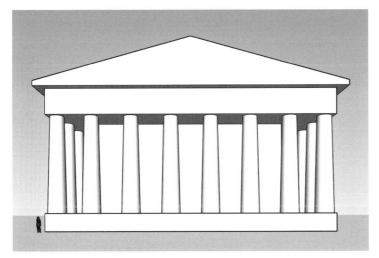

図 3-19　パルテノン神殿の完成
屋根はエンタブラチュアから 1m 飛び出させている

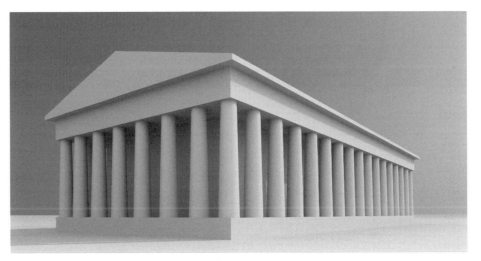

図 3-20　レンダリング画像（パルテノン神殿）

代ギリシャの後の時代である古代ローマに継承されます。図 3-21 に，古代ローマ建築の傑作，パンテオンを正面から見たモデルを示します。この古代ローマ建築の正面が古代ギリシャ建築のスタイルを引き継いでいることがわかると思います。次章ではこのパンテオンをモデリングしていきます。

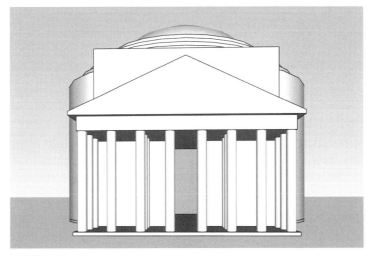

図 3-21　パンテオン
次章でモデリングする古代ローマ建築。正面の構成はパルテノン神殿に類似する

[f] プッシュプル

[P]
ツール

前出（P.19）

[g] メジャー

[T]
ツール

前出（P.33）

[h] 線

[L]
ツール

前出（P.15）

古代エジプト，古代ギリシャの時代が終焉し，時代が古代ローマ[a] に進むと，建築に明確な内部空間が現れるようになります。イタリアのローマに現存する古代ローマ建築の傑作，パンテオン[b] を写真 4-1, 4-2 に示します。また，パンテオンの形態を単純化したモデルの平面図，断面図，立面図を図 4-1 に示します。

パンテオンの正面には古代ギリシャ建築に類似する列柱，エンタブラチュア，ペディメントをもつ前室が付属します。一方，古代ギリシャ建築とは大きく異なる特徴として，内部に光を取り入れる明確な空間が存在します。

パンテオンは，紀元 120 年頃に建てられた神殿（万物殿）です。内部空間として，直径約 43 メートルの球を内包する大きな空間をもちます。内部空間の頂部には直径約 9 メートルの天窓（トップライト）があり，光を内部に誘導します。

パンテオンの形態を単純化すると，球体の内部空間をもつ丸い屋根が上部に載る円柱の部分と，正面に取り付くギリシャ神殿風のエントランス部分に分けられます。エントランス部分は，パルテノン神殿と同様の方法でモデリングできます。本章では，内部空間をもつ円筒状の部分（「本体」と呼ぶことにします）をモデリングしていきます（図 4-2）。

4-1. 単位とタグの設定

パネル［モデル情報］[c] で［長さの単位］を［Meter（メートル）］に，［表示精度］は［0.00 m］，［長さスナップ］は［0.01 m］に設定してください。また，人物は削除[d] するとよいと思います。

パンテオンの本体は，外形と内部空間と天窓の 3 つの部位に分けてモデリングすると効率的です。パネル［タグ］[e] を使って，「外形／内部空間／天窓」

[a] 古代ローマ
紀元前 8 世紀頃から紀元 5 世紀頃まで栄えた文明。紀元前 27 年より帝政ローマ（ローマ帝国）の時代が始まり，476 年に西ローマ帝国が滅亡した

[b] パンテオン
イタリアのローマに建つ古代ローマ建築。もともとは多くの神々を祀る万神殿であったが，7 世紀にはキリスト教の聖堂に転用された。正面の広場には古代エジプトのオベリスクが立つ

[c] モデル情報

パネル

前出（P.10）

[d] 削除
ツールで［選択］し，キーボードで［Delete］

[e] タグ

パネル

前出（P.28）

写真 4-1　パンテオン

写真 4-2　パンテオン内部

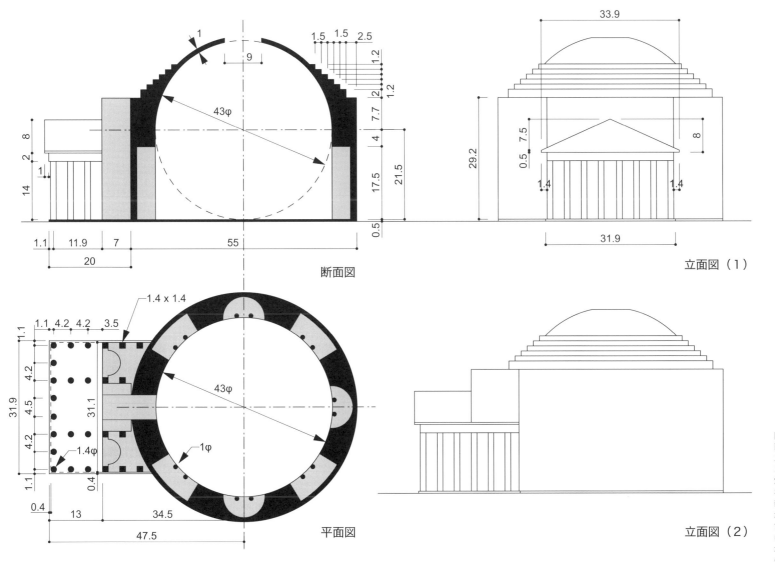

断面図

立面図（1）

平面図

立面図（2）

図4-1　パンテオンの平面図・断面図・立面図[f]（1:900）

[f] パンテオン図面
直径約43mの球の
スケールは，ルネサ
ンス以降の後世の聖
堂のあり方に決定的
な影響を与えた。内
部には円周上に祭壇
が配列し，正面には
古代ギリシャの神殿
に類似する入口部分
が付属する。図はそ
の祭壇と入口部分の
形状を簡略に示して
いる

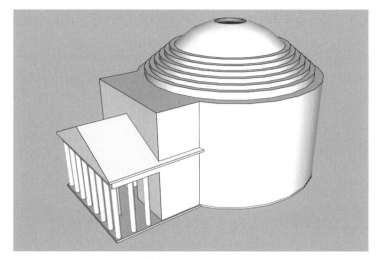

図 4-2　パンテオン：3D モデル
正面にギリシャ神殿風のエントランスがあり，その奥に球体の内部空間をもつ本体がある

図 4-3　タグ
3 つのタグを作成

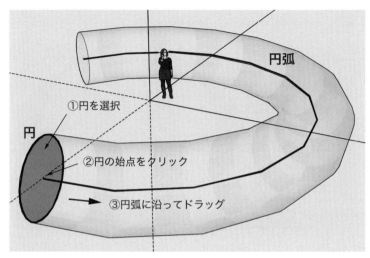

図 4-4　フォローミーの練習
円弧の端点に円を描く。そして，円を円弧に沿ってフォローミーする

[a] フォローミー ツール

変形するツールの一つ。パス（線）に沿って，パスに垂直な面を押し出すが，パスのドラッグにややクセがある

[b] 円弧 ツール

前出（P.22）

[c] 円 [C] ツール

前出（P.30）

の 3 つのタグを作成してください（図 4-3）。

4-2. フォローミー

　パンテオンのモデリングを始める前に，［フローミー］[a] ツールを使ってみましょう。球をつくるのに，このツールが必要になります。

　練習として，図 4-4 に太線で示したような［円弧］[b] と［円］[c] を，適当な大きさで描いてみてください。円弧は X 軸（赤）あるいは Y 軸（緑）から描き始め，円はその端点に垂直に描いてください。

　この円を円弧に沿ってフォローミーしてみましょう。［フローミー］を選択し，その後に，円の中心（円弧の始点）をクリック（またはプレス）し，円弧に沿ってカーソルをドラッグしてください。すると，円が円弧をフォローしてチューブが作成されます。

　［プッシュプル］[d] が面を垂直に押し出すツールであるのに対して，［フローミー］は面を曲線に沿って押し出し，さまざまなフレキシブルなカタチをつくることができるツールです。本章では，球をつくるためにこのツールを使います。

4-3. 外形（ドーム）

　パンテオンの外形は直径 55 メートル，高さ 29.2 メートルの円柱の上に，段々に直径が変化する円柱が載り，その上には直径 45 メートルのドーム [e]（内部空間を構成する直径 43 メートルの球に対して 1 メートルの厚さのある球の頂部）が載ります。ここで，外形に表れるドーム（半球）をモデリングしましょう。

　直径 45 メートルの球を作成するために，まずは，原点を中心とする半径 22.5 メートルの水平な［円］を描いてください。また，ツール［扇形］[f] を使って，垂直に立つ原点中心の 1/4 円を描いてください（図 4-5）。キーボードの左矢印キーで円の向きを固定し，中心と半径（中心から水平な円の円周まで）を指定し，カーソルを 90 度回転させれば OK です。

　［フローミー］を使うと，この水平な円と垂直な 1/4 円からドーム（半球）を作成できます。ツール［フローミー］を選んで，1/4 円を選択し，水平な円との交点を円周に沿ってドラッグしてください（図 4-6）。

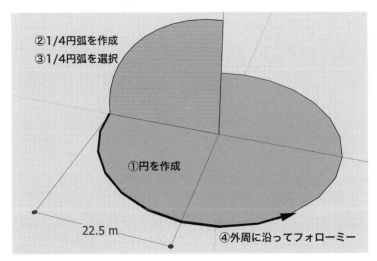

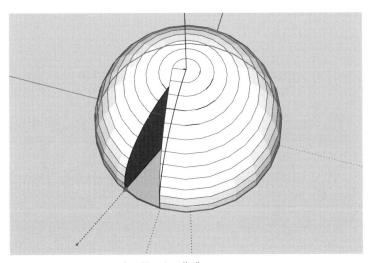

図4-5　円と円弧
原点を中心に球の下絵となる半径22.5mの円を描く。円の上部に，原点を中心とする1/4円弧（扇形）を作成

図4-6　フォローミーによるドームの作成
1/4円弧を円の外周に沿ってフォローすると半球となる

4-4. 外形（円柱）

　パンテオンの外形の上部は，ドームを頂点とする段々の屋根です。

　できあがったドームを，上方に21.5メートル，[移動][g] させてください。そして，[円] と [プッシュプル] を使って，直径55メートル（半径27.5メートル），高さ29.2メートルの円柱（シリンダー）を作成してください（図4-7）。

　次に，円柱の上面の円の内側に，半径が2.5メートル小さい円を描いてください。ツール [オフセット][h] を選んで，円柱の外周の円をクリックし，内側をクリックすると円が描かれます（半径がズレた円が描かれます）。その後に，キーボードから「2.5」を入力するとその円が2.5メートルだけオフセットされます（図4-8）。

　続いて，このオフセットされた円をツール [プッシュプル] で2メートル立ち上げてください。同様に，立ち上がった円を1.5メートル内側に [オフセット] し，1.2メートルの高さまでプッシュプルしてください。この操作を6回繰り返せば，段々の屋根ができます（図4-9）。[オフセット] と [プッシュプル] とを切り替えながらの作業になりますので，ショートカット（[F]

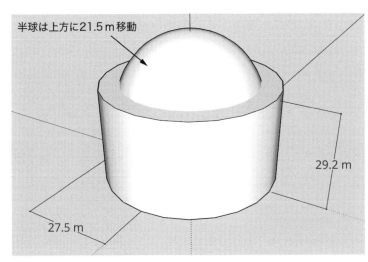

図4-7　ドームと円柱
半球を垂直に21.5m移動し，原点を基点に，半径27.5mの底面，高さ29.2mの円柱を作成

半球は上方に21.5m移動

29.2 m

27.5 m

[d] プッシュプル

[P]
ツール

前出（P.19）

[e] ドーム
球形の丸屋根。屋根の重さが架かる球面には圧縮力のみが発生するため，石やコンクリートなどの圧縮に強い材料（押しても潰れにくい材料）によって架構することができる

[f] 扇形

ツール

前出（P.22）

[g] 移動

[M]
ツール

前出（P.11）

[h] オフセット

[F]
ツール

変形するツールの一つ。指定する線から指定する距離だけ離れた位置に（ズレた位置に）線を作成

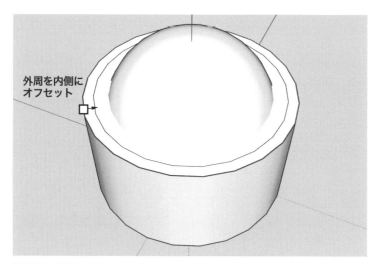

図4-8　オフセット

外周をクリックし，半径が2.5m小さい円を内側に作成

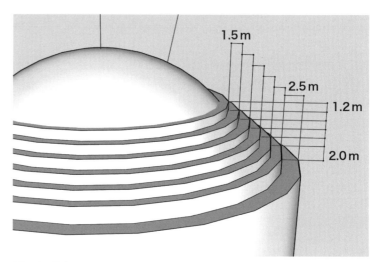

図4-9　屋根

屋根は階段状にせり上がる。屋根の最下段は幅2.5m／高さ2m。2段目より上は幅1.5m／高さ1.2m

[a] 断面平面

ツール

測るツールの一つ。モデルの断面をカットし，内部を見せる。「断面平面」はモデルをカットする切断面のこと

[b] 移動

[M]ツール

前出（P.11）

[c]SketchUp を検索

[Shift+/]ツール

前出（P.9）

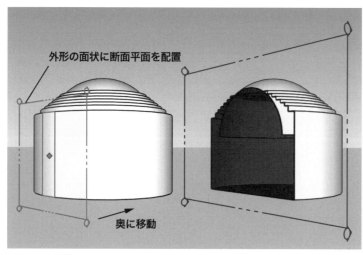

外形の面状に断面平面を配置

奥に移動

図4-10　断面平面

断面平面を使うと内部を切断して見ることができる。切断面は黒く塗り潰されて表示される

と［P］）を使うと効率的です。

4-5. 断面平面

　これで外からは外形ができたように見えるのですが，実は，内部に半球の下部がそのまま残っています（図4-10右図）。エッフェル塔のモデリングでも経験したように，SketchUp は面と面の交差を判定してくれないからです。ドームの下部を削除するのはどうすればよいでしょうか？

　モデルの内部を見るには，ツール［断面平面］[a] を使用します。［断面平面］を選択し，カーソルをモデルの上にもっていくと，モデル上の面に平行に，図4-10の右図に示すような切断面が現れます。この切断面を配置すると，そこでモデルが切断され，モデルの内部が見られるようになります。切断面は移動できますので，ツール［移動］[b] を使って，ちょうどよい位置に動かしてください。

　ところで，SketchUp の古いバージョンではモデルの内部は空洞として表示されていたのですが，現在のバージョンではデフォルトで内部が塗り潰されるようになりました。そこで，モデルの内部を見たい場合は，塗り潰しを非表示にする必要があります。ツールバーの最上部の［SketchUp を検索］[c] ボッ

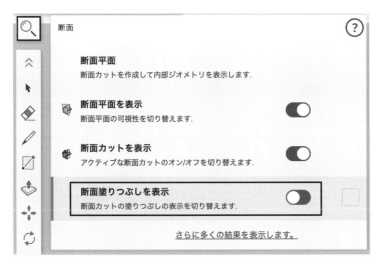

図 4-11　断面の塗りつぶしの表示/非表示

[断面塗りつぶしを表示] のスイッチは [SketchUp を検索] で検索する

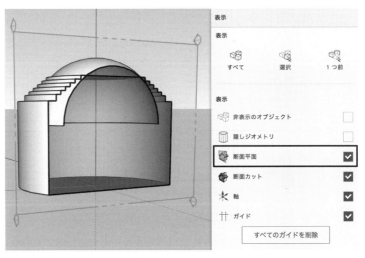

図 4-12　切断面の表示／非表示

切断面はパネル [表示] から表示／非表示の設定ができる

[d] 表示

パネル

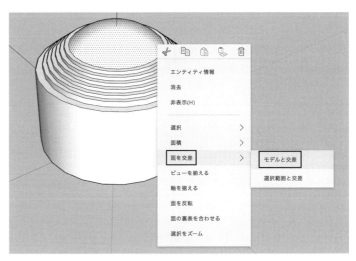

前出（P.33）

[e] エンティティ情報

パネル

前出（P.30）

クスに「断面」と入力すると，[断面塗りつぶしを表示] というスイッチが見つかります。そのスイッチをオフにすれば，モデルの内部が見えるようになります（図 4-11）。

[断面平面] を使用した際に現れる切断面は非表示にすることができます。切断面を非表示にするには，パネル [表示][d] を開き，チェックボックス [断面平面] をオフにすれば OK です（図 4-12）。なお，この切断面は，内部を見るための仮想的なオブジェクトであり，実際にモデルが切断されるわけではありません。チェックボックス [断面カット]（カットしたモデルの手前にある部分）をオフにすれば，切断面が存在していても，内部は表示されません。

なお，[断面平面]（切断面）には四隅に記号を表すことができます。切断面をたくさんつくる場合は，記号を定義しておくとわかりやすくなります。[断面平面] の [名前（インスタンス名）] と [記号] は [エンティティ情報][e]から指定できます（図 4-13）。

4-6. ドーム下部の削除

ドームを円によって分割し下部を削除しましょう（図 4-14）。

SketchUp は面と面の交差を自動的に判定してくれませんが，2 章の「2-8.

エンティティ情報

断面平面

インスタンス名

断面

記号

A

タグ

タグなし

図 4-13

断面の
エンティティ情報

切断面には記号を付けることができる

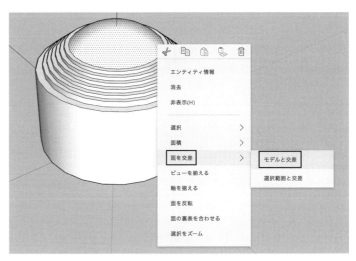

図 4-14　面を交差

ドームを右クリックして [面を交差] > [モデルと交差] を実行すると交差する線が作成される

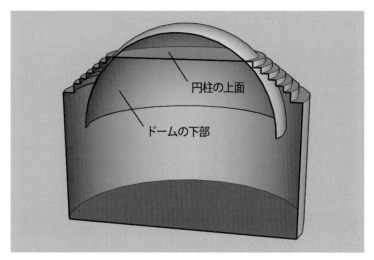

図 4-15　面を削除

ドームの下部とドームと交差する円（円柱の上面）を削除

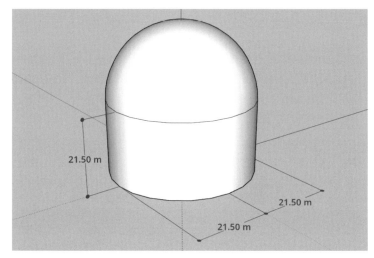

図 4-16　内部空間

半径と高さが 21.5 m の円柱の上にドームを載せる。ドームはフォローミーで作成

[a] グループ化
オブジェクトを選択
し，右クリックで現
れるサブメニューか
ら［グループを作
成］

[b] ダグ
パネル

前出 (P.28)

[c] プッシュプル
[P]
ツール

前出 (P.19)

[d] フォローミー
ツール

前出 (P.38)

面の交差」でエッフェル塔の最下段の四角錐台をボイドでくり抜いたのと同じ手順で［面を交差］を使えば，ドームと円が交差する線を作成できます。ドームを［選択］して，右クリックで現れるサブメニューから［面を交差］＞［モデルと交差］を実行してください。これでドームと円との交差する線が作成され，その線によってドームが分割されますので，下部を削除してください（図4-15）。

　これで，パンテオンの本体の外形が完成しました。まだ天窓の穴が空いていませんが，天窓は後ほど作成します。ここまでの外形をすべて［選択］して，グループ化[a]してください。そして，タグ[b]に「外形」を適用してください。

4-7. 内部空間

　次に，直径 43 メートルの球を内包する内部空間をつくります。タグを「内部空間」に切り替えてください。また，パネル［ダグ］の設定で，タグ「外形」は［非表示］（目玉のアイコンをオフ）にして作業を進めましょう。［断面平面］がある場合は，削除するか［非表示］（パネル［表示］で設定）にするとよいと思います。

　内部には，図 4-1 に示した複雑な形状の祭壇がありますが，ここでは，半

径と高さが 21.5 メートルの円柱の上にドームが載った単純なカタチとします。

　原点を中心に半径 21.5 メートルの水平な円を描き，［プッシュプル］[c]で垂直に押し上げれば円柱ができます（図4-16）。ドームは，外形のドームと同様に，円柱の上面に垂直に立つ 1/4 円弧を描き，それを［フォローミー］[d]してください。

　円柱とドームができたら，両者をグループ化しましょう。そして，タグに「内部空間」を適用してください。

4-8. 天窓

　次に，外形と内部空間の頂部に天窓としての穴を空けましょう。まずは，天窓のボリュームを表す直径 9 メートル（半径 4.5 メートル）の円柱を作成してください（図4-17）。ここで，天窓の円柱の底面は，地平面から上方に少し移動させてください。

　円柱が作成できたら，外形と内部空間のそれぞれのドームと交差する面を作成（円柱を［選択］[e]し，右クリックで現れるサブメニューから［面を交差］＞［モデルと交差］を実行）し，穴となる面を作成して，その面を削除してドームに穴を空けてください。このとき，交差する面を作成するオブジェクト

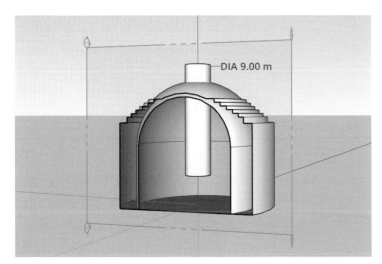

図 4-17　天窓
直径 9 m の円柱を作成し，ドームとの交差部分を削除する

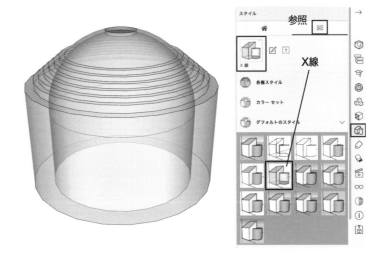

図 4-18　スタイル
画面表示の［スタイル］を設定するパネル。［X 線］を使うとモデルを透過して見ることができる

がグループ化されているとうまくいきません。［面を交差］は，外形と内部空間のグループをそれぞれ［分解］[f] してから行ってください。

　なお，円柱の底面を地平面から上方に移動させたのは，外形や内部空間の底面と円柱の底面が同一面上にあると，グループを分解した際に底面が円によって分割されてしまうからです。

4-9. スタイル

　外形を透過して内部空間を見る表現を図 4-18 に示します。オブジェクトを透過して見るためには，オブジェクトにガラスなどの透明なマテリアル（表面素材）を設定します。透過したい個々のオブジェクトにマテリアルを設定する方法は 6 章の「6-8-1. マテリアル」で述べますが，図 4-18 では，パネル［スタイル］を使って全体を透過させています。

　このパネルはモデルをさまざまなスタイル（表現方法）で表示する設定をするためのものです。SketchUp にはあらかじめよく使われるスタイルが登録されています。「Pro 版」を使うとスタイルを自分で作成することもできます。

　パネル［スタイル］には，上方に［ホーム］（家）と［参照］（虫眼鏡）のタブがあります。ここで，［ホーム］はモデル内で使用しているスタイル，［参照］は用意されている使用可能なスタイルをリスト表示するタブです。

　［参照］タブで表示されるリスト名をクリックすると現れるスタイルを選択すると，そのスタイルでモデルが表示されます。モデルを透過して表示するためのスタイルとして［デフォルトのスタイル］の中に［X 線］が用意されています。［X 線］のほかにもさまざまなスタイルが用意されているので，試してみてください。

4-10. エントランスと祭壇【演習】

　以上で，パンテオンの球体の内部空間をもつ本体部分が完成しました。

　古代ローマ建築のパンテオンは，トップライトから光が差し込む球体の内部空間をもつという点で，前章で学んだパルテノン神殿などの古代ギリシャ建築とは構成が大きく異なりますが，正面に取り付く前室（エントランス部分）はパルテノン神殿と類似しています。

　前室の平面図と立面図を図 4-1 に示していますので，前章を参考にして，パンテオンの全体をモデル化してみてください（図 4-19）。また，実際のパンテオンの内部には円周上に祭壇が配列しています。祭壇の構成はやや複雑ですが，内部空間が物足りないと思った場合は，がんばって祭壇もモデリングし

[e] 選択

[Space] ツール

前出（P.11）

[f] 分解
［グループを選択］>
右クリック>［分解］

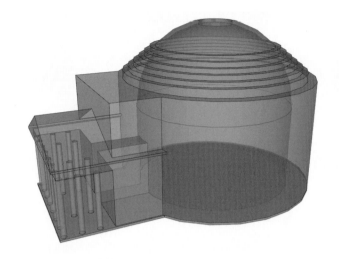

図4-19　パンテオン全体
エントランス部分を加えたモデル

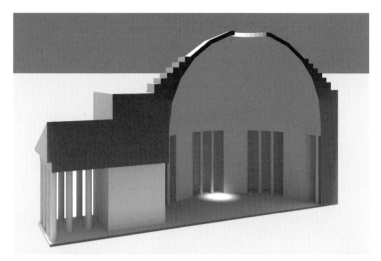

図4-20　祭壇のモデリング（レンダリング画像）
内部に祭壇を加えたモデル

写真4-3　コロッセオ（イタリア，ローマ）
現在のコロッセオは木造の床が消滅しており（位置は復元されている），地下の構造が見えている

[a] コロッセオ
イタリア・ローマに
建つ古代ローマ時代
の円形闘技場。紀元
80年頃に建設され
たとされる。収容可
能人数はおよそ5
万人とされる

[b] 円
[C]
ツール

前出（P.30）

[c] 尺度
[S]
ツール

前出（P.20）

[d] オフセット
[F]
ツール

前出（P.39）

[e] プッシュプル
[P]
ツール

前出（P.19）

てみてください。図4-20に祭壇のあるモデルのレンダリング画像を示します。

4-11. コロッセオ【演習】

　古代ローマ時代には，パンテオンのような球体のカタチが魅力的な内部空間を生み出しました。パンテオンと並ぶ古代ローマ時代の代表的な建築にコロッセオ[a]があります（写真4-3）。コロッセオは，巨大な円形の空間をもつ円形闘技場です。外形の平面は楕円形で，楕円のおおよそのサイズは，長辺が200メートル，短辺が150メートルです。高さは一定ではありませんが，もっとも高い部分がおよそ50メートルです。コロッセオのカタチは球ではなく円ですが，円もまた球と同様に求心的なカタチです。
　演習として，コロッセオの単純モデルを，パンテオンの段々の屋根と同じ方法で作成してみてください。
　直径200メートル（半径100メートル）の［円］[b]を描き，その短辺方向をツール［尺度］[c]を用いて「150÷200＝0.75」倍に縮小すれば，200×150メートルの楕円となります。階段状の観客席部分は，たとえば9段に単純化すれば，図4-21，4-22に示したカタチとなります。このカタチは，外周を5

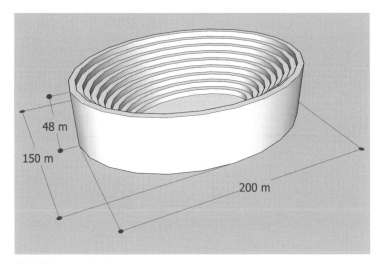

図 4-21　コロッセオ
円の一方向をツール［尺度］で縮小すれば楕円が作成できる

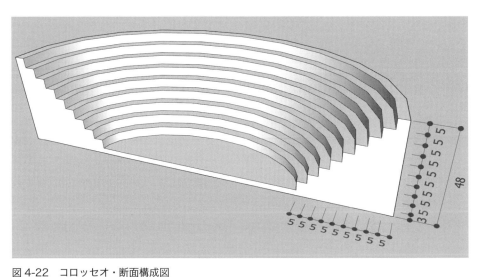

図 4-22　コロッセオ・断面構成図
外周を［オフセット］し［プッシュプル］していけば階段状の観客席を作成できる

メートルピッチで［オフセット］[d]すると作成される輪切りを，5メートルピッチで［プッシュプル］[e]していけばできあがります。図 4-23 にそのレンダリング画像を示します。

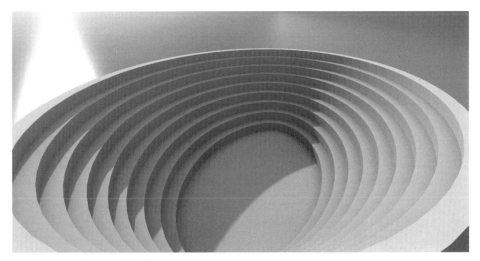

図 4-23　レンダリング画像（コロッセオ）

ここまで，幾何学的な形態であるピラミッドとエッフェル塔，建築の部位によって構成されるパルテノン神殿，内部空間をもつパンテオンのモデリングを通じて，SketchUp の基本的な作法を学びました。本章以降では，現代の建築をモデリングしていきます。

5-1. カップマルタン

近代建築の巨匠であるル・コルビュジエ[a]（1887-1965）は，1951 年に南フランスのカップマルタン（モンテカルロの近く）の地中海を臨む敷地に自身と妻のための小さな住居兼アトリエ，カップマルタンの休暇小屋[b]（以下，休暇小屋）を設計しています（写真 5-1）。ル・コルビュジエは，週末によくこの休暇小屋を訪れていて，1965 年に亡くなったときもここに滞在していました。偉大な建築家の終の住処といえる極小の空間がここにあります。ル・コ

ルビュジエと妻のお墓も，カップマルタンの地中海を臨む墓地にあります。

休暇小屋は，ル・コルビュジエが提唱したモデュロール[c]という建築の寸法体系に基づいて設計されています。図 5-1 に，ル・コルビュジエ財団の資料に基づき，筆者が作成した図面を示します。

ものつくり大学[d]が，2011 〜 2012 年に，休暇小屋の実物大のレプリカ[e]を製作しています（写真 5-2，5-3）。建築はもちろん，家具や洗面台まで，実測に基づき，精巧に再現されています。

本章では，人間の寸法に基づく住空間の寸法を意識しながら，この休暇小屋をおおまかにつくってみたいと思います（図 5-1）。

5-2. 単位とレイヤ

最初に，ツール［モデル情報］[f]を使って，［長さの単位］を［Millimeter（ミ

[a]ル・コルビュジエ スイスで生まれ，フランスを拠点として活動した建築家。1922 年に，鉄筋コンクリートのラーメン構造（柱と梁による構造）により実現する「近代建築の 5 原則」（自由な平面，自由な立面，ピロティ，水平連窓，屋上庭園）を提唱し，近代の明るく軽やかな空間をもつ建築を実現させた。初期の建築では，水平連窓（水平に連続する大きな窓）が多用されていた。フランスのパリ近郊に建てられたサヴォワ邸（1931）は「近代建築の 5 原則」を表す代表作の一つである。しかし，晩年の作品には，ロンシャンの教会（1955），ラ・トゥーレットの修道院（1960）などに見られるように，分散した窓によって光をコントロールする重厚な空間が多く見られる。カップマルタンの休暇小屋の窓にも分散した構成が見られる

写真 5-1　カップマルタンの休暇小屋（フランス，カップマルタン）

写真 5-2　カップマルタンの休暇小屋（レプリカ，ものつくり大学）

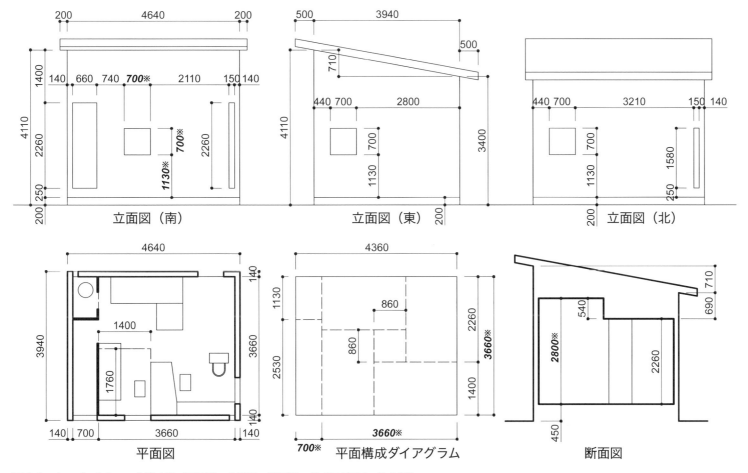

図中の主要寸法（立面図・平面図・断面図・ダイアグラム）

立面図（南） — 200, 4640, 200 / 140, 660, 740, **700※**, 2110, 150, 140 / 1400, 2260, 250, 200 / 4110 / **700※**, **1130※**, 2260

立面図（東） — 500, 3940 / 500 / 710 / 440, 700, 2800 / 4110 / 700, 1130, 3400 / 200

立面図（北） — 440, 700, 3210, 150, 140 / 700, 1130, 1580, 250, 200

平面図 — 4640 / 140, 3660 / 140 / 3940 / 1400 / 1760 / 140, 700, 3660, 140

平面構成ダイアグラム — 4360 / 1130, 860, 860, 2530, 860, 2260, 1400, **3660※** / **3660※**, **700※**

断面図 — 710, 690, 540, 2260, **2800※**, 450

図 5-1　カップマルタンの休暇小屋／平面図・立面図・断面図・ダイアグラム（1:100）

平面図，立面図，断面図，配置図が描かれた原図（FLC24334，FLC31999 など）をル・コルビュジエ財団が所蔵・公開している。この図は原図を参照して筆者が作成した。図中のイタリック体太字の寸法が原図に示されたもので，ほかの寸法は筆者の推測による。実在の休暇小屋は，一部の窓（北面における正方形の窓）や屋根の高さなどが原図とは異なっているが，本書では原図を優先している（ものつくり大学のレプリカは実在の休暇小屋に基づいている）。また，実在の休暇小屋は既存建物に隣接して（壁を共有して）いるが，ここでは，独立した建物としている

ル・コルビュジエはモデュロールと呼ばれる黄金比に基づく建築の寸法体系を提案している。モデュロールは 6 ft（1829 mm）の人間のヘソの高さ（1130 mm）と上にあげた手の指先の高さ（2260 mm）を基準とする次の 2 系統の数列である：赤系：…, 165, 267, 432, 698, 1130, 1829, … ／青系：…, 330, 534, 863, 1397, 2260, 3658, …

原図において，休暇小屋の平面の寸法は，壁芯ではなく壁の内寸により，366 cm が記されている。この 366 cm は 226 cm と 70 cm（698 mm）を合わせた寸法と考えられる。366 cm 角の正方形を，渦巻き状に配置する 226 cm×140 cm（1397 mm）の長方形によって分割すると，中央に 86 cm（863 mm）の正方形が現れる。窓の高さにも 113 cm が記されている。天井高さは 280 cm が記されているのみだが，これは一部の高くなった部分の寸法で，大部分の低い天井の高さは 226 cm と考えられる

建物の壁芯による大きさは，壁の厚さを 140 mm と考えると，4500×3800 mm。延床面積が 17.1 ㎡の小さな住宅である

[b] カップマルタンの休暇小屋
フランス・マントンとモナコ・モンテカルロの間に位置するロクブリュヌ・カップマルタンに建つ。近くに，家具デザイナーとして有名なアイリーン・グレイ（1878-1976）が設計した別荘「E1027」もある。現在，休暇小屋は E1027 とともに，非営利団体「Cap Moderne」が管理している
https://capmoderne.com/

[c] モデュロール
人体の寸法と黄金比に基づく寸法の体系

[d] ものつくり大学
埼玉県行田市
http://www.iot.ac.jp/

[e]（休暇小屋の）レプリカ
ものつくり大学のキャンパス内に建てられている。ル・コルビュジエ財団により，正確なレプリカであることが認定されている

[f] モデル情報パネル

ⓘ

前出（P.10）

写真 5-3　カップマルタンの休暇小屋：内部（レプリカ，ものつくり大学）

室内の北東のコーナーを見る。北面の窓は，原図（FLC24334）では正方形だが，実際には横長

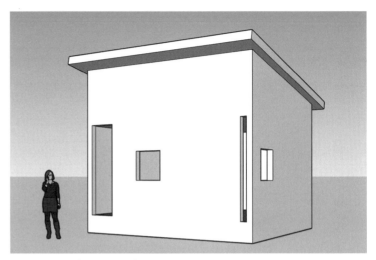

図 5-2　カップマルタンの休暇小屋

SketchUp による単純モデル。開口（ドアと窓）は穴として表現

[a] タグ

パネル

前出（P.28）

[b] 移動

[M]
ツール

前出（P.11）

[c] 長方形

[R]
ツール

前出（P.14）

[d] プッシュプル

[P]
ツール

前出（P.19）

[e] 移動＋コピー

[M]
ツール

Ctrl キーを押してか
ら［移動］

[f] グループ化
［選択］＞右クリッ
ク＞［グループを作
成]

リ)］に設定してください。次に，パネル［タグ］[a]　から「内部空間／外壁／屋根」の３つのタグを作成してください。なお，人物が邪魔になると思いますので，邪魔にならない位置に［移動］[b] しましょう。

5-3. 内部空間

　最初に内部空間をつくります。休暇小屋の室内の平面（内寸）は 4360×3660 ミリの長方形です（図 5-3）。

　［長方形］[c] を使って，4360×3660 ミリの長方形を描いてください。そして，長方形を床の高さである 450 ミリまで［プッシュプル］[d] してください。また，プッシュプルで作成される立方体の上面を［移動＋コピー］[e] して，低い方の天井高である 2260 ミリの位置にコピーしてください。

　南に面した西寄りの部分の天井が一部高くなっています。西面から 700 ミリの位置にガイドを描き，ガイドから東寄りに 1400×1760 ミリの［長方形］を描き，その長方形を 540 ミリまでプッシュプルしてください。

　これで内部の床と天井のできあがりです。すべてのオブジェクトをグループ化 [f] してください。また，パネル［タグ］を使って，タグに「内部空間」を適用してください。

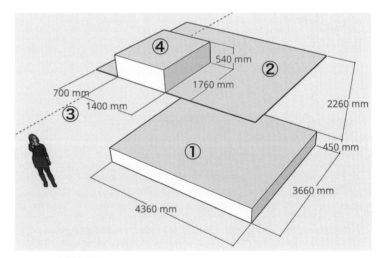

図 5-3　内部空間

① 4360×3660 mm の長方形を 450 mm プッシュプル　②上面を 2260 mm 移動＋コピー
③ 700 mm の距離でガイドを作成し，1400×1760 mm の長方形を描く　④ 540 mm プッシュプル

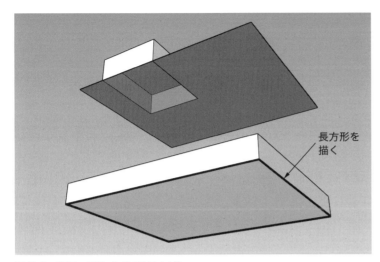

図 5-4　底面の再作成（天井見上げ）
天井の一部が高くなっている

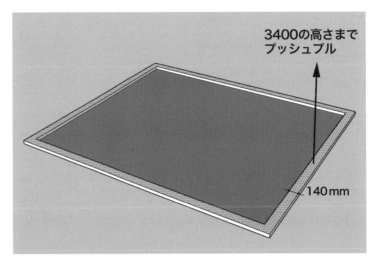

図 5-5　壁の作成：オフセットとプッシュプル
オフセットにより壁厚（厚さ 140 mm）を作成してプッシュプル

5-4. 外壁

　次に，外壁をつくっていきます。グループ化された内部空間の底面と同一の 4360×3660 ミリの［長方形］をもう一度描いてください。全体を見上げた状態で描くとよいと思います（図 5-4）。

　タグ「内部空間」はオフ（非表示 [g]）にして，描いた長方形を外側に 140 ミリ［オフセット］[h] して，壁の平断面を作成してください。そして，［プッシュプル］で，壁の断面を 3400 ミリの高さ（低い方の軒の高さ）まで立ち上げてください（図 5-5）。

　続いて，ツール［線］[i] を使って，東側または西側の立面に傾斜する屋根のカタチを描き，反対側の立面までプッシュプルしてください（図 5-6）。屋根のカタチの三角形の底辺と南立面を分割する水平線は余分な線なので，削除 [j] してください。

　これで壁ができたので，4 面の壁に窓とドアを開口として（壁に空く穴として）作成しましょう（ここではドアや窓そのものと枠は省略します）。図 5-1 の立面図を参照し，必要に応じて，ツール［メジャー］[k] を使ってガイド（補助線）を描き，ツール［長方形］[l] でドアと窓の開口を描いてください。例と

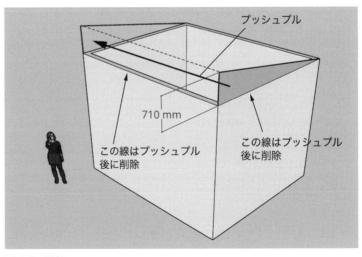

図 5-6　屋根
立方体の立面に傾斜する屋根の形状（三角形）を付け足してプッシュプル。余分な線は削除

[g] タグの非表示
パネル［タグ］で設定

[h] オフセット

[F]
ツール

前出（P.39）

[i] 線

[L]
ツール

前出（P.15）

[j] 削除
選択 >「Delete」

[k] メジャー

[T]
ツール

前出（P.33）

[l] 長方形

[R]
ツール

前出（P.14）

[a] プッシュプル
[P]
ツール

前出（P.19）

[b] グループ化
[選択]＞右クリック＞［グループを作成］

[c] タグ
パネル

前出（P.28）

[d] 長方形
[R]
ツール

前出（P.14）

[e] オフセット
[F]
ツール

前出（P.39）

[f] 削除
ツールで［選択］し，キーボードで
[Delete]

[g] 断面塗りつぶしを表示
ツールバーの最上部の［検索］ボックスに「断面」と入力すると，［断面塗りつぶしを表示］というスイッチが見つかる。そのスイッチをオフにすれば，モデルの内部が見えるようになる。詳しくはP.40の本文を参照のこと

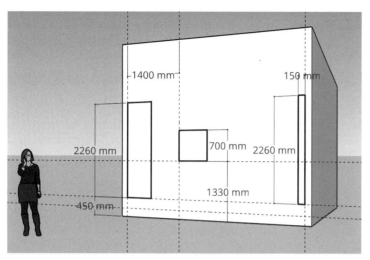

図 5-7　開口の描画
開口（ドアと窓）の形状を壁に長方形で描く

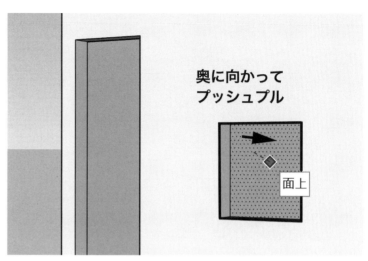

図 5-8　プッシュプルによる開口の作成
壁に描いた長方形を室内側にプッシュプルする。ぴったり室内側の面をスナップするのがコツ

して，南側の面を図 5-7 に示します。

　開口のカタチを表す長方形が描けたら，ツール［プッシュプル］[a] でその長方形を壁の内側（室内側）に押し出してください（図 5-8）。カーソルを壁の内側付近にもっていくと「面上」がスナップされますので（スナップすると「面上」というテキストが表示されますので），そこまで押し出すと壁に穴が空きます。この操作では，カーソルをちょうど面上でスナップさせるのがコツです。面上でない位置へ押し出すとうまく穴が空かないので，注意深く操作をしてください。

　すべてのドアと窓の穴を空ければ，外壁のできあがりです。できあがったらすべての外壁のオブジェクトをグループ化[b] してください。そして，［タグ］[c] に「外壁」を適用してください。

5-5. 屋根

　続いて，屋根をつくっていきます。図 5-9 に示すように，外壁の上面に 4 面の外壁の頂部を囲む傾斜する［長方形］[d] を描いてください。キーボードの下向きの矢印キーを併用すれば，屋根面に沿った長方形が描けます。

　南面と北面の軒の出幅は 500 ミリ，東面と西面は 200 ミリです。描いた長

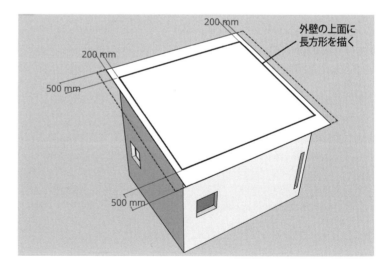

図 5-9　屋根の作成
軒の出（50 cm）をオフセット。東西の軒の出はその後に調整

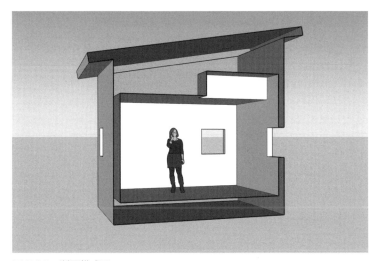

図 5-10　断面構成図

［断面塗りつぶしを表示］をオフにすると，壁の内部，床下，屋根裏などが空洞であることが見えてしまう。また，地盤を作成しないと建物が単に地面に置かれてるだけに見える

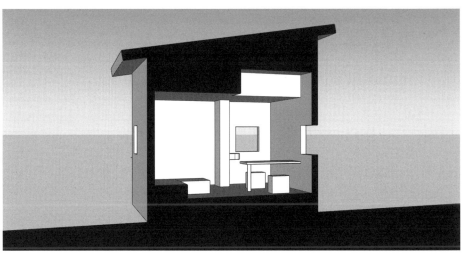

図 5-11　断面構成図（断面を塗り潰し）

地盤と家具を加えて，［断面塗りつぶしを表示］をオンにした断面構成図。実際の建物の下部には基礎がつくられ，建物は地盤と一体化する。壁の内部，床下，天井裏には建築を構成するさまざまな部位が隠れている。断面は塗り潰して表現するとよい

方形を外側に 500 ミリ ［オフセット］ [e] し，東面と西面は端部の辺を 300 ミリ内側に移動すれば，屋根の底面となります。底面の外形が得られたら，オフセットに使用した長方形は不要なので，削除 [f] しましょう。

　この底面を屋根の厚みとなる 200 ミリで ［プッシュプル］ してください。そして，屋根はグループ化して，タグに「屋根」を適用してください。

5-6. 断面の表現

　図 5-10 にできあがったモデルの断面構成図を示します（この図では ［断面塗りつぶしを表示］ [g] をオフにしています）。しかし，このモデルには地盤（地面）がないので建物が単に地面に置かれているだけの感じがして，建築の断面としては不自然です。

　図 5-11 は，建物の下部に地盤を作成し，［断面塗りつぶしを表示］した図です（家具も加えています）。このように，地盤とともに床下，壁，小屋裏（屋根裏）の切断面を塗り潰すと，地盤と建物が一体化する建築の構成を正しく表す断面構成図となります。

　本章の最後に，図 5-12 に外観のレンダリング画像を示します。

図 5-12　レンダリング画像（カップマルタンの休暇小屋）

6章　ヒアシンスハウス

夭折の詩人・立原道造のアトリエ

夢みたものは　ひとつの幸福
ねがつたものは　ひとつの愛
山なみのあちらにも　しづかな村がある
明るい日曜日の　青い空がある
（中略）

夢みたものは　ひとつの愛
ねがつたものは　ひとつの幸福
それらはすべてここに　ある　と

立原道造，「夢みたものは……」詩集『優しき歌』（角川書店，1947年）所収

[a] 立原道造
府立三中（現・両国高校）の頃に短歌，パステル画に才能を発揮し，旧制一高在籍時に詩人としてデビュー。堀辰雄らの薫陶を受ける

[b] 別所沼公園
埼玉県さいたま市にある別所沼の周辺が公園として整備された

[c] 平面図の変更点
初期案（図6-2）では南面窓の窓台の西端部に小壁を設け，玄関の領域を確保していたが，最終案（図6-3）ではこれを取り払い，玄関扉から南面の窓の外が臨めるようになっている。また，初期案では玄関の扉が外開きだったのに対して，最終案では内開きへと変更されている。雨仕舞い（雨が内部に入り込まないための工夫）としては外開きが適している。しかし，扉の前にポーチ（屋根のある空間）があるため，より外から人を迎え入れやすい内開きに変更されたと考えられる

本章では，24歳の若さで亡くなった昭和初期の夭折の詩人である立原道造[a]（1914〜1939）が設計した自邸（アトリエ）をモデリングし，その図面表現について学ぶとともに，3Dモデルと風景を合成する透視図の作成を試みます。

詩人として有名な立原道造は，建築学科で建築を学び，建築家としての足跡も残しています。彼が設計した自身のためのアトリエ「ヒアシンスハウス」がさいたま市（埼玉県）の別所沼公園[b]に建っています（写真6-1）。とはいっても，ヒアシンスハウスは立原の生前には実現しておらず，別所沼公園にヒアシンスハウスが建ったのは，立原が亡くなってから60年以上を経た2004年のことです。

1914年，東京・東日本橋に生まれた立原は，1934年，東京帝国大学建築学科に入学します。この年以来，浅間山麓・信濃追分に毎年出かけていて，その田園的な風景が立原の詩・建築のモチーフとなりました。大学での設計課題は毎年表彰され，建築家として将来を嘱望されました。一学年下には，後に戦後の日本を代表する建築家となる丹下健三（1913〜2005）や大江宏（1913〜1989，10章に登場します）がおり，立原の建築観は彼らにも影響を与えました。大学卒業後，設計事務所に勤務するようになりましたが，体調を崩して1年半で休職し，1939年，結核のため24歳で逝去しました。

6-1. ヒアシンスハウス

立原は，1937〜1938年（当時23歳），設計事務所での仕事の合間にヒアシンスハウスを構想しました。図6-1〜6-4に立原が遺した図面とスケッチを示します。スケッチには，建物の周りに植栽，樹木，旗竿などが描かれています。自然の風景を情緒豊かな詩で綴った立原にとって，建物と周りにある風景の全体が建築であったのではないかと思います。

写真6-1　ヒアシンスハウス

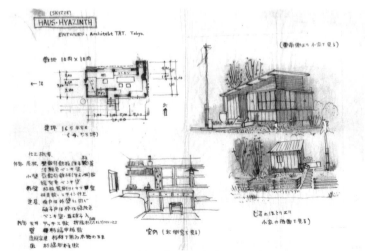

図6-1　ヒアシンスハウス（立原道造の最終案，1938）

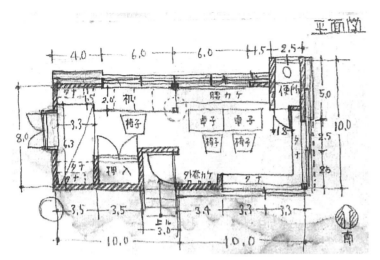

図 6-2　別所沼のほとりに建つ　風信子ハウス設計図（1937）
生田勉宛の手紙に描かれた平面図（資料提供：立原道造の会）

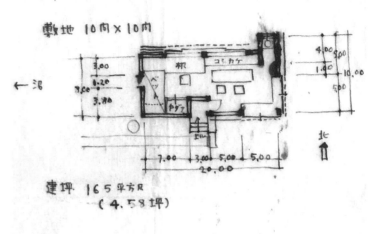

図 6-3　HAUS・HYAZINTH（平面図の最終案，1938）
神保光太郎宛の手紙に描かれた平面図（図 6-1 の一部）（資料提供：立原道造の会）

　図 6-3 の左端に「←沼」と記されています。立原は，ヒアシンスハウスを現在の別所沼公園にある別所沼が見える場所（沼の東）に建てようと考えていました（しかし，2004 年に実現した建築は沼の西に建てられました）。

　南側の中央部に小さなポーチ（玄関前）があります。玄関扉を開けると，南東のコーナーには大きく開放される窓が見えます（写真 6-2）。北側の左手（西側）に机とベッド，右手に腰カケがあります（写真 6-3）。北側には横長窓が設けられ，書斎に穏やかな光を取り入れています。西側のベッドの脇には小さな窓が開けられています（写真 6-4）。この窓は，西側に見えるはずだった別所沼に反射する西日を抑えながら，風を柔らかく取り込むための窓だったのだろうと思います。

　これらの性格の異なる 3 つの窓によって，にぎやかで明るい空間と静かで落ち着いた空間が巧みにゾーニングされています。また，北東のコーナーには便所（実現した建築では給湯室）があり，北側の壁が外に出っ張っています。

　立原は，平面図のスケッチを複数残しています。いずれも，友人に宛てた手紙に添えられたものです。図 6-2 は 1937 年 12 月頃に描いたとされる初期案，図 6-3 は 1938 年 2 月頃に描いたとされる最終案でした。図 6-4 は最終案と同時期に親友に宛てたはがきに描かれたもので，平面スケッチのほか，断面の

スケッチや部分詳細図が描かれています。

　初期案と最終案では寸法についてはいくつかの変更 [c] が見られます。大きな変更点として南東角の開口部の幅が東面と同様の 5 尺 [d] に変更されています（図 6-2 と図 6-3 の南東角の開口部を見比べてください）。

　実現したヒアシンスハウスは，立原の構想をもとに，「詩人の夢の継承事業」として，埼玉県の建築家有志を中心とする「ヒアシンスハウスをつくる会」[e] によって設計され，さいたま市などの協力を得て，別所沼公園内に建設されました。別所沼の東側に建つはずだったヒアシンスハウスは，西側の空地に，建築の向きを変えず建てられたことになります。

　ヒアシンスハウスの構造は，今日でも一般的な木造の軸組構造（柱と梁材による構造）で，屋根は 1.5:10 の勾配で傾斜する片流れ屋根です。主要な柱には 105×105 ミリの断面の角材が使われています。ほとんどの柱はその外壁側と室内側に壁が張られているので壁の中に隠れますが，南東のコーナーと北面の窓の中央に 2 本の柱は露出しています。

6-2. 平面図・断面図・透視図

　ここで，建築の設計やモデリングにおいて必ず必要となる図面の原理につい

[d] 尺
1 尺は約 30 cm。尺という単位は今日では馴染みがなくなったが，今でも建築設計の基本単位として 30 cm（またはその倍数）がよく使われる。たとえば，部屋の大きさは畳の数（畳の大きさは約 90×180 cm）で表され，廊下やトイレなどの幅にも壁芯（壁の中心）の間の距離を 90 cm とする寸法がよく使用される

[e] ヒアシンスハウスをつくる会
「ヒアシンスハウスをつくる会」が立原のスケッチからどのように実施設計案をまとめ上げたかについては，「ヒアシンスハウスの会」のホームページ上で公開されている：
「ヒアシンスハウスをつくる会」による設計会議の概要
2003.6-2004.3,
http://haus-hyazinth.org/pdf/sekkeikaigi_2.pdf

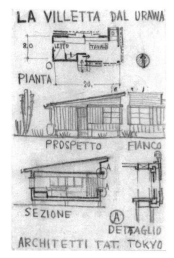

図6-4　スケッチ（1938）
小場晴夫に宛てたはがきに描かれたスケッチ（資料提供：明石ゆり氏）

写真6-2　南東のコーナー
コーナーの窓により大きく開放された明るい空間

写真6-3　書斎
北側の横長窓から安定した光が採り入れられた書斎

写真6-4　ベッドのある西側のコーナー
小さな出窓のあるほの暗く落ち着いた空間

[a] 戸袋
実際には，南側と東側にあるのは戸袋ではなく，十字が描かれた雨戸である。本書では，ドア，窓，雨戸などのモデリングは省略しているが，ヒアシンスハウスの南側および東側の雨戸は，建築のカタチを構成する特徴的な部位なので，これを戸袋としてモデリングしている

[b] GL
Ground Level または Ground Line の略。高さの基準となる，地盤などの高さゼロのレベル

ておさらいをしておきましょう。

　建築の内部空間を表現する図面には平面図と断面図があります。平面図は建築を床に立つ人の目の高さで水平に切断し，鉛直上方から見たその下方を描く投影図（奥行を表現しないで事物を平行に投影して見る図）です。平面図は各階の階ごとに描く図面です。断面図は建築を垂直に切断し，切断した手前から奥を見た状態を描く投影図です。断面図の切断位置は空間がわかりやすく表れる位置とする必要があります。立原はいくつかの平面図のほか，図6-4に示したスケッチに断面図を描いています。

　建物を水平に切断する平面図が切断するのは壁，柱，開口（窓やドア）などの床に立った人の目の高さに存在する部位だけです。平面図には各部屋の平面のカタチや大きさ（広さ）と部屋同士の関係が表れますが，天井の高さは表れません。

　一方，建物を垂直に切断する断面図には，床，壁，天井，屋根，基礎（床下）など，建築のあらゆる部位が切断されます。断面図には空間の広さ（幅）と高さが同時に表れ，地盤（地面）と床の高さとの関係も示されます。断面図においては，切断されるものとその向こうに見えるものを表すことも大事です。図6-5にSketchUpで作成したヒアシンスハウスの断面を立体的に表現

した断面構成図を示します。

　図6-6はCGモデルを写真と合成した透視図（パース）です。透視図は建築（事物）を人の目で見た通りに描く図です。平面図や断面図が奥行を表さない投影図（事物を平行に見る図）であるのに対して，透視図には遠近法（遠くにあるものは小さく，手前にあるものは大きく描く図法）による奥行が表れます。

　詳しくは後述しますが，透視図は視点からある方向をある画角で眺める図です。写真も一種の透視図なので，図6-6のように，CGモデルと写真の構図を一致させれば，両者を合成することができます。CGモデルを風景となる写真と合成する方法は，建築の外部との関係を表すためによく用いられます。

　建築の内部空間と外部空間，そしてその関係をわかりやすく明確に表現するためには，断面構成と透視図の原理を正しく理解する必要があります。CGによる断面構成や透視図の表現を学ぶことは建築空間のあり方を学ぶことにもつながります。

　本章では断面構成と透視図の表現について解説しますが，その前に，まずはヒアシンスハウスをモデリングしましょう。なお，建築の図面表現の詳細については7章以降で解説します。

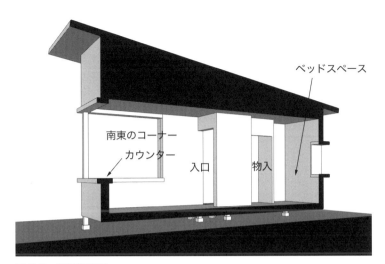

図 6-5　断面構成図
断面を立体的に表現した図。この図では切断面を黒く塗り潰して表現している

図 6-6　透視図（背景との合成）
背景（別所沼公園）とCGの合成（背景は，立原の設計における別所沼との位置関係に合わせるため，別所沼公園の空地で撮影した写真を左右反転させている）

図 6-7　タグ

6-3. 寸法とモデリングの設定

　図6-2, 6-3の立原のスケッチには尺を単位とした寸法が記入されています。この寸法は，壁芯（壁および柱の中心）による寸法です。1尺は303.03ミリで，1尺の6倍（約1800ミリ）または6.5倍（約1950ミリ）などが1間とされ，日本の伝統的な建築の部屋の大きさの基本単位となっていました。

　これらのスケッチに基づき，ヒアシンスハウスをモデリング用に単純化して表した平面図と立面図を図6-8に示します。

　ヒアシンスハウスは南から見たときの幅が20尺（約6メートル），北東のコーナーのトイレを含む奥行が10尺（約3メートル）の平屋建ての建築です。

　この図では，1尺を300ミリに換算しています（端数はカットしました）。また，本書では，ヒアシンスハウスのカタチをわかりやすく学ぶことを目的として，高さと細部の構成と寸法を以下のように設定（仮定）しました。

(1) 壁厚は150ミリ。ただし，物入の室内側の壁は60ミリ
(2) 雨戸とそれを収納する戸袋[a] の厚さは合わせて150ミリ
(3) 床の高さはGL[b]（地面）＋450ミリ
(4) 基礎の高さは300ミリ

(5) 南／東／北面の窓の上下の枠の見付け[c]（厚さ）は90ミリ。縦枠の見付け（幅）は45ミリ。実際の窓の枠の構成は複雑で，外部と内部（室内側）では寸法が異なる。内部に現れる上下の枠はより薄い寸法をもつ
(6) 西面の小窓の上下の枠の見付けは75ミリ。縦枠の見付けは30ミリ。実際の小窓の上部にある小さな屋根は省略
(7) 窓とドアの可動部は省略（穴として表現する）
(8) そのほか，詳細は単純化する

6-4. モデリング

　基礎（土台），壁，屋根，室内の順にモデリングをしていきます。単位[d] は［Millimeter（ミリ）］に設定し，［タグ］[e] として「屋根，基礎，室内，小屋，床壁，窓周り」を作成してください（図6-7）。

　以下，各部分をモデリングする手順を示しますが，モデリングにはさまざまな方法があります。本章で示す方法は一例に過ぎませんので，ほかの方法も試してみてください。

[c] 見付け
目に見える枠の幅／厚さ（壁などに埋め込まれ隠れる部分の寸法は含まない）

[d] 単位
［モデル情報］より設定

パネル

前出（P.10）

[e] タグ
パネル

前出（P.28）

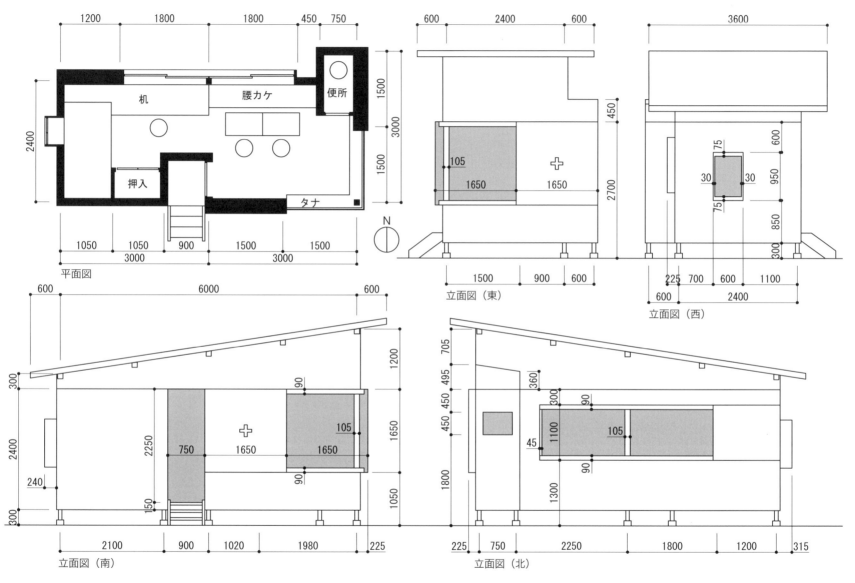

平面図

立面図（東）

立面図（西）

立面図（南）

立面図（北）

図 6-8　平面図・立面図（1:75）

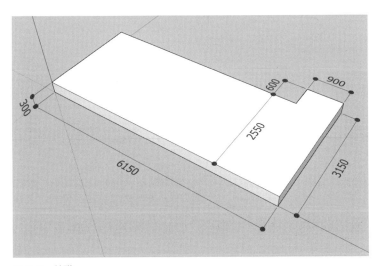

図 6-9　基礎
基礎の形状を描き，［プッシュプル］で立ち上げる

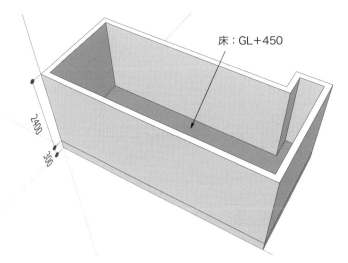

床：GL＋450

図 6-10　外壁
基礎の上面の形状を壁の厚さ（150 mm）で［オフセット］。壁は 2400 mm の高さで［プッシュプル］，床は 150 mm の高さで［プッシュプル］

6-4-1. 基礎（図 6-9）

基礎は，簡略に，高さ 30 センチの土台として作成します（後ほど，演習としてよりリアルな基礎に変更することにします）。
(1) 壁芯の寸法に壁の厚さを加えた基礎の外形を描き［プッシュプル］[a]
(2) 基礎をグループ化[b]
(3) タグに「基礎」を適用

6-4-2. 床と外壁（図 6-10）

基礎の上に載る床と壁（外壁）をつくっていきます。
(1) ［線］[c] を使って，グループ化された基礎の上面に，もう一度，基礎の同じ外形（輪郭）を描く
(2) 基礎の上面の外形を 150 ミリ，内側に［オフセット］[d]
(3) 壁の形状を 2400 ミリの高さで［プッシュプル］
(4) 室内の床となる壁に囲まれた面を 150 ミリの高さで（GL＋450 ミリの高さまで），［プッシュプル］

6-4-3. 入口と窓（南東）（図 6-11）

壁から入口と窓をくり抜いていきます。
(1) 南面の入口と南東のコーナーの出窓（窓が外壁の外に取り付いた窓）の形状を壁に描く。［メジャー］[e] を使ってガイド（補助線）を描いて開口部の位置をプロットしながら，［長方形］[f] などのツールで形状を描くとよい。なお，図 6-11 に示した寸法は出窓の枠を含む寸法である（出窓の枠は後ほど作成する）
(2) ［プッシュプル］を使って，壁に穴を空ける

6-4-4. 窓（北西）（図 6-12）

(1) 北面にある幅 3495 ミリ×高さ 1100 ミリ（窓枠を含む）の横長の大きな窓を壁からくり抜く
(2) 北面のトイレ部分にある幅 600 ミリ×高さ 450 ミリの窓をくり抜く
(3) 西面にある幅 600 ミリ×高さ 950 ミリ（窓枠を含む）の出窓をくり抜く
(4) 床と壁をグループ化
(5) タグに「床壁」を適用

[a] プッシュプル

[P]
ツール

前出（P.19）

[b] グループ化
［選択］＞右クリック＞［グループを作成］

[c] 線

[L]
ツール

前出（P.15）

[d] オフセット

[F]
ツール

前出（P.39）

[e] メジャー
［メジャー］を使用するとガイド（補助線）を描ける

[T]
ツール

前出（P.33）

[f] 長方形

[R]
ツール

前出（P.14）

[a] 線
[L]
ツール

前出 (P.15)

[b] 選択
[Space]
ツール

前出 (P.11)

[c] 移動
[M]
ツール

前出 (P.11)

[d] プッシュプル
[P]
ツール

前出 (P.19)

[e] 移動＋コピー
[M]
ツール

Ctrl キーを押してか
ら [移動]

[f] 長方形
[R]
ツール

前出 (P.14)

[g] オフセット
[F]
ツール

前出 (P.39)

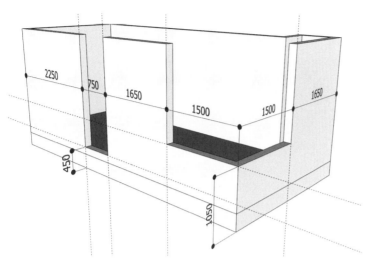

図 6-11　入口とドアの開口（南東）
ガイドを使いながら開口部の形状を描き，［プッシュプル］を使って壁に穴を空ける

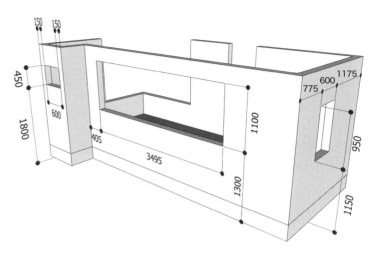

図 6-12　開口（北西）
開口部の形状を描き，［プッシュプル］を使って壁に穴を空ける（この図ではガイドは非表示）

6-4-5. 窓周り（南東のコーナー）（図 6-13，6-14）

　窓には，窓周りとして，窓枠，窓と一体となる柱，戸袋（窓や雨戸がしまわれる部分）などが取り付きます。南東のコーナーには，角の柱の外側にレールがある出窓があります。この窓は開くと雨戸の裏側（戸袋状の空間）に収納されるので，窓を開けると，室内と外部が一体となったような開放感があります。また，窓の下枠は小さなカウンターとなっています。

(1) 壁の穴の上面に下枠の下絵を描く（図 6-13）。［線］[a] を使って上面の形状を描き，側面となる辺を［選択］[b] して，外部および室内側に 75 ミリ，［移動］[c] するとよい

(2) 下枠を 90 ミリの高さで［プッシュプル］[d]

(3) 上枠は下枠を上部に［移動＋コピー］[e] するとよいが，上枠は室内側には飛び出さないことに注意

(4) 下枠のコーナーに柱（105×105）を描いて［プッシュプル］。下絵としてコーナーに［長方形］[f]（正方形）を描き，105×105 ミリになるように［オフセット］[g] するとよい

(5) 南面と東面に戸袋を作成。壁に［長方形］を描いて 150 ミリの厚さとなるように［プッシュプル］

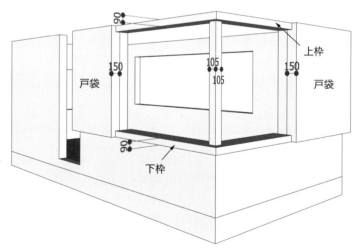

図 6-13　窓周り（南東のコーナー）
南東のコーナーに窓枠をはめ込む。また，柱と雨戸（戸袋）を作成する

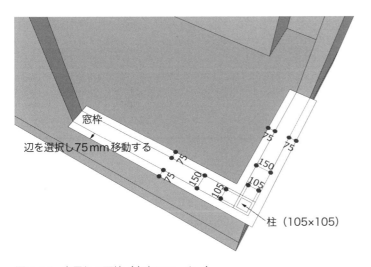

図6-14　窓周りの下絵（南東のコーナー）
下枠と柱の寸法を示す。下枠は壁の穴の上面の形状を外壁側と室内側に膨らませる。柱はコーナーの壁の中央に立てる

6-4-6. 窓周り（北面）（図6-15，6-16）

北面の横長の中央に柱が立つ出窓をつくります。

(1) 下枠の下絵として壁の穴の上面に［長方形］を描き，外壁側の辺を外側に150ミリ［移動］

(2) 90ミリの高さで［プッシュプル］

(3) 上枠は下枠を［移動＋コピー］すればよい

(4) 縦枠は上枠と下枠の間に側面を描き，45ミリの見付けで［プッシュプル］

(5) 戸袋は上枠／下枠の西側に［長方形］を描き，150ミリの厚さで［プッシュプル］

(6) 中央の柱は壁の中心線上に立つ。柱の中心を求めて，105×105ミリの［長方形］（正方形）を描き，上枠の下面まで［プッシュプル］。なお，ツール［長方形］は，キーボードのCtrlキーを併用すると，端点ではなく中心を基点とする長方形[h]を描くことができる

6-4-7. 窓周り（西面）（図6-15）

西面には小さな出窓があります。実際の建築では，出窓の屋根（上枠の上部）に雨仕舞い（雨を流すしくみ）がありますが，ここでは省略します。

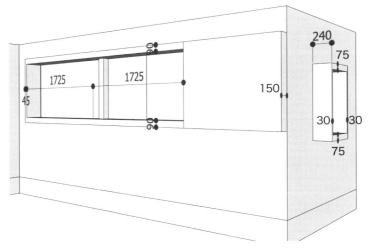

図6-15　窓周り（北面と西面）
北面（図の正面）には横長の大きな出窓とその戸袋がある。西面（図の右横）には小さな出窓がある

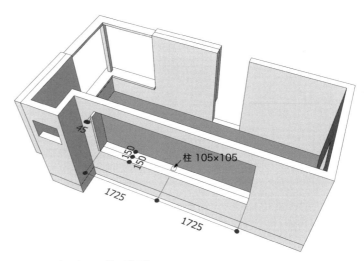

図6-16　窓周りの下絵（北面）
北面の出窓の下枠とサイドの枠の寸法，柱の位置を示す。上枠の寸法は下枠と同様

[h] 中心を基点とする長方形
ヒアシンスハウスのモデリングにおいては，露出する2本の105×105mmの柱の作成に手間取るかもしれない。ツール［長方形］は，キーボードのCtrlキーを押しながら操作すると，中心を基点とする四角形が描かれる。そこで，ガイドを用いて，柱の中心を割り出して四角形を描くようにするとよい

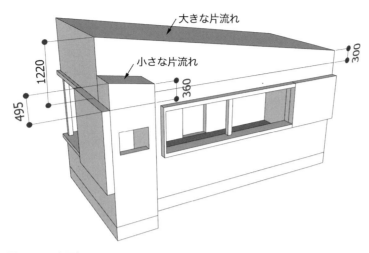

大きな片流れ

小さな片流れ

300

1220

360

495

図 6-17　小屋組
大きな片流れと小さな片流れをもつ屋根を支える小屋のモデリング

600

片流れの上面に描いた四角形

図 6-18　屋根
屋根は小屋の端から 600 mm ほど跳ね出している。小屋（大きな片流れ）の上面に描いた四角形を［オフセット］させて作成する

[a] グループ化
［選択］＞右クリック＞［グループを作成］

[b] 長方形

[R]
ツール
前出（P.14）

[c] プッシュプル

[P]
ツール
前出（P.19）

[d] 選択

[Space]
ツール
前出（P.11）

[e] 移動

[M]
ツール
前出（P.11）

[f] 線

[L]
ツール
前出（P.15）

[g] オフセット

[F]
ツール
前出（P.39）

(1) 見付け 30 ミリの縦枠と見付け 75 ミリの上枠／下枠をはめ込む
(2) 窓周りをグループ化 [a]
(3) タグに「窓周り」を適用

6-4-8. 小屋（図 6-17）

　木造建築では屋根を支える架構のことを小屋または小屋組と呼びます。ヒアシンスハウスでは、フラット（水平）な天井の上部に小屋があります。屋根は、一方向に傾斜する片流れの形状です。外壁から出っ張ったトイレの上部はほかとは高さの異なる小さな片流れとなっています。

(1) 大きな片流れ（トイレの上部を除く片流れ）の底面となる［長方形］[b] を外壁の上部に描く
(2) ［プッシュプル］[c] で低い方の高さ（300 ミリ）まで立ち上げる
(3) 高い方の一辺を［選択］[d] し、高い方の高さ（1200 ミリ）まで鉛直方向に 900 ミリ［移動］[e] する
(4) 同様に、小さな片流れを作成する（低い方の高さは 360 ミリ、高い方は 495 ミリ）

(5) 小屋をグループ化
(6) タグに「小屋」を適用

6-4-9. 屋根（図 6-18）

　屋根は以下の手順で作成できます。

(1) ツール［線］[f] を使って、大きな片流れの天井の上面をなぞって、傾斜した長方形を描く（［長方形］では傾斜した四角形は描画しにくい）
(2) 描いた長方形を外側に 600 ミリ［オフセット］[g]
(3) ［オフセット］した元の長方形は削除
(4) ［オフセット］した長方形を 120 ミリの高さで［プッシュプル］
(5) 屋根をグループ化
(6) タグに「屋根」を適用

6-4-10. 室内（図 6-19）

　ポーチ [h]（玄関前）、便所、押入に室内の壁があります。図 6-19 に示した寸法を参考に、室内の壁を作成してください。

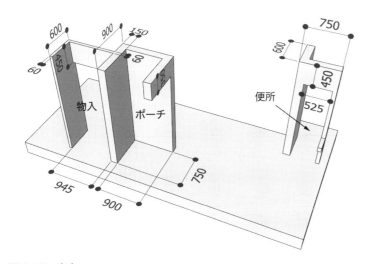

図 6-19 室内
室内の壁を作成する。物入の壁厚は 60 mm，ほかは 150 mm としている

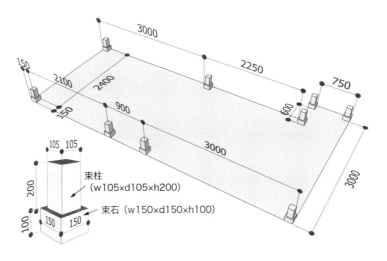

図 6-20 独立基礎
束石（コンクリートブロック）と束柱（柱の下端）からなる独立基礎のモデリング

6-5. 独立基礎【演習】

　先に作成した基礎は高さ 300 ミリの単純な土台（塊）でした。でも，立原道造の断面のスケッチ（図 6-4）を見ると，ヒアシンスハウスの基礎は束柱（床下の短い柱）による独立基礎（個々の柱の下に設けられる基礎）であることがわかります。

　独立基礎では，コンクリート製の束石の上に柱の下部が固定されます。図6-20 に独立基礎の寸法と位置を示します。単純な土台として作成した基礎を独立基礎に変更してみてください。

6-6. 階段と雨戸【演習】

　入口の前に取り付く木製の階段も作成してみてください（図 6-21）。階段の幅は 750 ミリ，段数は 3 段で，3 段の踏板（階段の各段）が両サイドのさら桁（階段に沿って傾斜する桁）によって支えられます。3 段目は床と同じ高さ（GL＋450 ミリ）となっています。蹴上（1 段の高さ）は 150 ミリ，踏面（一段の奥行）は 210 ミリです。

　また，図 6-21 に，南東のコーナーの窓と雨戸を収納する 2 つの戸袋（雨戸）

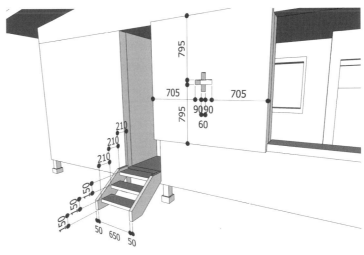

図 6-21 階段と雨戸
雨戸（ここでは戸袋としてモデリングしている）には十字の穴が空けられている

[h] ポーチ
ヒアシンスハウスの床は GL（地面）から 450 mm 高い位置にある。湿気に弱い木造の床は，湿気を防ぐために地面から 450 mm 以上の高さに持ち上げるのが一般的である。また，一般には，玄関の扉の内側に土間（床の低い部分）を設け，靴を脱ぐスペースとすることが多い。しかし，ヒアシンスハウスでは玄関扉の内外に段差が設けられていない。そのため，ヒアシンスハウスは靴を履いたまま生活する，西洋的な生活が構想されていたのかもしれない

[a] プッシュプル

[P]
ツール

前出（P.19）

[b] マテリアル

パネル

オブジェクトの表面
に色や素材を設定

[c] ペイント

[B]
ツール

指定したマテリアル
をオブジェクト上に
貼り付け

[d] グループを分解
［選択］＞右クリッ
ク＞［分解］

[e] エンティティ情報

パネル

前出（P.30）

[f] 3D Warehouse

パネル

ネット上のコンポー
ネントを検索してダ
ウンロード

[g] コンポーネント

パネル

コンポーネント（部
品）を配置

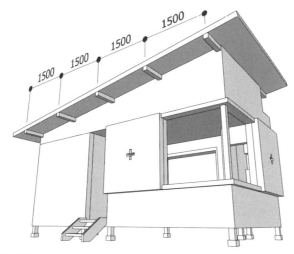

図 6-22　母屋

屋根は小屋の上部に架かる母屋によって支えられる。ヒアシンスハウスの軒下には，1500 mm の間隔で並ぶ母屋が露出している

に見られる十字の穴の寸法を示しています。この十字が何を意味するカタチなのかはわかりませんが，目を惹く装飾だと思いますので，戸袋に十字を描いて，［プッシュプル］[a] で穴を空けてみてください。

6-7. 母屋【演習】

　もう 1 点，案外に面倒なモデリングになるかもしれませんが，軒（屋根の出っ張り）を支える母屋を工夫してモデリングしてみてください（図 6-22）。この母屋は 105×105 ミリの角材で，水平方向に 1500 ミリの間隔で並びます。写真 6-1 に写っていますので，参照してください。

6-8. マテリアルとコンポーネント

　以上でヒアシンスハウスの 3D モデルが完成しました。3D モデルを作成する目的は，建物を透視図として，あるいは，画像として表現することにあるといえます。本節以降では，3D モデルを透視図，または，画像としてわかりやすく表現する方法について学びましょう。

　最初にこのモデルにマテリアル（素材）を設定し，また周辺にコンポーネント（部品）を配置してみましょう（図 6-23）。

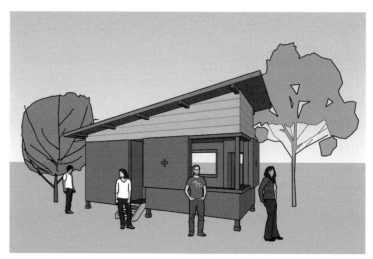

図 6-23　マテリアルとコンポーネント

マテリアル（素材）を適用し，コンポーネント（人や樹木などの部品）を配置した透視図

6-8-1. マテリアル

　パネル［マテリアル］[b] を使うと，オブジェクトの表面に色や素材を設定することができます。パネルの上方に［ホーム］（家のアイコン）と［参照］（虫眼鏡のアイコン）のタブがあります。［ホーム］はモデル内に存在する使用中のマテリアル，［参照］は可能なマテリアルのリストを表示するタブです。［参照］タブをクリックすると，SketchUp にあらかじめ用意されたマテリアルを選択できるようになります（図 6-24）。

　マテリアル名（マテリアルの種類）をクリックすると各種のマテリアルが現れます。マテリアルを選択すると，ツールが［ペイント］[c] に変わります。［ペイント］でオブジェクトの面上をクリックすれば，その表面がマテリアルで塗り潰されます。

　なお，グループ化されたオブジェクトはグループ内のすべてに同一のマテリアルが設定されます。グループ内のオブジェクトに別々のマテリアルを設定したい場合は，グループを［分解］[d] する必要があります。

　［参照］（使用）したマテリアルは，パネル［マテリアル］の［ホーム］タブで表示されるリストに登録されます（図 6-25）。リストの右下の［⋮］（その他のオプションを表示）をクリックすると，リストの表示形式を変更するサブ

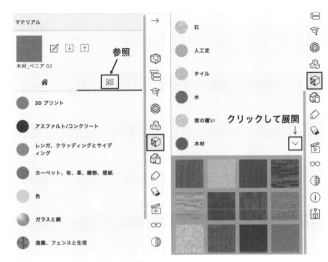

図 6-24 マテリアル（参照）
［参照］タブをクリックするとマテリアルのリストが現れる（左図）。マテリアル名をクリックするとさまざまなマテリアルが表示される（右図）

図 6-25
マテリアル（ホーム）
使用中のマテリアル

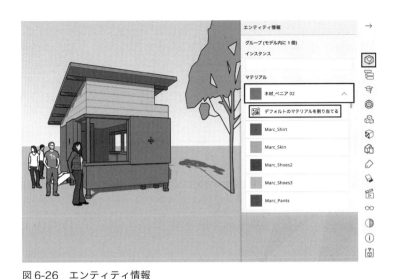

図 6-26 エンティティ情報
パネル［エンティティ情報］からマテリアルを削除したり変更できる

メニューが現れます。

　マテリアルを変更したい場合は、［ペイント］で上書きすればOK です。マテリアルを削除したい場合は、オブジェクトを選択して、パネル［エンティティ情報］[e] を開いて、［マテリアル］を［デフォルトのマテリアルを割り当てる］に変更してください（図6-26）。同様に、［マテリアル］をほかの使用中のマテリアルに変更することもできます。

6-8-2. コンポーネント

　SketchUp には、インターネット上に、人物、車、植栽などの数多くのコンポーネント（部品）が用意されています。パネル［3D Warehouse］[f] からネット上にあるさまざまなコンポーネントを検索できます（図6-27）。気に入ったコンポーネントが見つかったら、ダウンロードしてください。

　パネル［コンポーネント］[g] を開くと、ダウンロードしたコンポーネントのリストが表示されます（図6-28）。使用したいコンポーネントを選択してドラッグすればモデル上に配置できます。

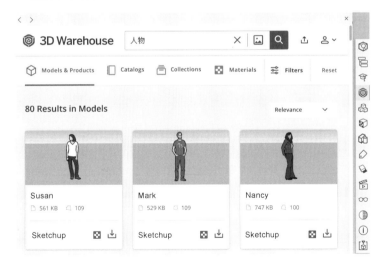

図 6-27 3D Warehouse
［3D Warehouse］でインターネット上のさまざまなコンポーネントを検索できる

図 6-28 コンポーネント
使用中のコンポーネントを表示

[a] 移動

[M]
ツール

前出（P.11）

[b] 回転

[Q]
ツール

オブジェクトを回転

[c] 影

パネル

影の設定と表示

[d] 断面平面

ツール

前出（P.40）

[e] PNG
Portable Network Graphics
画像データを圧縮して記録するファイル形式。ファイル名の拡張子は「.png」

[f] フォトショップ
Photoshop。アドビ社が提供する画像処理ソフト

[g] GIMP
GIMP（ギンプ，ジンプ，GNU Image Manipulation Program）。GNU General Public License が無料で提供する画像処理ソフト https://www.gnu.org/

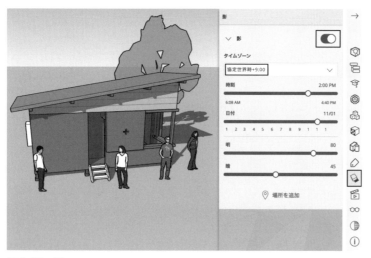

図 6-29　影

影を表示するには右上のスイッチをオンにする。日本のタイムゾーンは「協定世界時 +9:00」

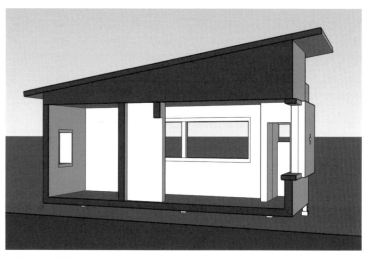

図 6-30　断面の表現

長手方向に切断し，南（入口側）から北を眺めた断面図

配置する際には，配置される高さに注意してください。コンポーネントは，通常，床や地面などの水平面上に配置されますが，水平面が存在しないと宙に浮かんだ高さに配置されることがあります。コンポーネントもオブジェクトの一種ですから，［移動］[a] や［回転］[b] ができます。必要に応じて動かして，適切な位置に配置してください。

なお，コンポーネントには，3D モデルのほかにシンプルな 2D モデル（擬似的な 3D モデル）があります。図 6-23 で使用しているコンポーネントはすべて 2D モデルです。精細な 3D モデルはデータサイズが大きいので，使用するとファイルサイズが増大します。まずは，シンプルな 2D モデルのコンポーネントの使用をオススメします。

6-9. 影

SketchUp では，太陽光による陰影（太陽によって照らされる面の明暗と太陽光による影）を表現できます（図 6-29）。

影は，パネル［影］[c] の右上の影を表示するスイッチをオンにすると表示されます。また，このパネルで表示される影の方向（太陽の位置）を時刻と日付によって指定できます。

なお，SketchUp における方位は，平面図（建物を上から見た図）における 12 時の方向が北です。建物の影を正確にシミュレーションしたい場合は，建物の配置を方位に合わせる必要があります。また，世界各地の時間はその場所によって異なるので，タイムゾーンの設定も必要です（日本のタイムゾーンは「協定世界時 +9:00」です）。

6-10. 断面の表現

ツール［断面平面］[d] を使うとモデルの断面を見ることができることを先に述べました（4 章の「4-5. 断面平面」）。建物を垂直に切断して断面を表現する建築の断面図（断面構成図）では，図面のスケールに応じて，切断面を正しく表現する必要があります。施工（工事）のための詳細図ならば，壁の内部，床下，天井裏などの見えない部分の詳細を表す必要がありますが，壁・床・天井などによって囲まれる空間を表す基本図では，見えない部分を示す必要はなく，切断面を黒色や白色で塗り潰して表すことが一般的です。

また，建築の断面図においては，地盤（地面）を示すことも重要です。建築は必ず地盤と一体化して建設されるものです。地盤との関係を表すためにも，地盤も含めた切断面を塗り潰す表現が必要です。図 6-30 に示した断面構成図

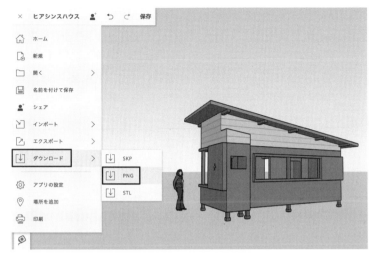

図 6-31 画像の書き出し
メニュー＞［ダウンロード］＞［PNG］を実行すると画面を画像（PNG 形式）として書き出せる

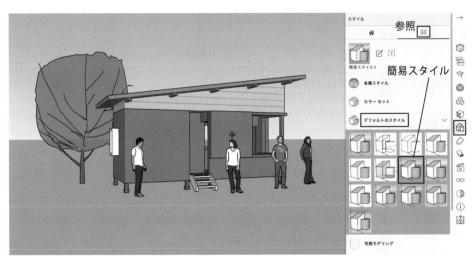

図 6-32 スタイル
パネル［スタイル］の［参照］より，さまざまな画面表示のスタイルが設定できる。この図では，空と地面を鮮やかに表現する「簡易スタイル」を選択している

が，建物のモデルに地盤（地面を表す長方形を下方にプッシュプル）を加えて，両者の切断面を塗り潰した例です。

この図を見ると，ヒアシンスハウスは床が，独立基礎（束石と束柱）によって，地面より高い位置につくられていることがわかります。一般に，建物は地盤と一体化してつくられます。断面図／断面構成図では，地盤と建物との関係を示すことが重要なので，必ず地盤を表現してください。

6-11. 画像の書き出し

さて，先にも述べましたが，3D モデルを作成する目的は，モデルを透視図（画像）として表現することにあるといえます。ここで，SketchUp の画面を画像として書き出してみましょう。

メニューの［ダウンロード］のサブメニューに［PNG］[e] という画面を画像として書き出すコマンドがあります（図 6-31）。このコマンドを選択すると，画像を書き出すウィンドウが表示されます。その右下の［PNG でエクスポート］をクリックすれば，画像がファイルとして書き出されます。

ここで，PNG というのは，よく使われる画像ファイルの形式です。この形式の画像ファイルは，フォトショップ [f]，GIMP[g] などの画像処理ソフトで編集できます。出力した画像は画像処理ソフトでレタッチ（加工）できますから，画像として修正することができます。試してみてください。

6-12. 透視図の構図

次に，透視図の構図について学びましょう。

6-12-1. スタイル

画面表示の［スタイル］（形式）については，すでに 4 章の「4-9. スタイル」において学んでいます。パネル［スタイル］のタブ［参照］からさまざまなスタイルが選択できます。図 6-32 では，地面と空を鮮やかに表示する［デフォルトのスタイル］の中の［簡易スタイル］を選択しています。

6-12-2. 視野の設定

SketchUp には，視野（どこからどこを見るか）の設定に関わる 3 つのツールとして，視点（カメラ）を配置する［カメラを配置］[h]，点を軸にして視野を旋回させる［ピボット］[i]，モデル内を歩行する［ウォーク］[j] が用意されています。

[h] カメラを配置
ツール

視点を設定

[i] ピボット
ツール

視野を旋回

[j] ウォーク
ツール

モデル内を歩行

図 6-33　シーン
パネル［シーン］による透視図の構図の設定

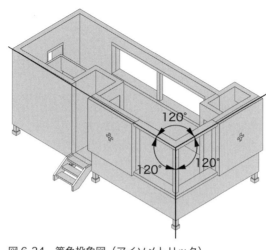

図 6-34　等角投象図（アイソメトリック）
3 次元空間上では直交する XYZ 軸をそれぞれ 120 度の角度で交わるように投影した場合の平行投影

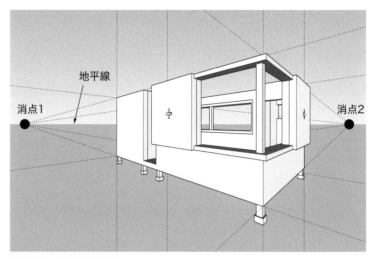

図 6-35　2 消点透視図
水平に置かれた立方体を水平に眺めると，垂直な平行線は消点をもたない

[a] シーン

パネル

画面の構図を設定

[b] アイソメトリック
後述するアクソノメトリックの一種で，3 次元空間上の XYZ 軸（直交軸）を 2 次元に投影したときに各軸が 120°の角度で等角に交わる場合の立体図。3 次元空間における XYZ 軸の寸法が 2 次元平面上に等しい比例関係で投影される

　［ウォーク］を使うと，マウスの操作によってモデル内を歩行できます。画面内をプレス（マウスの左ボタンを押したまま）すると現れる［＋］に向かって歩いてみてください。カーソルを上に動かせば前進，左右が方向転換です。［カメラを配置］は，クリックした位置の目の高さに視点を置きます。視点の高さは画面右下に現れる［眼高］ボックスで変更できます。一般的な目の高さは 1500 ミリ程度です。［カメラを配置］すると，ツールが［ピボット］に変わります。［ピボット］はカーソルを上下左右に動かすことで，視野を旋回します。

6-12-3. 平行投影

　画面の構図の設定はパネル［シーン］[a] の［カメラ］タブから行います（図 6-33）。［遠近法］と［平行投影］を選択するスイッチのうち，遠近法が透視図を意味し，平行投影が遠近感をもたない投影図を意味します。SketchUp は初期設定で［遠近法］，すなわち透視図を描きますが，これを［平行投影］にスイッチすると，図 6-34 のような遠近感をもたない表現に変わります。ここで，透視図ではない平行投影について学んでおきましょう。

　建築の平面図や立面図など，オブジェクトを真上や真横から平行に（無限遠

から）眺めた図は平行投影の一種です。立方体（正六面体）の 3 つの面を等しい角度で見た場合の平行投影図は等角投象図（アイソメトリック [b]）と呼ばれます。図 6-34 がその等角投象図です（この図では小屋と屋根を取り除いています）。等角投象図では 3 次元空間上の XYZ 軸が，投影された 2 次元平面では 120°の角度で交差します。パネル［シーン］の［標準ビュー］タブを展開すると現れる［等角］を選択するとアイソメトリックが描かれます。

　そのほか，任意の方向から見た投影図は軸測投象図（アクソノメトリック [c]）と呼ばれます。

6-12-4. 遠近法と 2 消点透視図

　平行投影ではなく，人間の目やカメラのレンズといった 1 点に向かって，事物を（網膜やフィルムに）投影していく図法が遠近法です。その遠近法に基づいて描かれる図が透視図です。

　さて，パネル［シーン］には［2 点透視図］というスイッチがあります（図 6-33）。これは，図 6-35 に示したような地面の上に置かれたオブジェクトを見下げたり見上げたりしないで水平に見る 2 消点透視図を描くためのスイッチです。オブジェクトが立方体である場合，2 消点透視図では，水平方向に延

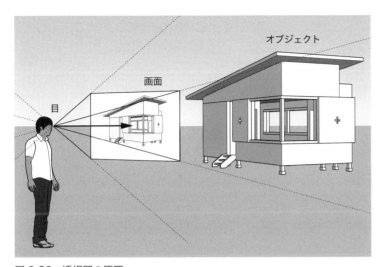

図 6-36　透視図の原理
透視図は目から見たオブジェクトを目の前の曲面に投影した図

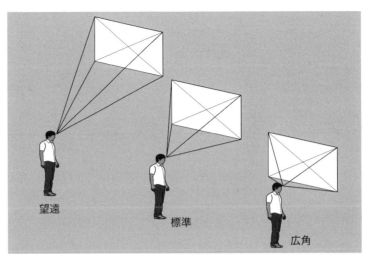

図 6-37　画角の変化
目と画面との距離によって画角（視野）が変化する

[c] アクソノメトリック
任意の方向から見た平行投影図。アイソメトリックと異なり，3 次元空間における XYZ 軸の寸法が 2 次元平面上に投影される比率がそれぞれの軸で異なる

[d] 望遠と広角
カメラのレンズの特性。望遠レンズは遠くにある小さなものを，広角レンズは建築などの大きなものを近くで撮影するのに適する

[e] 焦点距離
カメラのレンズの中心からフィルム（デジタルカメラの場合は素子）までの距離

[f] 35 ミリカメラ
デジタルカメラが普及する以前に一般的だった 36×24 mm のサイズのフィルムを使うカメラ。焦点距離が 50 mm 前後となるレンズが標準レンズ，70〜200 mm 以上だと望遠レンズ，24〜35 mm 以下だと広角レンズと呼ばれる。デジタルカメラの焦点距離は，画面となる素子のサイズが多様であるため，35 ミリカメラの焦点距離に換算して示されることが多い

びる 2 組の平行線が奥に向かって無限の彼方で 1 点に消えて（収束して）いきます。その消えていく行き先が消点です。このように，透視図は消点という特性をもちます。2 消点透視図における 2 つの消点は，必ず地平線上にあります。無限遠にあるものは地平線に消えていくわけですから，そうなりますよね。

　立方体を水平ではなく見上げたり見下げたりすると，立方体の 3 組の平行線が 3 つの消点に収束します。すなわち，立方体を任意の方向から眺めた場合の透視図は 3 消点透視図になります。人は，普段はまっすぐ前を見ていることが多いので，建築のカタチは 2 消点透視図の構図で認識されている傾向があるといえます。建物は 2 消点透視図で描くとカタチが自然に見えてわかりやすいので，まずは 2 消点透視図の構図で描くことをオススメします。

6-12-5. 画角（ビューのフィールド）

　以上で述べたように，透視図は，視点（人間の目）から眺めたオブジェクト（事物）を視点の前にある画面に投影する図法です。その原理を図 6-36 に示します。

　ここで，画面の大きさが一定である場合，視点と画面との距離が重要な意味

をもちます。図 6-37 に示したように，視野（画面に描かれる範囲）は距離が短いと広くなり，大きいと狭くなります。視野が狭いと遠くにある小さなものが画面いっぱいに描かれるので望遠 [d] の状態です。逆に視野が広く近くにあるものが画面におさまっているのが広角 [d] の状態です。

　視野は画角（視野の広がりを示す角度）によって数値化できます。画角が大きければ視野は広く，小さければ狭くなります。パネル［シーン］の［視野（FOV）］（Field of View）を使うと，画角の設定ができます（図 6-33）。視野あるいは画角は，透視図の構図を決める上で重要なファクターです。

　ところで，カメラ（レンズ）の視野の広さを表すには焦点距離 [e] という数値がよく使われます。35 ミリカメラ [f] の焦点距離と画角（水平）との関係は以下です。

焦点距離	画角（水平）	焦点距離	画角（水平）
18 mm（超広角）	90 度	24 mm（広角）	74 度
28 mm（広角）	65 度	35 mm（広角）	54 度
50 mm（標準）	40 度	70 mm（望遠）	29 度

焦点距離は視点（レンズの中心）と画面（フィルムや素子）との距離のことで，画角は数値が小さければ大きく（広角に），大きければ小さく（望遠に）

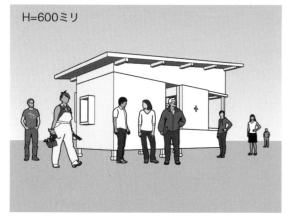
H=600ミリ

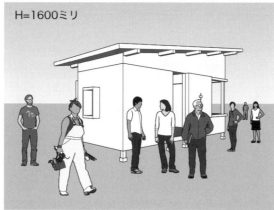
H=1600ミリ

H=3000ミリ

図6-38　2消点透視図における視点の高さ
2消点透視図では，背後の地平線の位置から視点の高さを推測できる。左図では膝，中図では目，右図では屋根の高さあたりに地平線があるので，視点の高さは，左図は60cm，中図は150〜160cm，右図は3m程度と推測される

[a] 立原道造の2消点透視図
立原道造は，平行投影による図をほとんど描いていない。確認できる限りでは，等角投象図（アイソメトリック）で描いた内観が1点，軸測投象図（アクソノメトリック）で描かれた外観が1点のみである。平行投影図は，遠近感や佇まいを伝えることよりも，カタチや寸法の正確さを示すのに適する。一方，周辺環境との関係は平行投影図では表現しにくい。周囲の自然との関係が重要なヒアシンスハウスには，平行投影ではなく遠近法が似合っている

なります。［視野（FOV）］に入力する数値は画角（角度）ですが，カメラをよく使う人は焦点距離の方がイメージしやすいと思います。

6-12-6. 視点の高さ

視点の高さによって透視図の構図はどのように変化するのでしょうか？　図6-38に，視点の高さが異なる3枚の2消点透視図を示します。

周囲の人物は，近くに立っている人もいれば遠くに立っている人もいます。身長にばらつきはあるはずですが，目の高さはだいたい160センチ前後だろうと思います。その目の高さが，中図ではほぼ地平線の位置に一致しています。中図は160センチの視点の高さで建物と人物を水平に見る透視図，すなわち，160センチの高さにあるものが遥か彼方では地平線に消えていく2消点透視図です。一方，左図では，地平線は人物の膝（約60センチ）のあたり，右図では屋根の低い点の高さ（約3メートル）の位置にあります。

2消点透視図では，地平線の位置を見れば視点の高さが推測できます。片流れの屋根面が見える右図では視点の高さは屋根面あたりにあります。左図と中図は屋根よりずっと低い位置から見た透視図ですから，屋根面は見えず，軒を下から見上げています。

視点の高さも透視図の構図を決める重要なファクターです。一般に建築は中図のように目の高さで見るのが自然で，左図や右図は特殊な見方です。

図6-39　無題［浅間山麓の小学校］鳥瞰図（1935）
大学2年次の設計課題案。立原が敬愛したポール・セザンヌの「サント゠ヴィクトワール山」とよく似た構図で描かれている。信濃追分に実在する小学校の敷地を想定して描かれたと考えられる（資料提供：立原道造の会）

図 6-40　浅間山麓に位置する芸術家コロニイの建築群（集落内の一小住宅）（1937）
設計した建物が樹木に覆い隠され，建築が周囲の自然環境に溶け込んだ様子が表現されている（「新建築」，新建築社，1940 年 4 月号，P.179）

図 6-41　ヒアシンスハウスとその背景（レンダリング画像）
ヒアシンスハウスに背景を加え，図 6-40 に似た構図でレンダリングした画像

6-13. 建築と背景

　立原道造が大学時代に描いた水彩画による設計図「無題［浅間山麓の小学校］鳥瞰図」（1935）を図 6-39 に示します。また，ヒアシンスハウスの原型と考えられる卒業設計に含まれるスケッチ「浅間山麓に位置する芸術家コロニイの建築群（集落内の一小住宅）」（1937）を図 6-40 に示します。

　立原は，建築の外観を表現する 2 消点透視図 [a] を数多く描いています。その視点の高さは，目線（目の高さ）よりもやや高い位置に設定されているものが多く，また，建築が画面の中心にないものも多くあります。これは，建築そのもののカタチよりも，建築の周辺にある自然との関係を表現したかったためではないかと考えられます。

　建築には外部との関係が存在します。敷地があってこその建築ですから，建築の周囲には必ず何らかの外部空間があり，建築は風景の一部となります。

　図 6-41 に背景を含めた透視図の例を示します。この図は，SketchUp で作成した 3D モデルに樹木などを加えてレンダリングした画像です（図 6-40 に似た構図としています）。ここでの視点の高さは 1.8 メートル，焦点距離は 15 ミリ（35 ミリフィルムカメラ用レンズ換算）としています。

6-14. 写真との合成

　本章の締めくくりとして，建築と実在の風景との関係を表現するために，建築の 3D モデルと写真とを合成をし，透視図の概念を復習しましょう。

　図 6-42，6-43 に，背景として用いた写真と，そこに合成した 2 消点透視図の例を示します。これらの写真と透視図は，いずれも目の高さで建物（風景）を水平に見ています。

　背景との合成は，画像として書き出した 3D モデルを画像処理によって写真と重ね合わせれば作成できますが，重要なポイントとして，画像と写真の構図を合わせなければなりません。すなわち，2 消点透視図としての両者の視点の高さと焦点距離が一致している必要があります。

　図 6-42 のような建物を建てられる十分な空地のある背景を撮影した写真（画像データ）を用意してください。写真は，平坦な場所で 2 消点透視図の構図で撮影したもの，すなわち，風景を目の高さで水平な構図 [b] で撮影したものとしてください。そうすることで，目の高さで見たヒアシンスハウスの 2 消点透視図を合成することができます。なお，その写真を撮影したレンズの焦点距離 [c] を把握しておいてください。

図6-42　背景として使用する写真

十分に広く平坦な場所で，カメラを水平に構えて撮影した写真。この写真は毛越寺（岩手県平泉町）で撮影したもの

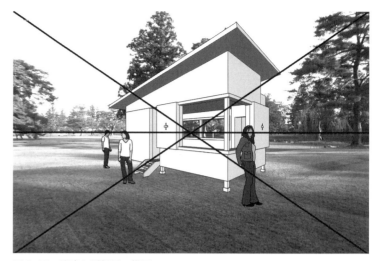

図6-43　写真と透視図の構図

[a] GIMP
前出の画像処理ソフトウェア（P.64参照）

[b] PNG
前出（P.64）の画像のファイル形式。画像は RGB（赤／緑／青）の3色で表される光の点の集合である。アルファチャンネルという属性を用いると，この光の点に透明度を与えることができるが，PNG はそのアルファチャンネルを記述できるファイル形式である

[c] 透明な背景
アルファチャンネル（透明度を表す属性）を記録する際にこのオプションを指定する

6-14-1. 写真の構図

　写真は，レンズの中心を視点として風景をフィルム（素子）に投影する透視図です。図6-42の背景は，焦点距離（レンズの画角を表す指標）が24ミリのレンズを使って，カメラを水平に構えて撮影した写真です。この写真はカメラを水平に構えて撮影しているので，視点（レンズ）と参照点（どこを見ているか）は撮影者の目の高さに一致しています。地面が平坦ならばこの写真に写る人物の目は撮影者とほぼ同じ高さにあるはずですから，地平線上に並ぶはずです。

　したがって，この写真に対角線とその交点を通る水平線を引くと図6-43になります。図中のCGのすべての人物の目の高さがほぼ地平線にあることに注目してください。

6-14-2. 画像の解像度

　ここで，画像の原理について解説します。

　画像は，物理的には，小さな光の点（画素）の集まりです。パソコンの画面やデジタルカメラの写真画像の横方向には数千の画素が配列しています。画像のサイズは縦と横に配列する画素の示す解像度によって表されます。

　解像度は，通常，画像処理ソフトを用いて合成する際に調整できますが，背景写真と SketchUp で作成する透視図の解像度はおおまかに合っている方がよいと思います。たとえば，SketchUp で作成する透視図と背景画像の解像度をパソコン画面の解像度程度に合わせてください。

　前述の画像処理ソフトの一つである GIMP[a] の場合，メニュー［画像］＞［画像の情報］で解像度を確認できます。また，メニュー［画像］＞［画像の拡大・縮小］を用いて解像度を変更することができます（図6-44）。

6-14-3. 透視図の書き出し

　背景とする写真の構図（目の高さによる2消点透視図であることとその画角）と解像度が確認できたら，その構図に合わせて［2点透視図］を作成してください。そして，メニュー［ダウンロード］＞［PNG］[b] で画像を書き出してください。なお，その後に現れる［イメージをエクスポート］のウィンドウの右上にある［オプション］の［透明な背景］[c] に「✓」（チェック）をしてください（図6-45）。ここにチェックをすることで，背景が透明となり，建物の背景に背景画像を合成できます。

画像の拡大・縮小

画像の拡大・縮小

キャンバスサイズ（画像サイズ）

幅(W): 1800
高さ(E): 1200 px

1800 × 1200 ピクセル

水平解像度(X): 476.250
垂直解像度(Y): 476.250 ピクセル/in

←解像度

品質

補間方法(N): キュービック

Help | リセット(R) | 拡大・縮小(S) | キャンセル(C)

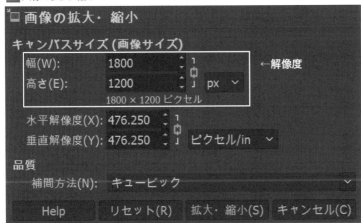

図 6-44　画像の解像度（GIMP）
画像処理ソフト「GIMP」の画像情報を示すダイアログ。この図における画像の解像度（画像サイズ）は「1800×1200」。図中の「px」はピクセル（画素）の数を表す単位

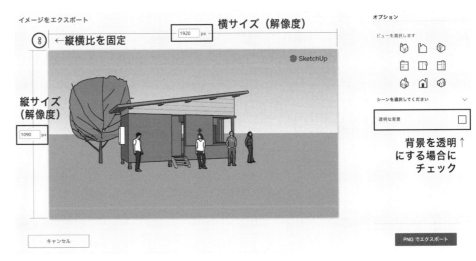

図 6-45　透視図の書き出し
「背景を透明」にチェックすると，背景以外のオブジェクトのみが書き出される

6-14-4. 画像の合成

画像処理ソフトを用いて SketchUp で書き出した透視図を写真画像と重ね合わせれば背景と合成できます。図 6-46 に例を示します。本書では画像処理ソフトの解説は割愛しますが，難しい操作ではないので，ぜひ試してみてください。

●

以上，立原道造のヒアシンスハウスのモデリングとその図面表現について述べました。なお，立原道造に関する参考文献のいくつかを傍注[d]に示します。

図 6-46　CG モデルと写真の合成（レンダリング画像）

[d] 立原道造に関する参考文献

『立原道造全集4』（筑摩書房，2009）

『立原道造・夢の継承―別所沼のヒアシンスハウス』（永峰富一，「新建築住宅特集」2005年3月号，新建築社，P.143-147）

『ヒアシンスハウス』（「住宅建築」2005年3月号，建築資料研究社，P.20-29）

『立原道造の夢みた建築』（種田元晴，鹿島出版会，2016）

『立原道造詩集』（杉浦明平編，岩波書店，1988）

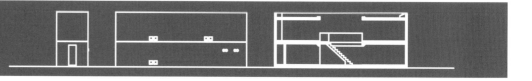

本章では，SketchUp によるモデリングの最後の事例として，現代の日本の住宅の名作の一つ，住吉の長屋（1976，安藤忠雄設計）を正確な寸法でモデリングしていきます。

住吉の長屋は大阪市住吉区に建つ鉄筋コンクリート[a] による壁構造[b] の2階建ての住宅で，今日の建築のあり方に大きな影響を与えた名作です。この建築の設計者による図面が，『安藤忠雄のディテール―原図集 六甲の集合住宅・住吉の長屋』（安藤忠雄著，彰国社，1984），『住まいの空間／独立住宅』（日本建築学会編，彰国社，1994）などに掲載されています。ここでは，その図面を参照して，鉄筋コンクリート構造の建築の構成と寸法を把握しながらモデリングを進めます。細部の構成については，著者の一人の拙著『建築のしくみ―住吉の長屋／サヴォワ邸／ファンズワース邸／白の家』（安藤直見・柴田晃宏・比護結子著，丸善，2008）でも解説していますので，参照していただ

ければと思います。

本章では，建築の全体を正しい構成でモデリングしますが，ディテール（詳細）は，ある程度，単純化します。緻密に設計されたディテールを忠実にモデリングしていくことも可能ではあるのですが，それには建築設計の実務の知識も必要になりますので，ここでは避けたいと思います。一方，単純化するとはいっても，何をどう単純化し省略するかについての知識が必要になりますので，ディテールに関する解説は加えていきます。

本章は難易度の高い章となりますが，優れた建築のカタチのあり方をしっかり学べる章でもあります。

7-1. 住吉の長屋のモデリング

住吉の長屋は，奥行のある住宅が道路に面して長屋状に建ち並ぶ街並みの中

[a] 鉄筋コンクリート
引っ張られる力に対して強い耐力をもつ鉄筋と，圧縮される力に対して強い耐力をもつコンクリートを組み合わせた構造。鉄筋を包むように組んだベニアなどによる型枠の中に，柔らかいコンクリートを流し込み，コンクリートが固まった後に型枠を外して施工するのが一般的である

[b] 壁構造
壁によって床や屋根を支える構造。住吉の長屋の壁の厚さは15 cm，床スラブ（仕上げを含まない床の構造部分）の厚さも 15 cm

写真 7-1　住吉の長屋（大阪）

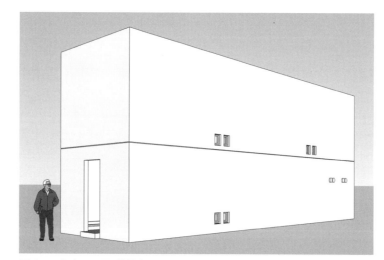

図 7-1　住吉の長屋（外観）

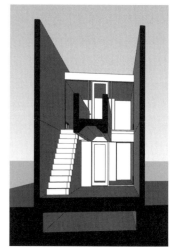

図 7-2　断面構成（中庭）

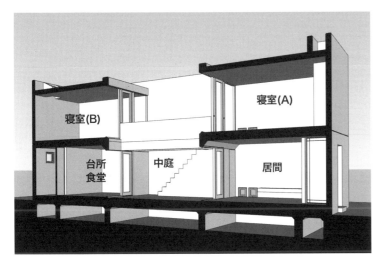

図 7-3　断面構成図

長手方向の断面構成。右に玄関。玄関を入ると居間。中央に中庭。その左に台所・食堂。中庭の階段を上ると2階に2部屋の寝室。寝室はデッキで結ばれる

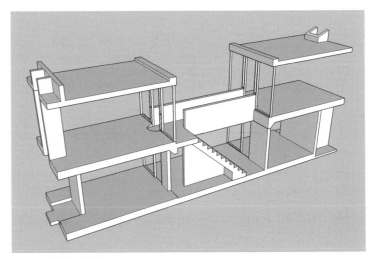

図 7-4　部位の構成

(外壁以外の) 床, 屋根, 室内の壁, 階段, デッキ, 中庭に面する窓

図 7-5　タグ

部位ごとに適用するモデリングを行うためのレイヤを作成

にあります。正面以外は隣と奥の建物に囲まれていて，外部に対して閉じた箱のように見えます（写真7-1）。でも，内部に大胆に中庭が配置されていて，自然が貫入する豊かな空間が表れています（図7-1〜7-3）。中庭が，1階では居間と台所・食堂の間，2階では2部屋の寝室の間に配置されています。

　鉄筋コンクリートでつくられた壁は，外側も室内側も，コンクリートが仕上げとして表れるコンクリート打ち放しとなっています。天井面もコンクリート打ち放し仕上げです。1階の部屋（居間および台所・食堂）と中庭の床面は，どちらも玄昌石という石で仕上げられ，コンクリートと玄昌石といった素材が，中庭を通して，風と光に呼応する空間となっていると思います。

　パルテノン神殿（3章）がそうであったように，建築は床，壁，屋根などのさまざまな部位によって構成されます。また，パンテオン（4章）がそうであったように，建築は内部に空間をもちます。本章では，さまざまな部位によって構成される本格的な建築を，内部も含めてモデリングしていきます。

7-1-1. 単位

　ツール［モデル情報］[c]で［長さの単位］を［Millimeter（ミリ）]，［表示精度］／［長さスナップ］は［0.0 mm］／［0.1mm］に設定してください。

7-1-2. タグ

　モデリングは，外壁，1階，2階，屋上（屋根）の順に進めていきます。地中に埋まる基礎（1階の床の下部）は，見えない部分なので省略します。

　図7-4は，床，屋根，室内の壁，階段，デッキ，中庭に面する窓を示しています。これらの部位に基づき，［タグ］[d]として，「外壁，1F，2F，RF，階段，ハンチ，サッシ」を作成してください（図7-5）。

7-1-3. 平面と立面の構成

　1階の床と壁の構成を簡略に表した平面図，および，南面と西面の立面図を図7-6に示します。1階は，道路に面した東側にポーチ（入口）があり，入口を入ると居間があります。居間の反対側（西側）には台所・食堂，便所・浴室，ボイラー室があります。その間に，外部空間である中庭が存在します。中庭を挟んだ両側に部屋が配置される構成は，2つの寝室のある2階の平面構成にも共通します。

　なお，図7-6では，寸法を壁の内寸／外寸で示しています。一般に，実際の建築図面では（住吉の長屋のオリジナルの図面でも），平面図における寸法は壁の芯々（中心線同士の間隔）で測られ，部屋の面積も壁の芯々の寸法で計

[c] モデル情報
パネル

前出（P.10）

[d] タグ
パネル

前出（P.28）

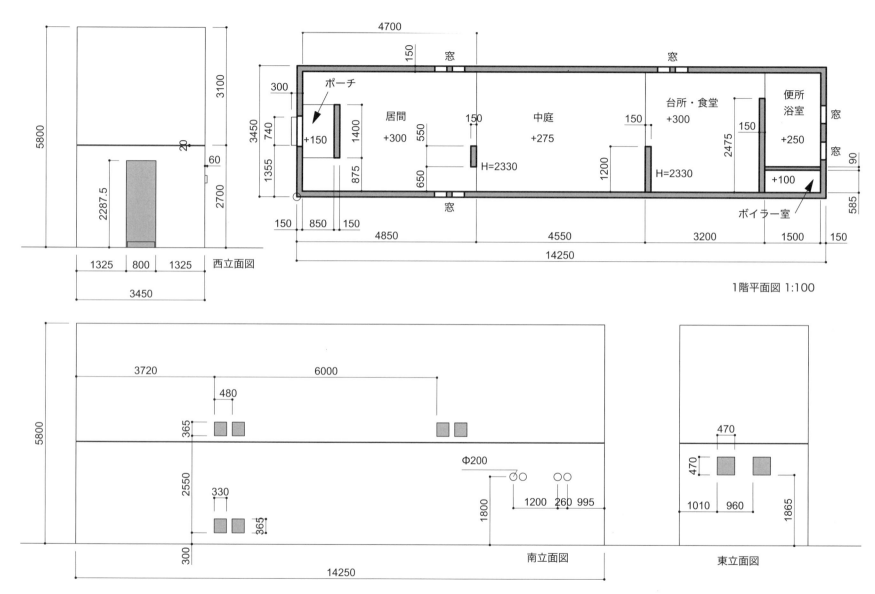

図 7-6 平面構成図（1 階）と立面図（1：100） 寸法は内寸／外寸（壁の中心間ではなく壁の表面同士の間の寸法），床上の「＋」に続く数値はその床の GL からの高さを示している

西立面図

1階平面図 1:100

南立面図

東立面図

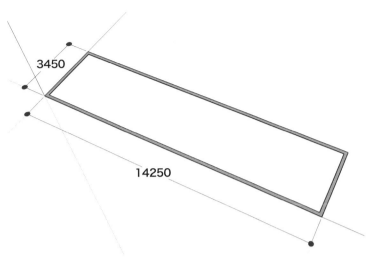

図 7-7　外壁の底面
14250×3450 mm の長方形を描き，外周を内側に 150 mm オフセットし，内側を削除

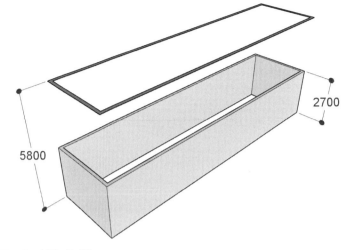

図 7-8　外壁（1 階）
底面を垂直方向，5800 mm の高さにコピー。底面を 2700 mm までプッシュプル

算されます。でも，SketchUp を使ったモデリングでは，壁の面から面への距離（芯々ではなく面々）で進めましょう。

7-2. 外壁

　最初に外壁をモデリングします。立面における 1 階と 2 階の外壁の境界には，コンクリートの打継ぎ（異なる時期に打設されるコンクリート同士の境界）が存在します。ここでは，それを表現するため，1 階と 2 階を別々にモデリングしていきます。

7-2-1. 底面の移動とプッシュプル

　外壁の外周となる 14250×3450 ミリの［長方形］[a] を描いてください。そして，その長方形を，壁厚である 150 ミリ，内側に［オフセット］[b] し，内側の面を削除 [c] すると，外壁の底面ができあがります（図 7-7）。
　この底面を，まずは，垂直方向に，5800 ミリの高さに［移動＋コピー］[d] してください。これは，後ほど 2 階の外壁をつくるときに使用します。そして，GL（高さゼロのレベル）にある底面を 1 階の壁の高さ[e] である 2700 ミリまで［プッシュプル］[f] して，外壁の 1 階部分を作成してください（図 7-8）。

7-2-2. 打継目地

　一般に，コンクリート工事においては，各階の壁とその壁が支える床が一体となるようにコンクリートが打設されます。住吉の長屋でも，1 階と 2 階の外壁は別々に施工されるため，その接合部として，1 階の外壁の上端に 20 ミリ角の欠き込みである打継目地（壁の境界）が設けられています。この上部に 2 階の壁が打設され，欠き込み（凹み）には防水処理が施され，接合部からの雨の侵入を防ぎます。打継目地は，立面のアクセントでもあるので，この 20 ミリの凹みをモデリングしましょう（実際には，凹みに防水剤が充填されるので，凹みの奥行は 20 ミリではありません）。
　1 階の外壁の上面の外周を内側に 20 ミリ［オフセット］してください。そして，オフセットされた 20 ミリ幅のフレームを鉛直下方に 20 ミリだけ［プッシュプル］してください（図 7-9）。これで，1 階外壁の上面の外周部に 20×20 ミリの凹みが作成できます。

7-2-3. 2 階外壁

　2 階の外壁は，先に高さ 5800 ミリのレベルに移動した壁の底面（上面）を鉛直下方に 3100 ミリの高さまで［プッシュプル］してください。

[a] 長方形

[R]
ツール
前出（P.14）

[b] オフセット

[F]
ツール
前出（P.39）

[c] 削除
選択＞「Delete」

[d] 移動＋コピー

[M]
ツール
Ctrl キーを併用

[e] 壁の高さ
一般に，鉄筋コンクリート構造の建築の 1 階壁は 2 階床と同時に一体として打設されるので（2 階以上も同様），1 階の壁の高さは，2 階の床スラブ（鉄筋コンクリートでつくられる床板）の上面の高さと一致する

[f] プッシュプル

[P]
ツール
前出（P.19）

[a] 長方形

[R]
ツール

前出 (P.14)

[b] 円

[C]
ツール

前出 (P.30)

[c] メジャー

[T]
ツール

前出 (P.33)

[d] 移動＋コピー

[M]
ツール

Ctrl キーを併用
前出 (P.31)

[e] 表示

パネル

前出 (P.33)

[f] プッシュプル

[P]
ツール

前出 (P.19)

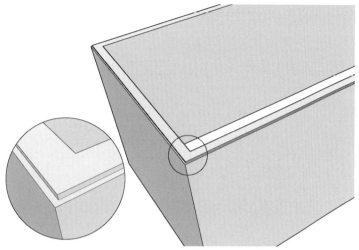

図 7-9　打継目地

1 階外壁の上面の外周部を 20 mm，内側に［オフセット］。オフセットした部分を 20 mm，下方に
プッシュプル

7-2-4. 開口部

　外壁が立ち上がったら，立面図（図 7-6）に基づき，ツール［長方形］[a]
と［円］[b] を使って，壁面に開口部（入口，窓，換気扇）を描いてください
（図 7-10）。ツール［メジャー］[c] を使ってガイド（補助線）を作成すると，
位置がとりやすいと思います。

　同じ形状はどんどん［移動＋コピー］[d] しましょう。南面と北面の窓はほ
ぼ同じ形状なので（台所・食堂は北側のみに窓があります），これもコピーし
ましょう。必要な形状が描けたら，ガイドはパネル［表示］[e] から［非表示］
にするか，［すべてのガイドを削除］で削除しましょう。

　壁面に描いた窓と入口の面を壁の内側（室内側）の面まで（壁厚の 150 ミ
リ）［プッシュプル］[f] を使って押し出すと壁に穴が空きます（図7-11）。なお，
押し出す先の位置は，壁の内側の「面上」を正確にスナップする必要がありま
すので，慎重に操作してください。

　ボイラー室と台所の外壁の南面に取り付く換気扇は，突起物として60ミリ，
壁から外側に［プッシュプル］して，飛び出させてください。外壁が完成した
ら，全体をグループ化[g] して，［タグ］[h] に「外壁」を適用してください。

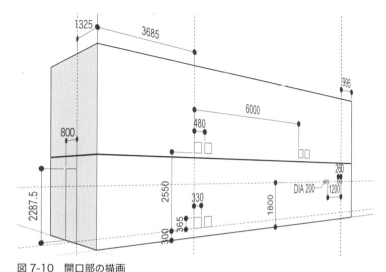

図 7-10　開口部の描画

ガイドを用いて開口部を描いていく。同一の形状は移動＋コピーしていくと効率的

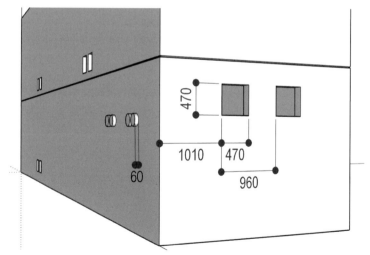

図 7-11　開口部のプッシュプル

壁に描いた面をプッシュプルすると，開口部を空けたり，飛び出させたりできる

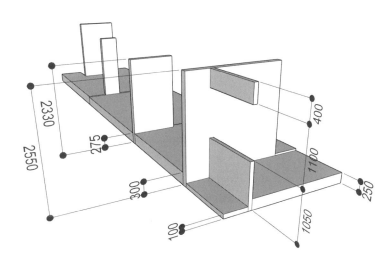

図 7-12　1 階床と内部の壁
壁の底面をそれぞれの高さにプッシュプル

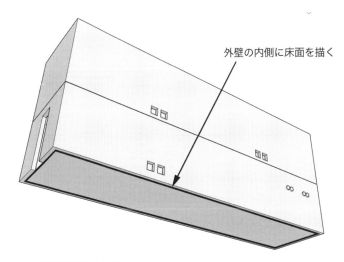

図 7-13　1 階床底面の作成
外壁を下から眺め，外壁の底面（高さゼロのレベル）の内側に長方形を描く

7-3. 1 階

　次に，1 階の内部の床と壁をつくります（図 7-12）。1 階は，ポーチ，居間，中庭，台所・食堂，便所・浴室，ボイラー室から構成されます。

　最初に，外壁を下から（地面の下から）眺めて，外壁の内部の GL（高さゼロ）の位置に，ツール［長方形］を使って，1 階の床面を描いてください（図 7-13）。その後は，タグ「外壁」は［非表示］としましょう。

　図 7-6 に示す 1 階平面図に基づき，床面の上に，ツール［長方形］で，内部（室内）に立つ壁の輪郭を描き，それを立ち上げましょう（図 7-14）。壁の厚みはボイラー室と浴室の間が 90 ミリ，それ以外はすべて 150 ミリです。必要に応じて，ガイドを作成しながら作業してください。

　なお，床には段差があります。1 階平面図（図 7-6）に床上に「＋」を用いて示した数字はその床の GL（地盤面）からの高さを示しています。

　中庭の床面は，実際には水平ではなく，水勾配（雨水を流すためのわずかな勾配）がありますが，わずかな勾配は省略し，床面の高さは水上（もっとも高い位置）に合わせて，水平にモデリングしましょう。

　壁と床が描けたら，それぞれの高さに［プッシュプル］してください。壁の

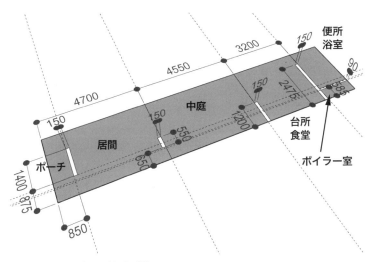

図 7-14　床と壁の下絵（1 階）
平面図（図 7-6）を参照し，必要に応じてガイドを描き，壁の底面を表す長方形を描く

[g] グループ化
［選択］＞右クリック＞［グループを作成］

[h] タグ

パネル

前出（P.28）

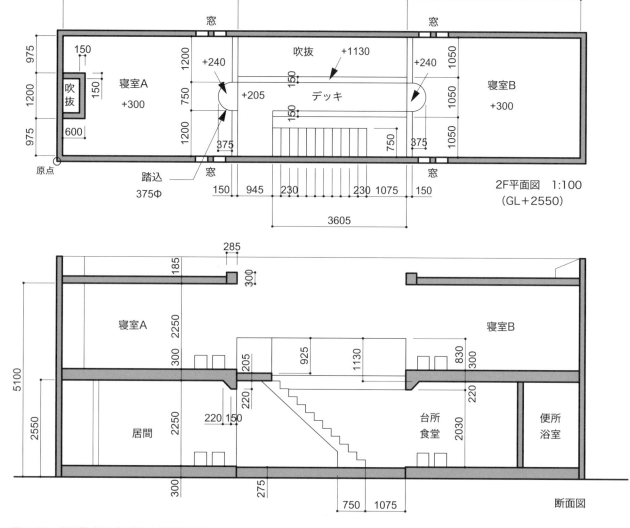

GLからの高さは，中庭に面する2つの壁が2330ミリ，そのほかは2550ミリ（床からの高さは2250ミリ）です。居間と台所・食堂の床の高さはGL＋300ミリです。

ボイラー室の壁は，GL＋2550ミリまで立ち上がりますが，中央に高さ1100ミリの点検口（開口）が取り付きます。最初に下部を［プッシュプル］[a]して，それを上部に［移動＋コピー］[b]してから，上部の高さを調整するとよいと思います。

なお，隣接する面を異なった高さにプッシュプルするとき，先に低い方の面に高さを与えると，後からより高くしようとしても，低い位置までしかもち上がりません。そこで，いったん低い位置に合わせ，再度，その位置から上方に足りない高さをプッシュプルしてください。

これで，1階の内部（床と壁）のできあがりです。この1階の内部と部分をグループ化[c]して，［タグ］[d]に「1F」を適用してください。

7-4. 2階

パネル［タグ］で，タグ「1F」を［非表示］にして2階の内部をつくっていきましょう。2階の平面構成図と全体の断面構成図を図7-15に示します。

なお，この平面図に示した床の高さは，1階の天井面（GL＋2550ミリ）からの寸法です。たとえば，寝室Aと寝室Bの床は，1階の天井面からの厚さが300ミリということです。中庭の上部にある寝室AとBはデッキ（空中通路）で結ばれています。デッキの床面には水勾配が設けられていますが，ここでは勾配は省略し，デッキの床面の高さは水

図 7-15　平面構成図（2階）と断面構成図
寸法は内寸／外寸（壁の中心間ではなく壁の表面同士の間の寸法），床上の「＋」に続く数値はその床のGLからの高さを示している

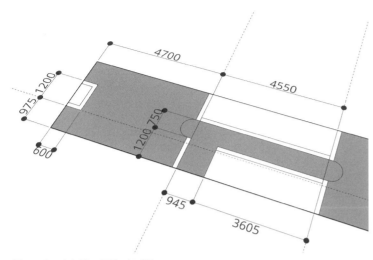

図7-16　床と壁の下絵（2階）
平面図（図7-6）を参照し，必要に応じてガイドを描き，壁の底面を表す長方形を描く

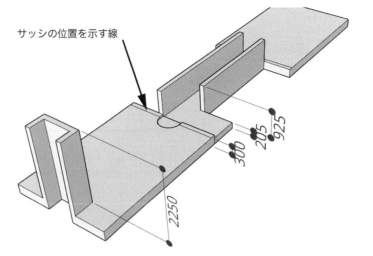

サッシの位置を示す線

図7-17　2階床と内部の壁
壁と手すりの底面をそれぞれの高さにプッシュプル

下（もっとも低い位置）に合わせています。

　2階部分は，GL上（高さゼロの位置）にモデルを作成し（床の底面を1階と同様に外壁の底面の内側に作成し），全体が完成してから，上方に移動して位置合わせをするとよいと思います。

　床面に壁の下絵（底面）を描いた図を図7-16に示します。1F同様，必要に応じてガイドを描きながら下絵を作成し，床と壁を［プッシュプル］してください（図7-17）。

　寝室Aの吹抜を囲む壁の高さは2250ミリです。寝室Aと寝室Bの中庭側にはサッシ（窓とドア）が取り付きます。その位置を表すために端から150ミリの位置に線を描いておきましょう。寝室への入口には，靴を脱ぐための半円形（半径375ミリ）の踏込があり，その床面は寝室の床面から60ミリ下がっています。

　デッキの両側には手すりの役割を果たす壁が立ち上がります。手すり壁の幅は150ミリ，高さは1階の天井面から1130ミリ，すなわち，デッキの床面から925ミリです。

　ところで，図7-18のように床を下から見上げると，底面が作成されていないことがあります。その場合は，底面のどこかに［線］[e]を描けば面が張ら

れます。また，複雑な形状に各部分を［プッシュプル］していくと，各部分の境界に余分な線が残ります。隠れてしまう線ならば気にしなくてもいいのですが，余分な線が気になるようなら削除してください。

　なお，連続する面の色が異なって見えることがあります。これは，面には裏表があるからです。面の裏表はSketchUpが自動的に調整してくれるのですが，裏と表が一致しないことがよく起こります。色の問題なので，モデリングにおいては気にしなくてもいいのですが，気になるようなら，裏となっている面を右クリックすると現れるサブメニューから［面を反転］を実行してください（図7-19）。あるいは，隣接する表の面を選択して［面の表裏を合わせる］を実行すると連続する面の裏表が一致するように調整されます。

　GL上の2階の床と壁が完成したら，グループ化して，垂直方向に2550ミリ［移動］[f]してください（図7-20）。また，［タグ］に「2F」を適用してください。

7-5. ハンチ

　2階の床下の中庭に面する部分にはハンチ（コンクリートの膨らみ）があります（図7-21）。やや複雑な形状ですが，がんばって作成しましょう。

[a] プッシュプル
[P]
ツール

前出（P.19）

[b] 移動＋コピー
[M]
ツール

Ctrl キーを併用

[c] グループ化
［選択］＞右クリック＞［グループを作成］

[d] タグ
パネル

前出（P.28）

[e] 線
[L]
ツール

前出（P.15）

[f] 移動
[M]
ツール

前出（P.11）

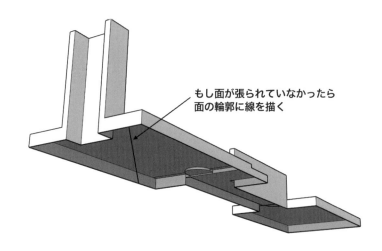

もし面が張られていなかったら
面の輪郭に線を描く

図 7-18　床と壁の見上げ（2 階）
床に底面が作成されていない場合は，［線］を使って面を付け加える

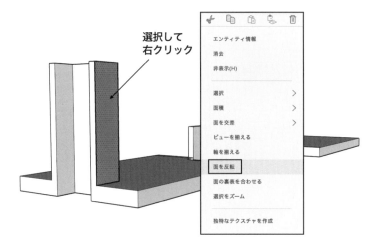

選択して
右クリック

図 7-19　面を反転
面には裏表がある。隣接する面の色が異なって見える場合は，裏面を右クリックして［面を反転］するとよい。あるいは，表面をクリックして［面の表裏を合わせる］を実行してもよい

[a] 選択

[Space]
ツール

前出（P.11）

[b] グループ化
［選択］＞右クリック＞［グループを作成］

[c] タグ

パネル

前出（P.28）

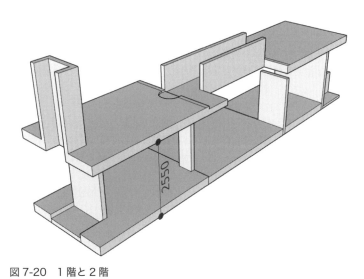

2550

図 7-20　1 階と 2 階
1 階床の底面（GL）と 2 階床の底面との距離は 2550 mm

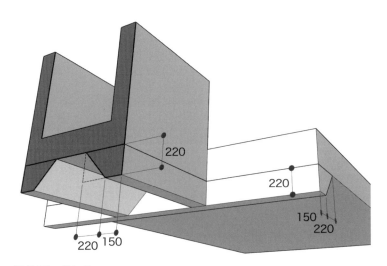

220

220

220　150

150

220

図 7-21　ハンチ
2 階の床下の中庭に面する部分にはハンチ（膨らみ）がある

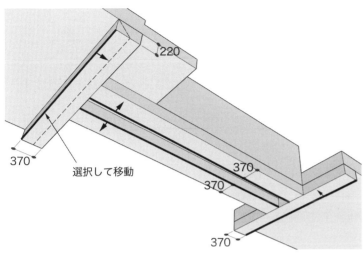

図 7-22　ハンチのボリュームの作成

ハンチは，断面が幅 370 mm × 高さ 220 mm の長方形となるボリュームを作成し，ボリュームの底面を変形すれば作成できる

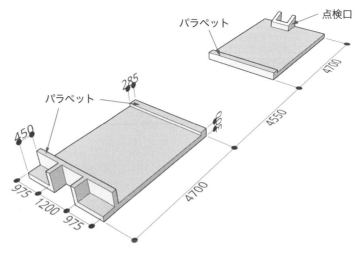

図 7-23　R 階（屋上）

R 階にはパラペット（高さの低い壁）が立ち上がる

ハンチの上面の幅は 370 ミリ，厚み（高さ）は 220 ミリ，底面の幅は 150 ミリです。2 階の床下に断面が幅 370 ミリ × 高さ 220 ミリの立方体を作成し，その底面の一辺を［選択］[a]し，底面の幅が 150 ミリになるように［移動］してください（図 7-21，7-22）。すなわち，断面を下辺が 150 ミリの台形に変形させてください。

ハンチを作成したら，グループ化[b] して，［タグ］[c] に「ハンチ」を適用しましょう。

7-6. R 階（屋上）

次に，R 階（屋上）をモデリングします（図 7-23）。

R 階（屋上）の平面構成図を図 7-24 に示します。R 階は，水平な屋根と屋根の周囲のパラペット（屋根面の周囲上に立ち上がった壁）に

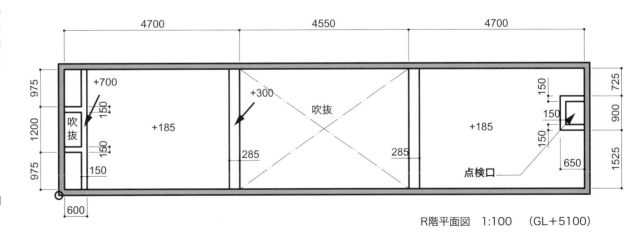

R階平面図　1:100　（GL＋5100）

図 7-24　平面構成図（R 階）

寸法は内寸／外寸（壁の中心間ではなく壁の表面同士の間の寸法），パラペットの「＋」に続く数値はその上端の GL からの高さを示している

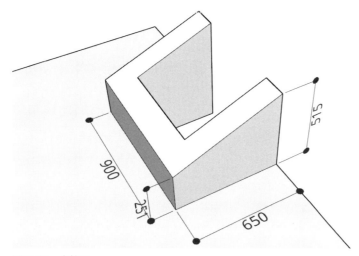

図 7-25　点検口
寝室 B の上部に屋根に登る点検口の周囲のパラペット。側面を［線］で描き，［プッシュプル］する
とよい

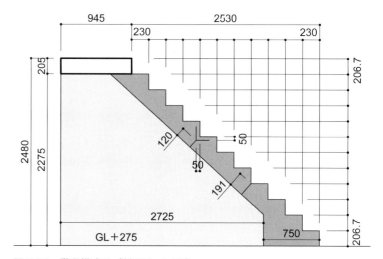

図 7-26　階段構成図（断面図　1:50）
階段の断面の寸法を示す。階段の踏面（奥行）は 230 mm，蹴上（1 段の高さ）は 206.7 mm

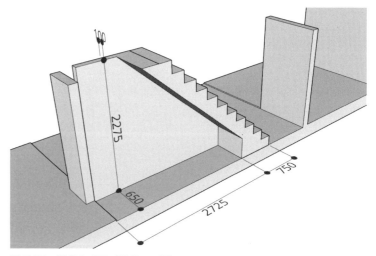

図 7-27　階段完成図（階段＋ 1 階）
階段の下部は物入れ（収納）となっている

[a] 線

[L]
ツール

前出（P.15）

[b] 移動

[M]
ツール

前出（P.11）

[c] タグ

パネル

前出（P.28）

よって構成されます。図中に示した高さは 2 階の天井面（GL＋5100 ミリ）か
らの数値です。屋根面には，実際には水勾配がありますが，ここでは水平にし
ましょう。
　屋根面は中庭の上部の吹抜の両サイドにあります。東側の 1 階にあるポー
チの上部には吹抜が，西側の寝室 B の上部には屋根に登る点検口があります。
　図 7-25 に点検口の構成を示します。点検口の構成はやや複雑ですが，側面
に現れる台形のカタチを［線］[a] で描き，奥行を与えればモデリングできま
す。
　底面が作成されていない場合は追加しましょう。また，面状に残る余分な線
は削除しましょう。モデルが完成したら，グループ化して，上方に 5100 ミリ
［移動］[b] し，［タグ］[c] に「RF」を適用してください。これで，外壁と内部
の床・壁・そのほかのすべてが完成となります。

7-7. 階段

　次に，階段を作成します。階段の断面構成図を図 7-26 に示します。また，
図 7-27 に形状と寸法を示します。やや面倒な作業になりますが，がんばって
モデリングしましょう。［タグ］は，「1 階，2 階，ハンチ」を表示しておくと

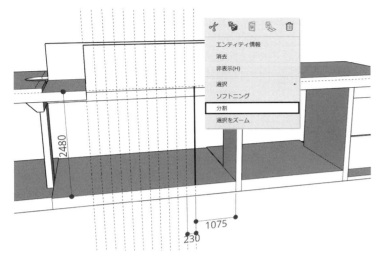

図 7-28　階段のガイド
階段を作成するためのガイド。蹴上は長さ 2480 mm の［線］を 12 分割して求めるとよい

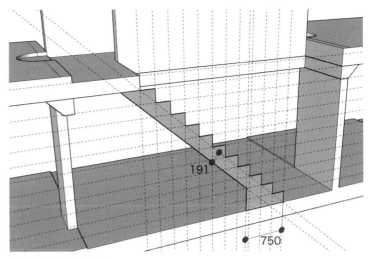

図 7-29　階段の側面
階段の各段の高さを示す水平なガイドを作成。ガイドを使って側面を描き，［プッシュプル］すれば階段ができあがる

よいと思います。

　住吉の長屋の階段は 12 段です。踏面（足が載る各段の水平面）は 11 面あり，その寸法（奥行）は 230 ミリです。蹴上（1 段の高さ）は，1 階の床面から 2 階の床面までの高さである 2480 ミリを 12 段で割った 206.7 ミリです。階段の幅は 750 ミリです。

　まずは，踏面の寸法でガイド [d] を描きましょう（図 7-28）。1 階の台所・食堂の壁の中庭側の面から 1075 ミリの位置，すなわち，階段の上り始めの位置に垂直なガイドを描きます。そして，このガイドを 230 ミリ（踏面の寸法）の間隔で 11 本，［移動＋コピー］[e] します。11 本のコピーは，1 本をコピーして，その直後に「x11」を入力すれば OK です。

　次に，2 階デッキの階段の上り終わりの床面（中庭＋2480 ミリ）にガイドを描きます。そして，1 階の上り始めの床面からそのガイドに向かって，長さ 2480 ミリの垂直な線を 1 本描きます。描いた垂直線を右クリックすると現れるサブメニューから［分割］を選択し「12」を入力すると，その線が 12 等分されます。見た目には変化がないように見えると思いますが，線を［選択］[f] すれば分割されていることがわかります。

　分割された線の端点の水平線をスナップしながら，踏面の各段の高さを表す

水平なガイドを描いてください。ガイドが描けたら，分割された線は不要となるので，削除しましょう。そして，ガイドに基づき踏面と蹴上を［線］で描いていきます（図 7-29）。

　階段の踏面と蹴上は，1 階の居間や中庭などと同様の玄昌石で仕上げられています。スラブ（鉄筋コンクリートでつくられる床板）の厚さが 120 ミリで，玄昌石の仕上げ厚（スラブ面から仕上げ面までの厚さ）が 50 ミリです。この寸法を考慮して，階段の側面を描きましょう（仕上げを含む階段の厚さは約 191 ミリになります）。

　側面が描けたら，750 ミリ（階段の幅）で［プッシュプル］[g] してください。

　階段の下部は，居間からアクセスする物入（収納）になっていて，中庭側の下部には厚さ 100 ミリの側壁があります（図 7-27）。階段の側壁は，1 階居間の中庭に面する壁に接続（直交）します。階段の側面にその壁の輪郭となる［線］を描いて面を作成し，［プッシュプル］すれば階段が完成します。完成したら，グループ化 [h] して，［タグ］に「階段」を適用してください。

7-8. サッシ

　最後に，サッシ（窓やドアの枠）をモデリングします。図 7-30 に，1 階居

[d] ガイド
ツール［メジャー］
を使って作成

［T］ツール

前出（P.33）

[e] 移動＋コピー
［M］ツール

Ctrl キーを併用

[f] 選択
［space］ツール

前出（P.11）

[g] プッシュプル
［P］ツール

前出（P.19）

[h] グループ化
［選択］＞右クリック
ン［グループを作成］

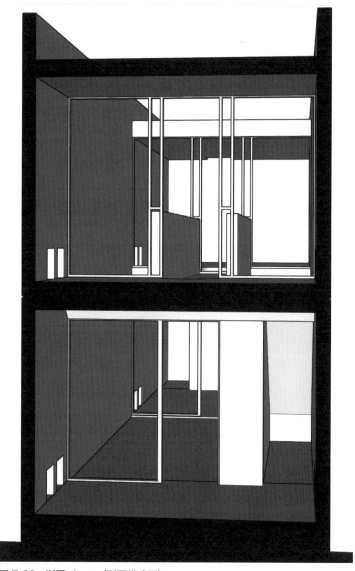

図 7-30　断面パース（断面構成図）

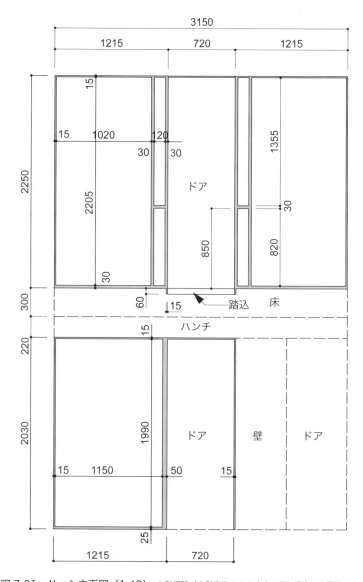

図 7-31　サッシ立面図（1:40）　1 階居間／ 2 階寝室 A から中庭を見た場合の立面図

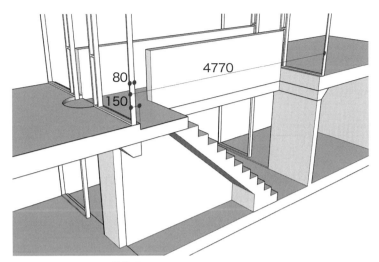

図 7-32　サッシの取付位置
2 階（1 階も同様）のサッシが取り付く位置は，中庭の端から 150 mm の中庭側。サッシの見込み（厚さ）は 80 mm

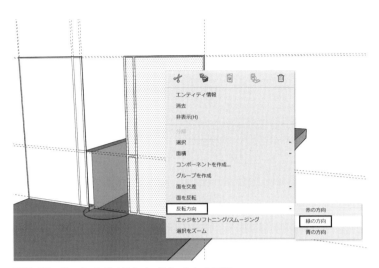

図 7-33　サッシのガイドとオブジェクトの反転
ガイドを描いてサッシを作成。左右対称の部分はコピー＋反転を使うと効率的

間および 2 階寝室 A から中庭を見た場合の**断面パース**（断面の構成を表す透視図）を示します。

図 7-30 では，中庭に面する開口部の床・壁・天井に固定されるサッシの外枠（壁に固定される枠）だけをモデリングして，実際には外枠の内側に取り付く可動のドアや窓は省略していますが，サッシを描くと部屋とその向こうの中庭との関係が表れます（ドアは後ほど作成します）。なお，この図では地盤を加え，地盤・壁・床・屋根の切断面を黒く塗り潰しています。

住吉の長屋には，緻密に設計されたスティールサッシ（鋼製サッシ）が使われています。サッシは，鉄筋コンクリートの壁やスラブに仕組まれたアンカー（鉄筋）に溶接で固定されます。鉄筋コンクリートの壁・床・天井におけるサッシとの接合部には凹凸が設けられ，サッシの端部は凹みにはめこまれます。ここでは，壁・床・天井の凹凸のモデリングは省略し，内部（室内および中庭）に現れる寸法でモデリングしましょう。

1 階と 2 階の中庭に面する開口部のサッシの寸法を図 7-31 に示します。サッシが取り付く位置は，図 7-32 に示したように，2 階の寝室 A および寝室 B の床の中庭側の端から 150 ミリの位置です。細かい寸法の作業になりますが，ガイドをうまく使ってモデリングを進めてください（図 7-33）。

2 階のサッシは左右対称の形状です。片側だけを作成し，反対側はコピーして左右を反転すると効率的です。モデルを反転させるには，反転させたいモデルを［選択］[a] して右クリックし，サブメニューから［反転方向］を選び，さらに反転する方向を「赤の方向／緑の方向／青の方向」，すなわち X 軸／Y 軸／Z 軸のどの軸に対して反転させるかを選びます。

サッシの形状が描けたら，ガラスの部分を削除し，サッシ部分を 80 ミリの見込み（厚さ）で［プッシュプル］[b] してください。

中庭の東側と西側の両者に面するサッシの形状は同一なので，どちらか一方をモデリングしたら，それを［移動＋コピー］[c] しましょう。移動距離は4770 ミリです（図 7-31 参照）。

サッシがモデリングできたら，［タグ］[d] に「サッシ」を適用してください。

7-9. ドア

中庭に面したサッシには，固定枠の内側にドアとはめ殺し窓（開閉しないガラス窓）が取り付きます。ガラスは透明なので（見えないので）省略してもよいと思いますが，ドアは省略しない方がよいと思いますのでドアの枠は作成しましょう。

[a] 選択

[space]
ツール

前出（P.11）

[b] プッシュプル

[P]
ツール

前出（P.19）

[c] 移動＋コピー

[M]
ツール

Ctrl キーを併用

[d] タグ

パネル

前出（P.28）

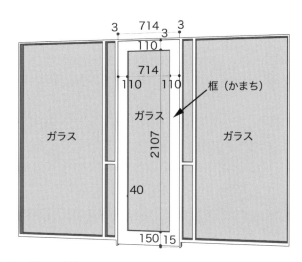

図 7-34　ドアの寸法
框にガラスがはめ込まれたドアの寸法を示す

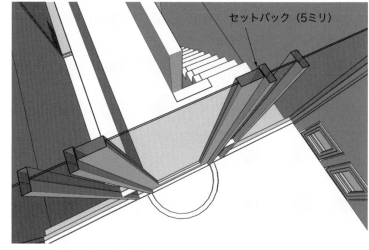

図 7-35　詳細の表現（2 階）
中庭に面するドアと窓の詳細。この図では，窓の接合部もモデリングしている

　このドアは，スティールの框（かまち，ドアの枠）にガラスがはめ込まれた外開き戸（室内から外に向かって開くドア）です。その寸法を図 7-34 に，断面を描いた詳細図を図 7-35 に示します。

　框の見付け（目に見える幅）は左右と上枠が 110 ミリ，下枠が 150 ミリです。サッシの固定枠とドアの間には，左右と上部に，3 ミリのクリアランス（隙間）があります。サッシの下枠のディテールは，床との取り合いがあるので複雑なのですが，ここでは床に埋め込まれるサッシは省略して，ドアの下枠の床からのクリアランスを 15 ミリとしています。

　ドアの見込み（奥行）は 40 ミリです。サッシの見込みは 80 ミリなので，その 80 ミリの厚さの中に 40 ミリの厚さのドアが取り付いていて，中庭側で，ドアの面はサッシの面より 5 ミリ，セットバックしています。

　かなり細かな作業になりますが，サッシの固定枠の内側にドアの形状を描き，40 ミリの奥行で［プッシュプル］[a] すればドアができあがります。ドアも［タグ］[b] に「サッシ」を適用しましょう。

　なお，建築には必ずこういったディテールがあるのですが，CG モデルの作成において，ディテールをどこまで正確にモデリングするかはケースバイケースです。建物全体を眺めるときは，3 ミリのクリアランスや 5 ミリのセット

[a] プッシュプル
[P]
ツール

前出（P.19）

[b] タグ

パネル

前出（P.28）

バックは省略しても差し支えないと思います。CG の作成においては，単純化したり簡略化することが必然だと思いますが，実際にはどうなっているかを理解し，それをどのように簡略化・単純化するかを工夫する必要があります。

7-10. 細部の表現

　以上で，3D モデルがほぼそれらしくなったと思います。ここまでに作成したのは詳細を省略した単純モデルであって，実物とは異なる点があります。

　たとえば，ドアや窓とその接合部，実際には壁の中庭側やデッキにも存在する打継目地を省略しています。複雑なデッキの手すりとサッシとの接合部も簡略化しています。また，外壁（居間／食堂・台所／寝室／便所・浴室）に取り付くすべり出し窓（外に押し出すように回転して開く窓）も穴として簡略に表現しています。入口となるポーチ／居間のドアは省略しています。

　また，実際には，開口部の周囲は，サッシを壁・床・天井に固定するために，複雑な凹凸をもちます。開口部には雨仕舞い（雨の侵入を防ぐしくみ）も存在します。

　場合によっては，開口部のディテールをしっかりつくりこむ必要があると思いますが，ディテールのモデリングは建築のしくみに関する多くの知識が必要

図 7-36　レンダリング画像（1 階中庭）

図 7-37　レンダリング画像（2 階中庭）

になります。本書での解説はここまでとしますが，余力があれば，細部をつくりこんでみてください。

●

　以上，現代の住宅の名作である安藤忠雄設計の住吉の長屋（1976）を正確な寸法でモデリングしてきました。建築の構成（しくみ）を理解するための一番の勉強方法は，建築をつくってみることだと思います。実際に建築を建てることは容易ではありませんが，コンピュータ上ならば手軽に何度でも建築をつくることができます。

　各部分を正確な寸法で，全体を正しく構成してこそ，建築らしいカタチになるのだと思います。すなわち，建築のカタチの壁の厚さ，サッシの太さ，ちょっとした凹凸の有無などが正しく描かれてこそ，美しいカタチが表れるのだと思います。

　最後に，図 7-36 〜 7-38 に完成したモデルのレンダリング画像を示します。これらの画像では，壁，天井，床，サッシに，コンクリート，玄昌石，スティールなどのテクスチャー（素材感）を設定しています。

図 7-38　レンダリング画像（2 階寝室）

建築の設計においては，規則に沿った図面が必要になります。ここまでに学んだ SketchUp を使ったモデリングと建築の構成を示す表現は，建築図面のための表現というよりは建築のカタチをわかりやすく表現するためのイラストのようなものでした。もちろん，わかりやすい表現は重要なのですが，一方，建築の正確な構成や寸法を表すためには，平面図，立面図，断面図などの建築特有の図面が必要になります。それらの建築図面はどのように作成すればよいのでしょうか？

本章以降では，建築図面の作成を前提とした 3D モデリングの方法である BIM[a]（Building Information Modeling）を使っていきます。よく使われる BIM のソフトウェアがいくつかありますが，本書では代表的なアプリケーションである Revit（Autodesk 社 [b]）を使っていきます。

本章では，建築の構成を学ぶための架空の単純モデルである箱形建築[c] の

3D モデリングを進めながら，その図面を作成していきます。図 8-1，8-2 が 3D モデル，図 8-3 が Revit で作成した平面図，立面図，断面図です。

8-1. CAD と BIM

1980 年代以降，コンピュータで図面を描く CAD[d]（Computer Aided Design）が普及しました。それ以前は，鉛筆やペンを使って手描きで図面を描いていましたが，CAD が図面を効率的に描く手助けをしてくれるようになりました。

当初の CAD は，2 次元の図面として線や文字を描くツールだったのですが，今では 3D モデリングもできるようになってきました。そして，近年では，その CAD の進化形として，あるいは，図面を描くための新しい方法として，BIM が使われるようになってきました。

[a] BIM
Building Information Modeling
「建設情報に基づくモデリング」といった意味

[b] Autodesk 社
https://www.
autodesk.co.jp/

[c] 箱形建築
建築図面の基本を学ぶために本書が提示する単純な建築モデル。以下の 1 章で解説している。
『建築のしくみ―住吉の長屋／サヴォワ邸／ファンズワース邸／白の家』（安藤直見 他著，丸善，2008）

[d] CAD
Computer Aided Design
「コンピュータに支援されたデザイン」を意味するが，一般には，「コンピュータを使って図面を作成すること」の全般を指す

図 8-1　箱形建築：外観

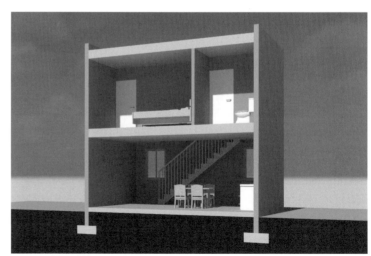

図 8-2　箱形建築：断面構成図

ギャラリー
14.86 ㎡

DN

3000

寝室
13.67 ㎡

トイレ・浴室
5.70 ㎡

2850

3850　　　　2000　　　2階平面図

UP

ダイニングキッチン
34.22 ㎡

5850

75

75

75　　　　5850　　　　75　　1階平面図

N

立面図（南）

TOP
6000 ▽

RF
5750 ▽

寝室　　　　　　　トイレ
　　　　　　　　　浴室

2500

2F
2950 ▽

ダイニング
キッチン

2500

1F
150 ▽

設計GL
0 ▽

基礎
-500 ▽

75　　　　5850　　　　75　　断面図

図 8-3　箱形建築の平面図・立面図・断面図（1:100）

建築系を中心とした多数のソフトウェアを提供している Autodesk 社が提供する BIM アプリケーションが Revit です。Autodesk 社は，コンピュータで図面を描くための CAD アプリケーションである AutoCAD[a] も提供しています。

AutoCAD は世界的にメジャーな CAD アプリケーションです。AutoCAD の図面のファイル形式（DXF 形式[b]や DWG 形式[c]）は，ほかの多くの CAD や BIM でも読み込んだり書き込んだりできます。もちろん，Revit で作成した図面は，AutoCAD で表示できますし，編集もできます。

手描きや CAD の図面では，壁や床などを線や面などの図形として描いていきます。SketchUp も，線や面によってカタチを表していました。でも，BIM が扱うのは，基本的には，図形ではなく，壁や床や窓やドアなどの建築の部位そのものです。さまざまな部位を3次元空間上に配置していけば，結果として，図面ができあがるというのが BIM の原理です。

すなわち，Revit（BIM）にとって壁や床などは，建築の部位そのものであって，図形ではありません。言い方を変えれば，Revit が描く部位は，カタチをもっているだけではなく，建築の部位（要素）としての情報，すなわち，厚さ，仕上げ，材料，強度，温熱性能，価格などの特性をもつことができます。

Revit が描くすべての図面は1つのモデルから生成されます。ですから，たとえば平面図の寸法を変更すれば，その変更は立面図や断面図などのほかの図面にも反映されます。また，たとえば各部屋の面積などの情報も，図面を変更すれば，それにしたがって再計算されます。

BIM は CAD の進化形だと考えられますが，BIM をどう使っていくかは，建築の実務においても，まだ方向が定まっていないかもしれません。CAD がただちに BIM に置き換わるとは考えにくく，しばらくは，BIM は CAD と共存していくと思えます。

一般に，BIM のソフトウェアは高度で多機能です。また，BIM は，さまざまなデータベースを活用し，グループ（多人数）で業務を進める実務的な設計において威力を発揮します。でも，本書が BIM を取り上げる理由は，作業の効率化を図るためというよりも，建築のカタチ（構成）と図面表現の関係について学ぶためです。

建築を学び始めたばかりの学生にとっては，BIM を使って3D モデルを組み立てていくよりも，2次元の図面を描いていく方がやりやすいかもしれません。でも，3次元（3D モデル）と2次元（図面）が連動するという点で，案外にBIM はわかりやすいので，建築の図面を勉強する方法として BIM を使ってみるとおもしろいと思うのです。

本書では，BIM（Revit）の基本的な操作について述べるだけで，実務向け

の高度な使い方までは解説していませんが，BIM がどのようなものか，どのような利点があるのかを体験してもらえると思います。基本的な操作を習得し，BIM に興味がもてれば，使っていくうちに，高度な機能の使い方も自然に覚えられると思います。

図面の作成を意識しながらモデリングを進めていく BIM の体験は，建築の図面がどのような情報を表現するものかを学ぶことにつながります。建築を学び始めるみなさんが，本章をきっかけとして，BIM を使い始めてもらえるとよいなあと思います。

8-2. BIM と建築図面

BIM を使い始める前に，建築図面[d] がどのようなものなのかについて，おさらいをしておきましょう。

建築の図面にはさまざまな種類がありますが，平面図，立面図，断面図がもっとも基本的な図面です。平面図は建物の各階をその階に立つ人の目の高さで水平に切断した図，立面図は建物の壁を正面（壁の垂直な方向）から眺めた図，断面図は建物を垂直に切断した図です。いずれも，地平面に対して水平あるいは垂直な方向から眺める投影図（無限遠からの眺めに相当する遠近感をもたない図）です。

平面図には，壁や柱などによって囲まれる空間の平面構成が表れます。ドアや窓や階段の位置も表れます。平面図では，人が建築の内部をどのように動けるのか，どこから光や風が入るのかがわかります。断面図には，建築と地盤との関係，壁・床・天井などによって囲まれる空間の断面構成（広さと高さの関係）が表れます。建築の全体がどのように架構されるか表すのも断面図です。立面図には建物のカタチが表れます。そのほか，建築には各種の図面があり，それぞれが建築の特徴を表します。

立体図や透視図も含めた建築図面は，1つの建築をさまざまな位置，方向で眺める図であるといえます。逆にいえば，1つの建築は，多視点から見る多数の図によって表されます。

BIM は，多数の図面を個別に描いていくことで建築を設計するのではなく，個々の図面の作成はコンピュータに委ね，1つの3D モデルを作成することで建築を設計しようとするものです。でも，そこで重要なのは，図面の作成を意識しながら3D モデルを作成しなければならないということで，その点がSketchUp と大きく異なります。

[a] AutoCAD
1982 年に発売され，広く普及しているCAD アプリケーション

[b] DXF 形式
Drawing Exchange Format
Autodesk 社が提示した互換性のあるCAD のファイル形式

[c] DWG 形式
AutoCAD のファイル形式

[d] 建築図面
本書の対象は，ある程度，建築の図面に関する基礎知識がある学生や実務家を対象としている。建築図面の基礎については，以下の1章などを参照されたい。
『建築のしくみ—住吉の長屋／サヴォワ邸／ファンズワース邸／白の家』（安藤直見他著，丸善，2008）

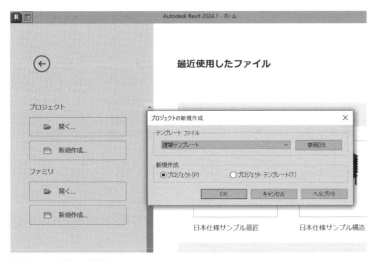

図 8-4　スタート画面
Revit のスタート画面。[テンプレート]（ひな形）を選択して，モデリングを開始する

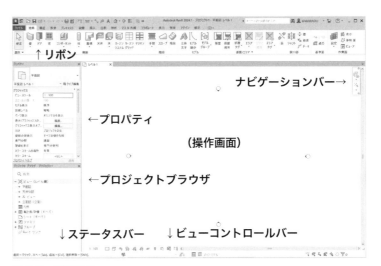

↑リボン

ナビゲーションバー→

←プロパティ

（操作画面）

←プロジェクトブラウザ

↓ステータスバー　　↓ビューコントロールバー

図 8-5　初期画面
[建築テンプレート] の初期画面

[e] 建築テンプレート
建築の基本設計向けのテンプレート（ひな形）。「建設テンプレート」は工事向け（施工図用），「構造テンプレート」は構造設計向け（構造図用）

[f] コマンド
Revit では，モデリングを進めるためのさまざまな操作のことをコマンドという。SketchUp におけるツールに相当する

[g] リボン
ツール（コマンド）がタブによりグループ化されている。リボンはカスタマイズできる

[h] プロパティ
オブジェクト（部位）がもつさまざまな「特性，性質」を表す情報（属性）のこと

[i] プロジェクトブラウザ
ビュー（図面）などの表示を切り替えるパネル

[j] ユーザインタフェース

リボン [表示>ウィンドウ>ユーザインタフェース]
画面のレイアウトなどの使い勝手を調整するための設定

8-3. Revit のインストールと起動

　学生と教員にとってはありがたいことに，Autodesk 社は，ほとんどのソフトウェアを教育関係者に無償で提供しています。Revit も AutoCAD も（そのほかのほとんどの Autodesk 製品も），学生は無料で使用できます。

　以下の Autodesk Education Community のサイトにアクセスして，Revit をインストールしてください（詳しくは P.5 の「本書で使用するソフトウェアと傍注について」を参照してください）。なお，本書で使用している Revit のバージョンは「Revit 2025」です。

　　　　　https://www.autodesk.com/jp/education/home

　Revit を起動すると，スタート画面が現れます（図 8-4）。新しいファイルを作成する（新しい [プロジェクト] を始める）には，用意された建築設計向けのテンプレート（ひな形）を使用するのが便利です。ここでは [建築テンプレート] [e] を選んでください。

　すると，図 8-5 に示すような初期画面が現れます（設定によっては画面構成が異なります）。中央の操作画面の上方にさまざまなコマンド [f]（ツール）を格納するリボン [g] があり，左側に 2 つのパネル（ウィンドウ）があります。

2 つのパネルは，[プロパティ] [h] と [プロジェクトブラウザ] [i] と名付けられています。

　Revit では，おもに，[プロジェクトブラウザ] で図面を切り替えながら，リボンに格納されたコマンドを使っていく作業をしていきます。また，さまざまなオブジェクトの情報を [プロパティ] で設定していきます。

8-4. ファイル操作とパネルの配置

　画面上部の一番左に，メニュー [ファイル] があります（図 8-6）。これは，ファイルの [保存]，[新規作成]，保存したファイルを [開く] などの操作を行うメニューです。以降の作業ではファイルを適宜 [保存] してください。

　画面上のパネルは，リボン [ユーザインタフェース] [j] からオン／オフ（表示／非表示）できます（図 8-7）。なお，[ユーザインタフェース] は [表示] タブの [ウィンドウ] グループにあります。本章以降では，各リボンの位置を示すために，[表示>ウィンドウ>ユーザインタフェース] という書き方をしていきます。

　パネルのタイトル部分をドラッグすると，パネルを好きな位置に動かせます。パソコンの画面が十分に大きい場合は，図 8-7 のように，パネル [プロ

図8-6 ファイル操作

ファイルの保存，新規作成，保存したファイルを開くなどの操作を実行

[a] ナビゲーションバー

画面右上に表示される画面を操作するためのツール

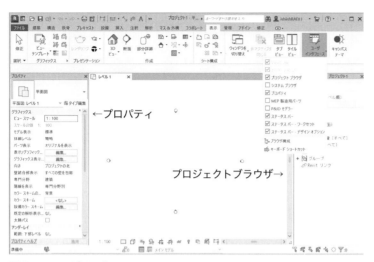

← プロパティ

プロジェクトブラウザ→

図8-7 ユーザインタフェース

リボン［表示］の［ウィンドウ］グループに［ユーザインタフェース］ツールがある。
画面上のパネルやバーなどの表示／非表示を設定する

図8-8 プロジェクトブラウザ

ビューを表示するためのパネル

ジェクトブラウザ］は画面の右方に移動させると使いやすいと思います。

画面の右上には［ナビゲーションバー］[a] があります。［ナビゲーションバー］の上部をクリックすると［2D ホイール］[b] が現れます。その下に画面をズームするためのサブメニューがあります。［全体表示］[c] をクリックすれば画面が図面にフィットするので便利です。なお，画面は，マウスのホイールでズーム（拡大／縮小）します。ホイールボタンをホールド＆ドラッグすればパン（画面を移動）します。

8-5. プロジェクトブラウザ

Revit では，各種の図面のことをビュー，さまざまなオブジェクト（部品）のことをファミリと呼びます。［プロジェクトブラウザ］はそのビューやファミリをブラウズ（表示）するためのパネルです（図8-8）。

［平面図］や［立面図］などのビューはグループ化されています。グループ名の前に「＋」の記号が付いている場合は，グループが折りたたまれています（グループ内の項目が非表示になっています）。グループ内の項目を表示するには，「＋」をクリックします。

［建築テンプレート］では，あらかじめ，「設計 GL ／レベル１／レベル２」

という３つの［平面図］ビューと「西／東／南／北」の４つの［立面図］ビューが用意されています。

8-6. 箱形建築

箱形建築は，外形が 6×6×6 メートルの２階建ての，壁が床と屋根を支える壁構造[d] を想定した，建築を学ぶための単純モデルです。階高[e]（下階の床の上面から上階の床の上面までの距離）は 2800 ミリで，壁と１階の床の厚さは 150 ミリ，２階の床と屋根の厚さ（下階の天井面から上階の床または屋根の上面までの厚さ）は 300 ミリとしています。幅 800 ミリ × 高さ 1200 ミリの窓と，幅 800 ミリ × 高さ 2200 ミリのドアがあります。階段の段数は 14 段です。

教材として考案した単純モデルなので，おもしろみに欠ける建築だと思います。でも，Revit の操作は，これくらい単純なものから始めてみるのがよいように思います。一通りの基本的な操作を学べますし，操作に慣れないうちは，こんな簡単なモデルを繰り返しつくってみるとよいと思います。

以下，この箱形建築を Revit でモデリングしながら，同時にその図面を作成していきます。

8-7. スケールの設定とビューテンプレート

［建築テンプレート］の［平面図］ビューと［立面図］ビューには，図面のスケール（縮尺）として，「1:100」が設定されています。図面のスケールは後からでも変更できるのですが，箱形建築は小さな建築なので，作業時の画面への収まり（文字や記号の大きさとのバランス）を考慮して，図面のスケールを「1:50」に設定したいと思います。

図面（ビュー）がもつプロパティ（属性）の一つがスケールです。［平面図］のスケールを「1:50」に設定するには，「設計 GL ／レベル１／レベル２」という３つの［平面図］のプロパティを変更することになります。図面ごとに個々に変更してもよいのですが，ここでは，［ビューテンプレート］（図面のひな形）を使って，一括して変更しましょう（初期設定では，テンプレートを使

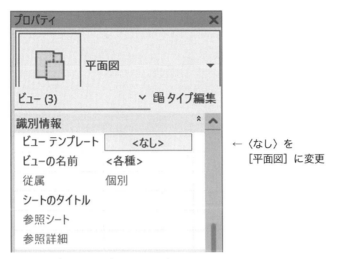

図 8-9　ビューテンプレートの設定
ビュー（図面）はビューテンプレートを使用できるが，初期設定では［なし］（ビューテンプレート
を使用しない）に設定されている

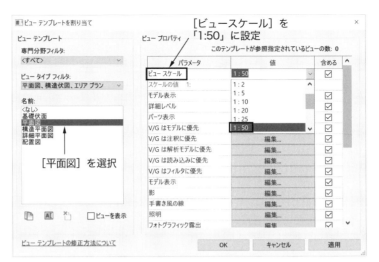

［ビュースケール］を
「1:50」に設定

［平面図］を選択

図 8-10　ビューテンプレートを割り当て
ビューテンプレートの設定を行うダイアログ

[b] 2D ホイール

平面図，立面図など
を表示する 2D の画
面を操作できる。非
表示とするにはアイ
コンの右上の［×］
をクリック

[c] 全体表示

[ZA]

ナビゲーションバー
の下部に格納されて
いる

[d] 壁構造
壁によって床や屋根
などを支える構造に
対して，柱と梁によ
る架構はラーメン構
造と呼ばれる

[e] 階高
上階と下階の床のレ
ベル間の距離。床面
から天井高面との距
離である天井高とは
異なる

[f] 通芯
手描きの図面では，
通芯を意識しないで
も壁などが描けてし
まうことがある。し
かし，それは間違っ
た図面の描き方であ
り，平面図は必ず通
芯から描き始める

わないで，個別に設定されています）。

　パネル［プロジェクトブラウザ］で，「設計 GL ／レベル 1 ／レベル 2」の
3 つのビューを選択してください（キーボードの Ctrl または Shift キーを押
しながら複数のビューを選択）。パネル［プロパティ］の［識別情報＞ビュー
テンプレート］という項目を見てください（図 8-9）。初期設定では，この項
目が〈なし〉となっていますので，その〈なし〉をクリックしてください。

　すると，図 8-10 に示した［ビューテンプレートを割り当て］というダイア
ログが開きます。左方の［名前］欄に利用できるテンプレートのリストがあり
ます。ここで，［平面図］を選択してください。そして，右側の［ビュープロ
パティ］欄に現れる設定項目のリストの一番上に［ビュースケール］がありま
すので，その値を「1:50」に変更してください。下部の［OK］ボタンをク
リックしてダイアログを閉じると，3 つの［平面図］は，スケールが「1:50」
に設定されたテンプレートを引き継ぐようになります。

　「西／東／南／北」の 4 つの［立面図］のスケールも，［ビューテンプレート
を割り当て］で，［立面］テンプレートのスケールを「1:50」に設定し，その
テンプレートを引き継ぐように変更してください。

8-8. 通芯

　これから，箱形建築のモデルをつくっていきます。最初に，［平面図］に通
芯[f] を描きましょう。

　通芯は，壁や柱などの位置を表す基準線です。平面図に壁を描く際は，最初
に通芯を描き，通芯を基準として，壁の厚さを描いていきます。通芯は，一般
に，壁の厚さの中心線となりますが，壁の中心からずれた位置に設定される場
合もあります。

　柱や壁などの位置は通芯によって決定するといえます。Revit でも，壁の作
成は通芯を描くことから始まります。

8-8-1. ビューの選択

　パネル［プロジェクトブラウザ］で，ビュー［平面図＞設計 GL］を選択し
てください（ほかの［平面図］ビューでも OK です）。ビューを選択するには，
ビューの名称の上で，マウスをダブルクリックします。ダブルクリックで選択
されたビューの名称は太字で表示されます。また，画面の上部に開いている
ビューの名称がタブとして表示されます（図 8-11）。

← 〈なし〉を
［平面図］に変更

図 8-11　ビューの選択

ビュー（図面）はプロジェクトブラウザから開く（切り替える）。開いているビューは太字で表示される

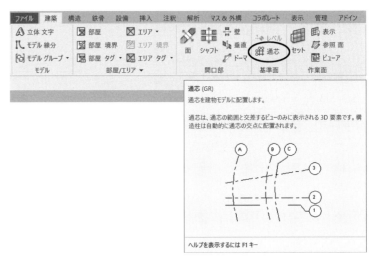

図 8-12　通芯

リボン［建築］の［基準面］グループに［通芯］ツールがある

[a] 通芯
[GR]

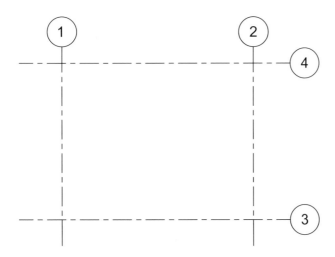

通芯

リボン［建築>基準面>通芯］

[b] ショートカット
リボン［表示>ウィンドウ>ユーザ インタフェース（ドロップダウン）＞キーボードショートカット］をクリックすると，ショートカットの一覧を示すウィンドウが現れる。このウィンドウから，ショートカットの追加，削除，リセットなどの設定ができる

図 8-13　通芯の描画

水平，垂直に，2 本ずつの通芯を平行に描く

8-8-2.［通芯］コマンド

　リボン［建築>基準面>通芯］[a] をクリックすると，リボンが［修正｜配置 通芯］に切り替わり，通芯を描くモードとなります（図 8-12）。なお，リボンの上にマウスを置くと，簡単なヘルプが表示されます。また，キーボードの［F1］キー（ファンクションキー）を押すと，ブラウザが立ち上がり，オンラインヘルプが表示されます。

　Revit にはショートカット [b]（キーボードによるコマンドの選択）が用意されています（P.7 の「ショートカットについて」におもなショートカットのリストを示しています）。ショートカットは追加して設定することもできますが，あらかじめ用意されているショートカットは，コマンドなどを選択する際に現れるヘルプにも示されています。［通芯］のショートカットは「GR」です（キーボードの「G」と「R」を素早く続けて押す）。

　通芯を描くモードになったら，画面内で通芯を描いてください（図 8-13）。ここでは，位置と長さにはこだわらず，おおよその位置，長さ，間隔で，通芯を水平に 2 本，垂直に 2 本，描いてください。描く方向にルールはないのですが，方向によって，記号の位置が変わってきます。垂直な線は下から上に，水平な線は左から右に描くとよいと思います。

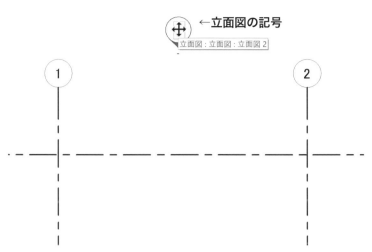

図 8-14　通芯と立面の記号
立面図の記号を通芯の近くに移動。マウスで囲ってオブジェクト選択し移動する

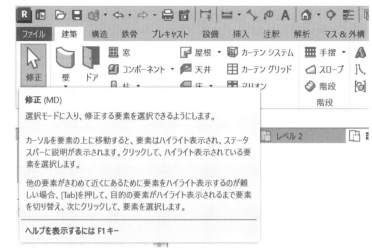

図 8-15　［修正］（選択）ツール
オブジェクトを選択すると，修正モードに切り替わる。ショートカットは［MD］

　通芯の終点に①～④などの記号が付きます。この記号の名称は，記号をクリックすれば変更できます。非表示にしたり，位置を変更したりなどの設定もできます。複雑な建物になると記号の整理が重要になりますが，単純な箱形建築では記号の名称は気にしなくてよいと思います。

　初期設定でスナップ [c] が利いていますので，通芯を描き始めると垂直水平を示すガイド [d] が現れます。また，2 本目以降の通芯を描くときには，先に描かれた通芯からの間隔も現れます。

　箱形建築の通芯の間隔は 5850 ミリです。でも，この寸法は後で簡単に変更できますので，まずはおおよその間隔で描いてください。

8-8-3. 立面記号の選択と移動

　さて，画面の上下左右に円と三角が組み合わさった記号があります（図 8-14 上）。この記号は立面図を見る位置と方向を示す記号です。この記号は，画面の右上の［修正］[e] を使ってドラッグすれば動かせます（図 8-15）。通芯の近くにある方が見やすいと思いますので，動かしておきましょう。

　［修正］はオブジェクトを選択するコマンドです。Revit では，スケッチアップと同様に，常にいずれかのコマンドが選択されています。［修正］は間違っ

て操作をしてしまう可能性がもっとも低い「安全な」コマンドなので，作業が一段落したら，［修正］を選択しておくとよいと思います。

　［修正］の使い方は，選択したいオブジェクトが 1 つのときはそれをクリック，選択を追加したい場合は Ctrl キー，解除したい場合は Shift キーを併用，範囲を選択したい場合はマウスをクリック＆ドラッグすると現れる四角い線で囲みます。その際，右から左方向に囲むと範囲に交差するオブジェクトも選択されます。立面の記号は複数のオブジェクトで構成されているので，マウスで囲んで選択してください。選択したオブジェクトの上にカーソルを置くと，カーソルが十字形に変わり，オブジェクトを移動できるモードになります。

　［修正］のショートカットは「MD」です。よく使うコマンドなので，覚えるとよいと思います。

8-8-4. 通芯間隔の修正

　おおよその間隔で通芯を描いた後に，［修正］を使って通芯を選択すると，隣接する通芯との間隔が表示されます（図 8-16）。すべての Revit の操作に共通することですが，青く表示される数値や文字は，クリックすれば変更できますので，通芯間隔の数値を「5850」に変更してください。選択している通芯

[c] スナップ
オブジェクト上の端点や中心などの特定の点をつかんだり，長さや方向を予測する（揃える）動作のこと。Revit はスナップが強力で大変便利。スナップの設定はリボン［管理＞設定＞スナップ］で変更できるが，初期設定のままで使いやすい

[d] ガイド
スナップに基づき，描画の位置や方向を予測する補助線

[e] 修正

［MD］

リボン［選択＞修正］

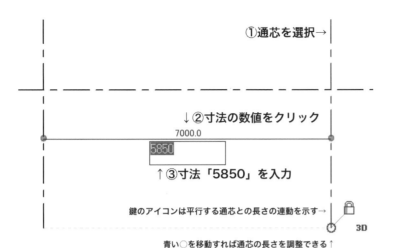

図 8-16　寸法の変更
①移動したい通芯を選択　②寸法の数値をクリック　③正しい寸法を入力

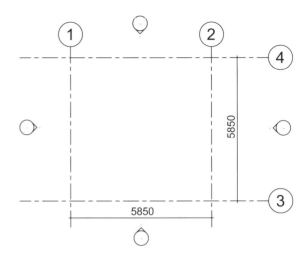

図 8-17　通芯の寸法
2 組の平行な通芯の間隔をそれぞれ 5850 に修正。立面図の記号は通芯の近くに移動するとよい

[a] レベル
レベルは建築の各階の高さを表す基準線である。通芯が平面図における壁や柱の位置を示す基準線であるのに対して，レベルは，立面図や断面図において，各階の床および屋根の位置を示す基準線である。通常，通芯は壁や柱の中心を通る位置に設定される。一方，床の位置の基準線は床スラブ（床板）の中心ではなく，床の上面に設定される。この設定は，施工上の合理性に基づくものであるとともに，部屋の面積や天井高（床から天井までの高さ）の算出にも適している

[b] GL
Ground Level，または，Ground Line の略。高さの基準となる高さゼロのレベル

[c] 方位

プロジェクトの位置
Revit の方位は，リボン［管理＞プロジェクトの位置＞位置］を使えば変更できる

の位置が間隔に合わせて移動します（図 8-17）。
　青色で表示される記号は移動したり何らかの設定をしたりできます。通芯の端点に表示された円記号を移動させれば，通芯の長さが変更できます。円記号から伸びる線に「鍵」（ロック）の記号が付いていますが，これがロックされていると，通芯の長さは隣接する通芯と連動して変更されます（通芯の長さを個別に変更したい場合はロックをオフにします）。

8-8-5. 寸法の表示

　通芯の間隔を示す寸法は，［|↔|］のアイコンをクリックすれば，常時表示されるようになります（図 8-18）。寸法は，選択して位置を移動したり，キーボードの Delete キーにより削除できます（寸法は削除しても非表示になるだけで，再度，［|↔|］をクリックすれば表示されます）。

8-9. レベル

　次に，レベル[a]（高さ方向の基準線）の設定をしましょう。レベルは，床や屋根などの高さを示す基準線です。
　一般に，建物は水平な床をもちます。また，2 階建ての建物ならば 2 つの床

をもちます。レベルは，各階の床の上面（中心ではなく上面です）の GL[b]（地表面）からの距離によって表されます。箱形建築の場合は，1 階の床のレベルは GL＋150，2 階は GL＋2950 です。

8-9-1. ビューの切り替え

　レベルの設定をするには，ビューを［立面図］に切り替えます。どの［立面図］でもよいのですが，たとえば「南」を選択してください。なお，Revit の方位[c]は，初期設定で画面の上が北になっています。

8-9-2. レベルの設定

　［建築テンプレート］では，あらかじめ「設計 GL[d]／レベル 1／レベル 2」という名称の 3 つのレベルが設定されています。この名称は変更できるのですが，初期設定では，「設計 GL」が GL（高さゼロのレベル），「レベル 1」が 1FL（First floor Level，1 階の床レベル）を表しています。箱形建築の 1FL は，GL＋150 ミリとしているので，「レベル 1」の高さを 150 ミリに設定する必要があります。初期設定では，「設計 GL」と「レベル 1」との間の寸法が「500」と表示されていると思いますので，その表示をクリックして「150」に変更し

図 8-18　寸法の表示
[｜←→｜] のアイコンをクリックすると寸法が表示される。寸法を選択すれば，移動や削除ができる

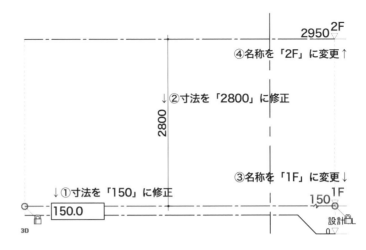

図 8-19　通芯
レベル間の寸法，または，レベルの高さ（図のレベル線の右端の上の数値）を修正。名称も変更

てください（図 8-19 の①）。レベルの名称の下の記号「▽」の左に書かれた数値は GL からの高さを表しています。この数値をクリックして変更することでも，レベルの高さは修正できます。

　同様に「レベル 2」の 1FL からの高さを 2800 ミリ（GL からの高さは 2950 ミリ）に変更してください（図 8-19 の②）。

8-9-3. 名称の変更

　「レベル 1」という名称をクリックして「1F」に変更しましょう（図 8-19 の③）。名称を変更する際に「対応するビューの名前を変更しますか？」というアラート（操作の確認のためのダイアログ）が現れると思いますが，これは「はい」としてください。すると，［平面図］の「レベル 1」という名称も「1F」に変わります。同様に，「レベル 2」の名称を「2F」に変更してください（図 8-19 の④）。

8-9-4. レベルの追加

　続いて，屋根スラブのレベル「RF」（Roof Floor Level）と壁の天端（最高高さ）のレベル「TOP」を追加してください（図 8-20）。

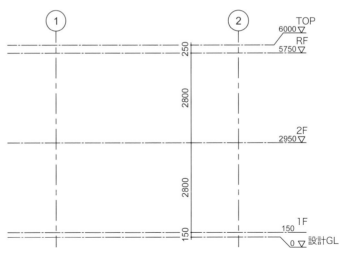

図 8-20　レベルの追加
2F，RF，TOP（最高高さ）の 3 つのレベルを追加

[d] 設計 GL
設計において設定する GL のことを「設計 GL」という。GL は，通常，敷地の地表面や前面道路のレベルに設定される。なお，「設計 GL」は，設計の際に用いるものなので，法律上の GL と異なることがある

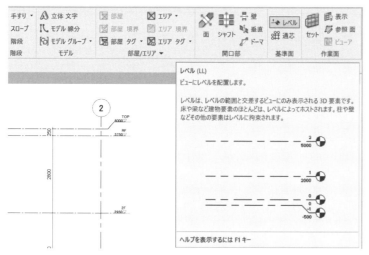

図 8-21　レベル

リボン［建築＞基準面］にレベルを作成するコマンドがある

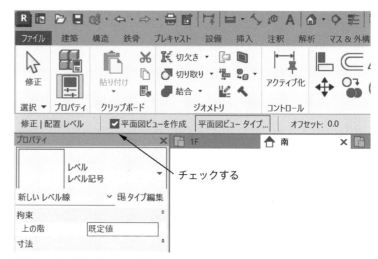

図 8-22　平面図ビューの作成

［平面図ビューを作成］にチェックするとレベルに連動する平面図ビューを作成できる

[a] レベル

[LL]

レベル

リボン［建築＞基準面］

[b] エルボ
L 字型などに曲がったカタチのこと。エルボには「肘（ひじ）」の意味もある

[c] 壁：意匠

[WA]

壁

リボン［建築＞構築＞壁＞壁：意匠］

　レベルを追加するには，［レベル］[a]（図 8-21）を使って，［立面図］にレベルを描きます。その際，リボンの左下方にある［平面図ビューを作成］のチェックをオンにしておきます（図 8-22）。これをオンにしておくことで，追加されたレベルに対応する［平面図］が作成されます。

　レベル「RF」のレベル「2F」からの距離は 2800 ミリです（GL からの高さは 5750 ミリ）。レベル「TOP」のレベル「RF」からの高さは 250 ミリ（GL からの高さは 6000 ミリ）としてください。

　レベルの設定は，すべての［立面図］（「西／東／南／北」）に反映されます。「南」で調整したレベルの線の長さは対面である「北」にも反映されます。しかし，別方向からの眺めとなる「東／西」では，レベルの線の長さは調整されません。「東／西」の通芯とレベルの長さも調整をしてください。

8-9-5. エルボ

　レベル［RF］と［TOP］の間隔は 250 ミリしかありませんので，名称の表示が接近して重なってしまいます（図 8-23）。こういった場合は，レベル線を選択すると名称の近くに現れるエルボ[b]を使うと，レベルの線を曲げて，名称の表示を見やすくすることができます（図 8-23 右上）。エルボをクリック

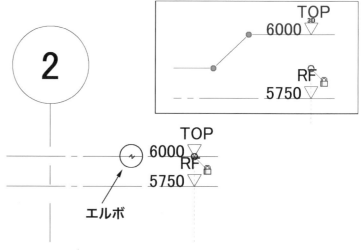

図 8-23　エルボ

エルボをクリックするとレベル線を曲げることができる。屈折点は移動できる

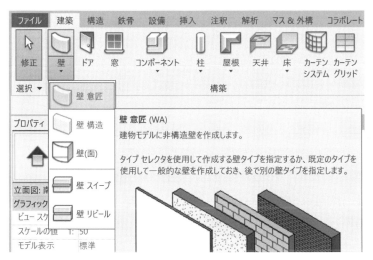

図 8-24 壁の作成
リボン［建築＞構築］に壁を作成するコマンドがある。［壁 意匠］は構造的な特性をもたない壁

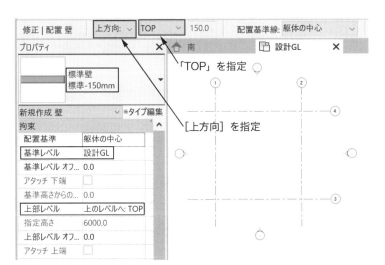

図 8-25 壁のプロパティ
パネル［プロパティ］から壁の属性を設定

して，レベルの線を少し曲げてみてください。屈折点は選択して移動できます。

8-10. 壁

通芯とレベルの設定ができたら，壁を作成しましょう。箱形建築の壁の厚さは，前章の住吉の長屋と同様の 150 ミリとしています。

パネル［プロジェクトブラウザ］から，ビューを「平面図＞設計 GL」に切り替えてください。また，リボン［建築＞構築＞壁＞壁：意匠］[c] を選択してください（図 8-24）。ここで，意匠 [d] というのは，内部の構造を含まない外形であることを意味します。ここでの箱形建築のモデリングでは，構造的な特性は省略したいと思いますので，「意匠」を選択してください。

次に，パネル［プロパティ］から作成する壁の特性を設定しましょう（図 8-25）。ここでは，「標準壁：標準-150 mm」（厚さ 150 ミリの壁）を使用します。壁は「設計 GL」から［上方向］に立ち上げ，高さを「TOP」（レベルで設定した最高高さ）までとします。

壁の高さは，リボン下部の［上方向］オプションで設定するほかに，パネル［プロパティ］の［上部レベル］の「上のレベルへ：TOP」で指定することもできます。

高さが設定できたら，通芯の４つの交点を，周囲を一周するように，順番にクリックして壁を作成してください（図 8-26）。

壁が作成できたら，ビューを［3D ビュー [e] ＞ {3D}］に切り替えてみてください（図 8-27）。［3D ビュー］では，キーボードの Shift キーを押しながらホイールボタンをホールドして（押し込んだ状態で）動かすと視点が回転します。［3D ビュー］の画面の右上にある［ビューキューブ］[f]（View Cube）を使って，画面を回転することもできます。

8-11. 1 階床

ビューを「平面図＞1F」に切り替えて，１階の床を作成しましょう。１階の床ですから，必ず「1F」に切り替えて作業をしてください。

［床：意匠］を選択し，作成する壁の［プロパティ］を設定してください（図 8-28，8-29）。１階の床は「床／一般 150 mm」を使いましょう。

床は，リボン［修正｜床の境界を作成＞描画］（［描画］モード）で指定した方法で作成されます。初期設定では［境界線］が選ばれていると思います（図 8-30）。この場合，壁の内側（部屋側）の４辺をクリックしてください。床の周囲がピンク色で表示されるので，位置が正しければ，リボン［修正｜床の境

[d] 意匠
建築の図面は，意匠，構造，設備などに大別される。Revit の壁，床，柱などは，意匠と構造に分類されている。箱形建築は鉄筋コンクリート構造を想定したモデルであるが，構造計算や鉄筋コンクリートの積算（鉄筋やコンクリートの使用量の計算）を目的とするものではないので，それらの情報を含まない意匠としてモデリングする

[e] 3D ビュー

［プロジェクトブラウザ］から「3D ビュー＞{3D}」を選択する

[f] ビューキューブ

マウスでアイコン上をクリック，ドラッグすることにより，画面を回転できる。アイコンの左上にホームボタン（初期画面にモドル）がある

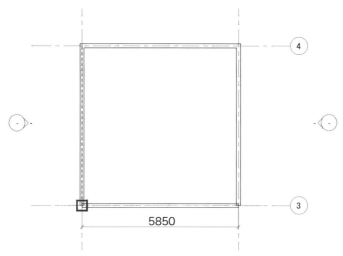

図 8-26　壁の作成
通芯の４つの交点を一周するように壁を作成

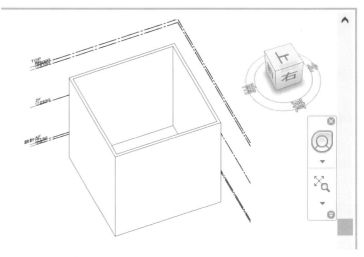

図 8-27　3D ビュー
マウスのホイール，あるいは，画面右上のビューキューブで視点の回転・移動ができる

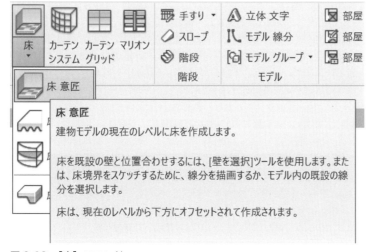

図 8-28　［床］コマンド
［床］コマンドから［床 意匠］を選択

[a] 補助線
図面の作成に必要となる補助線は，手描き図面では「捨線」と呼ばれ，薄く描かれる。コンピュータによるモデリングや作図では，補助線は点線などで表示されることが一般的である。しかし，表示のスタイルは設定できるし，後から削除したり非表示にすることが容易である

界を作成＞モード］（実行の確認）の［✓］をクリックします。もし正しくなければ［×］をクリックしてキャンセルし，操作をやり直してください。

　［✓］をクリックすると床が作成されます。このとき，「床／屋根がハイライト表示された壁と重なっています。ジオメトリを結合し，重なっている部分を壁から切り取りますか？」という警告が表示されることがありますが，これは，床を壁の内側に作成することの確認ですから，「はい」でOKです。

8-12.2 階床

　2 階の床には階段が取り付くので，1 階と形状が異なります。そのため，1 階とは別の方法で床を作成します。

　ビューを「平面図＞2F」に切り替え，階段部分の形状に沿って床を作成するための補助線 [a] を描きましょう（図 8-31）。Revit では，補助線のことを参照面と呼びます。参照面（補助線）は，床と同様に，描画コマンドを使って描いていきますが，この階段の位置を表す参照面は［境界線］ではなく，［線］を使って描くとよいと思います（図 8-32）。

　参照面はリボン［建築＞作業面＞参照面］[b] を使って描画します（図 8-33）。Revit 流におおよその位置に線を描き，後から線を選択して，通芯や

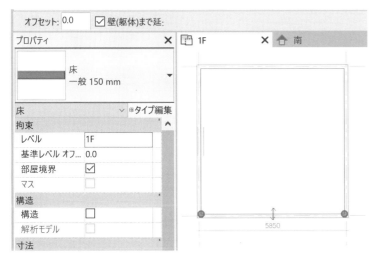

図 8-29　床のプロパティ
プロパティを指定して床を作成

図 8-30　床の作成
床は，[描画] ツールで指定した方法で作成する。ここでは [境界線] を使用するとよい。
床の形状が確定したら [モード] を [チェック] する（キャンセルしたい場合は [×]）

隣接する線との間隔を修正してください。
　参照面が描けたら，リボン [建築＞ビルド＞床＞床：意匠][c] を選択します。ここで作成する床のプロパティを設定するのですが，2 階の床の [プロパティ] は，床仕上げを考慮して，1 階とは厚さの異なる「床／一般 300 mm」としましょう。
　リボンが [修正｜床の境界を作成] に切り替わったら，[描画＞線] を使って，多角形を描くように床の形状の端点をクリックして，輪郭を描いてください（図 8-34）。リボン [修正｜床の境界を作成＞モード] の [✓] をクリックすれば，床が作成されます。

8-13. 屋根

　次に，屋根（屋上の床）を作成します。箱形建築の屋根の平面形状は 1 階床と同じですが，厚さは 1 階とは異なる 300 ミリにしたいと思います。Revitでは，床とは別に屋根というオブジェクトが用意されているのですが，ここでは，1 階の床をコピーすることで，屋根を床として作成することにします（選択，コピー，床のプロパティの変更の練習になります）。
　ビューを「平面図＞1F」に切り替えて，作成済みの 1 階の床を選択してく

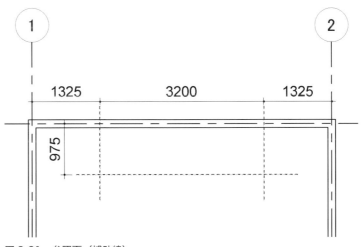

図 8-31　参照面（補助線）
階段の位置を表す補助線を描画する

図 8-32　参照面（補助線）の [描画] ツール
直線を使った補助線の描画。直線のほかにも描画の方法を選択できる

[b] 参照面

[RP]

参照 面

リボン [建築＞作業面＞参照面]

[c] 床：意匠

床

リボン [建築＞ビルド＞床＞床：意匠]
床にはさまざまな厚さがある。鉄筋コンクリート構造の建築では，150 mm 程度の厚さの床スラブ（鉄筋コンクリートでつくられる床板）が用いられることが多い。しかし，床には仕上げが施されるのが一般的なので，床はより厚くなる。また，床の下部には下階の天井が設けられるのも一般的なので，天井を含めれば，床はかなりの厚さをもつ

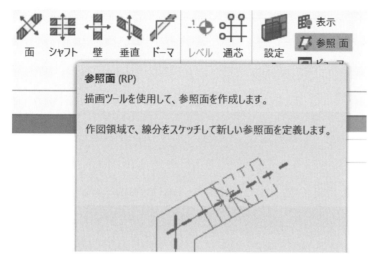

図 8-33 ［参照面］コマンド
補助線は［参照面］として描く

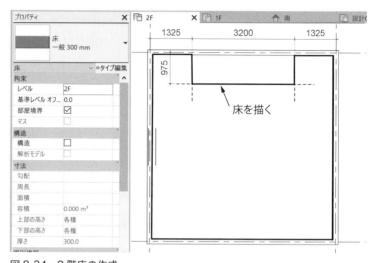

図 8-34 2 階床の作成
［線］を使って床の輪郭を描いていく

[a] 修正

[MD]

修正

選択 ▼

リボン［選択＞修
正］

[b] クリップボード
にコピー

[Ctrl+C]

選択したオブジェク
トをコピーする際
に，そのオブジェク
トを記憶させる

[c] 貼り付け

貼り付け

リボン［修正＞ク
リップボード＞貼り
付け］

[d] 選択したレベル
に位置合わせ
リボン［修正＞ク
リップボード＞貼り
付け（プルダウン）
＞選択したレベルに
位置合わせ］

ださい（［修正］[a] を使って選択）。しかしながら，ここで，壁と重なってい
る床は選択しにくいと思います。床を選択するために，床の境界をカーソルで
ポイントしても，選択されようとする（表示が青くなる）オブジェクトは壁で
あって，床は選択できないと思います。

ここでキーボードの Tab キーを押すと，選択するオブジェクトを示す青い
表示が，1 つの壁，四方の壁，床の 3 つに次々と切り替わります。Tab を何度
か押して，床を選択してください（図 8-35）。

床を選択したら，リボン［修正＞クリップボード＞クリップボードにコ
ピー］[b] をクリックします（図 8-36）。続いて，リボン［修正＞クリップボー
ド＞貼り付け］[c] から［選択したレベルに位置合わせ］[d] を実行します（図
8-37）。すると，［レベルを選択］というダイアログが現れるので，ここで屋
根のレベル「RF」を選択して，［OK］を押してください（図 8-38）。これで
「1F」の床が「RF」にコピーされます。

ビューを「RF」に切り替えると，コピーされた床が選択されていると思い
ます（選択されていなければ，選択してください）。床の厚さは「1F」と同じ
「床／一般 150 mm」ですが，この厚さを 300 ミリに変更しましょう。パネ
ル［プロパティ］から，床の種類を「床／一般 300 mm」に変更すれば厚さ

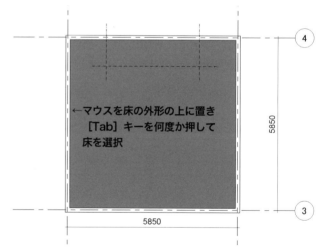

図 8-35 床の選択
重なっているオブジェクトを選択するには Tab キーを使う

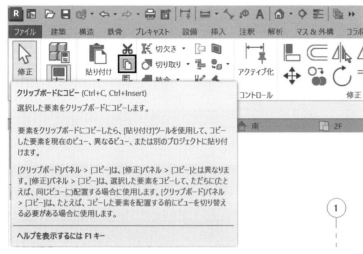

図 8-36 クリップボードにコピー
クリップボード（コンピュータ内のメモリー）に床を記憶させる

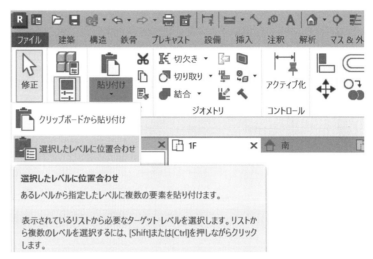

図 8-37 選択したレベルに位置合わせ
クリップボードに記憶した床を指定したレベルにペースト（複製）する

図 8-38 レベルを選択　コピー先のレベルを選択する

が変わります。このように，［プロパティ］は，後から変更できます。

8-14. ビューとウィンドウ

ここで，［3D ビュー］を切断 [e] して，断面を見てみましょう（図 8-39）。

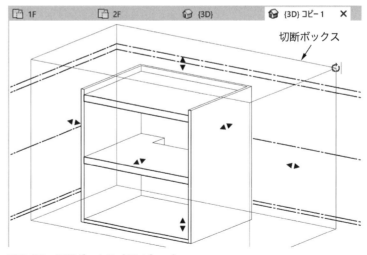

図 8-39 切断ボックス（3D ビュー）
切断ボックスを選択すると，各面にボックスの形状を変形する記号が現れる

[e] 切断
建築の内部を見るためには建築を切断する必要がある。建築の平面図は建築を水平に切断した図であり，断面図は垂直に切断した図である。3D ビューを切断することで，建築の平面や断面の構成を立体的に表す平面構成図や断面構成図が表示できる

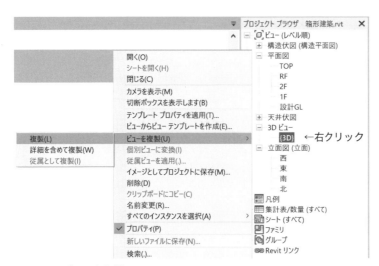

図 8-40　ビューを複製
ビューを選択して右クリックで表れるサブメニューの［ビューを複製］でビューを複製できる

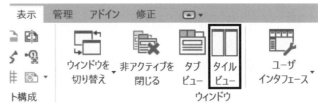

図 8-41　タイルビュー
開いているビューをタイル状に並べて表示

[a] タイルビュー [WT]

タイル
ビュー

リボン［表示＞ウィ
ンドウ＞タイル
ビュー］

[b] タブビュー [TW]

タブ
ビュー

リボン［表示＞
ウィンドウ＞タブ
ビュー］

[c] 窓 [WN]

窓

リボン［建築＞構築
＞窓］

8-14-1. 3D ビューの複製

　ビューは複製することができます。パネル［プロジェクトブラウザ＞3D
ビュー］で「{3D}」を右クリックし，ポップアップメニューから［ビューを複
製＞複製］を選ぶと，「{3D} コピー 1」といった名称でビューが複製されます
（図 8-40）。

　複製されたビューのパネル［プロパティ］で，［範囲＞切断ボックス］を
ON（チェック）にしてください。すると，図 8-39 に見られるように，モデ
ルの周囲に［切断ボックス］が現れます。［切断ボックス］を選択すると，各
面に［◁▷］のような記号が現れるので，この記号を移動してボックスを変形
してください。ボックスがモデルより小さくなるとモデルが切断されます。

8-14-2. ウィンドウの表示

　ここで，ウィンドウの表示のされ方について確認しましょう。

　通常，ビューを切り替えると，切り替える前に表示していたビューは非表示
になります。でも，意図的に閉じない限り，非表示のビューは開いています。
ビュー（画面）の上部を見てください。ビューの上部にタブが並んでいますね
（たとえば図 8-39 では，「1F ／ 2F ／ {3D} ／ {3D} コピー 1」という４つのタ
ブがあります）。タブをクリックすれば，表示されるビューが切り替わります。

　リボン［表示＞ウィンドウ＞タイルビュー］[a] を選択することで，すべて
のビューを並んで表示することもできます（図 8-41）。たとえば，図 8-42 の
ように，「平面図＞1F」と「3D ビュー＞ {3D} コピー 1」を並べて見たい場合
には，ほかのビューを閉じて（各ウィンドウのタブの右側のクローズボタンを
クリックして），再度，［タイルビュー］をクリックすれば OK です。また，［タ
ブビュー］[b] をクリックすれば，タブによってウィンドウを切り替える元の
表示方法に戻ります。

8-15. 窓とドア

　次に窓とドアを配置していきます（図 8-43）。

8-15-1. 窓（1 階）

　1 階に窓を配置するので，ビューを「平面図＞1F」に切り替えてください。

　窓の作成にはリボン［建築＞構築＞窓］[c] を使います（図 8-44）。［建築テ
ンプレート］にいくつかの窓が用意されていますが，ここでは，パネル［プロ
パティ］から，「引違い腰窓 [d] _2 枚＞w0800h1200」を選んでください（図
8-44）。また，［プロパティ］の［拘束＞下枠の高さ］は「1000」（ミリ）に
設定してください。［下枠の高さ］は，窓の下枠の 1 階床からの高さです。

　マウスを壁に沿って動かすと窓が配置されます（図 8-45）。おおよその位
置に配置してから，窓を選択し位置を修正してください。箱形建築では，窓の
中心をサイドの通芯から「925」（ミリ）としています。

　なお，窓には内側と外側があります。カーソルを壁の外側（外部側）に合わ
せるか内側（室内側）に合わせるかで，窓の内と外が入れ替わります。ここで
は，壁の外側に合わせてください。内側と外側を入れ替えたい場合は，オブ

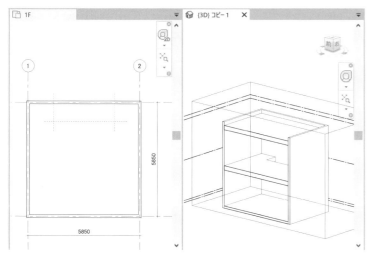

図 8-42　ビューのタイル表示
２つのビューを並べて表示している

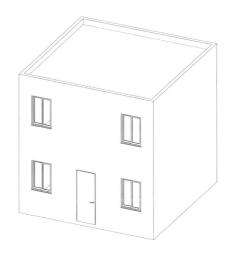

図 8-43　窓と入口
窓と入口のある外観

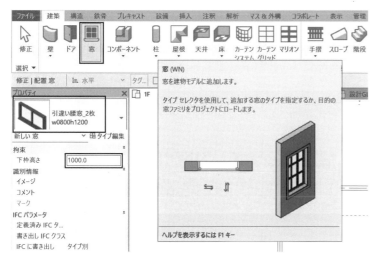

図 8-44　［窓］コマンド
［窓］コマンドから「引違い腰窓」を選択

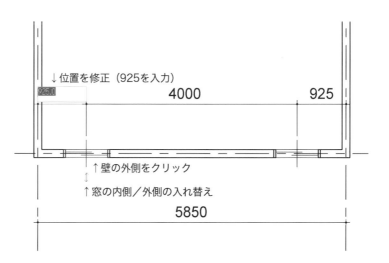

図 8-45　窓の配置
窓には内側と外側がある。外壁に取り付く窓は壁と窓の外側を合わせる

[d] 引違い腰窓
窓にはさまざまなタイプがある。建築テンプレートには以下のタイプが用意されている。

◎上げ下げ窓：上下の窓が下／上に動く
◎両開き窓：両側に開く
◎内倒し窓：内側に倒れるように開く
◎引違い掃出窓：窓が左右にスライドし，下端が床にあるタイプ
◎引違い腰窓：スライド式の引き違い窓で，下端が床から高い位置にあるタイプ
◎横／縦すべり窓：外側にすべるように開く窓。縦長と横長がある
◎突出し窓：突出すように開く窓

テンプレートにない窓は，データが提供されていれば［ファミリをロード］（後述）から読み込める。データがない場合は自作することになる

図 8-46　ドア
[ドア] コマンドから [片開き] を指定

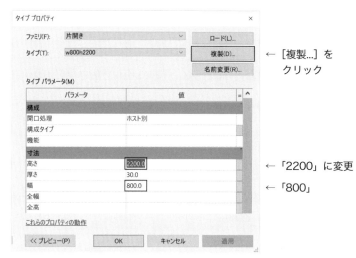

→ [複製...] を
　 クリック

← 「2200」に変更

← 「800」

図 8-47　タイププロパティ
[窓] コマンドから [引違い腰窓] を選択

ジェクトの方向を切り替えるアイコン「⤵」をクリックすれば OK です。
　図 8-45 は南側に 2 つの窓を配置しています。北側にも同じ窓を同様の位置
に配置してください。

8-15-2. 窓（2 階）

　2 階の窓は，1 階の窓をコピーすることで作成できます。手順は，屋根を作
成する際に 1 階床をコピーしたのと同様です。
　4 つの窓を複数選択[a] して，[クリップボードにコピー][b] をクリックし，
続けて，[選択したレベルに位置合わせ][c] をクリックします。コピー先を指
定するダイアログ [レベルを選択] で，「2F」を選択すれば，1F の窓が 2F に
コピーされます。

8-15-3. ドア

　次に 1F にドア（玄関ドア）を作成しましょう。箱形建築の玄関ドアは片開
き戸で，寸法は幅 800×高さ 2200 ミリとしています（1F の床上に高さが
2200 ミリのドアを配置すれば，ドアの天端が窓の天端に一致します）。
　ビューを「平面図＞1F」とし，リボン [建築＞構築＞ドア][d] をクリック

してください（図 8-46）。
　パネル [プロパティ] からドアの種類とサイズを指定するのですが，「片開
き」[e] に「w800h2200」のサイズは見当たらないと思います。そこで，新た
なドアを作成しましょう。たとえば「w800h2000」を選択し，[プロパティ]
の [新規作成ドア] の右にある [タイプ編集] ボタンをクリックしてください
（図 8-46）。すると，[タイププロパティ] ダイアログが現れます（図 8-47）。
ドアの高さと幅は，このダイアログの [寸法] で定義されていますので，これ
を変更していきます。
　異なる寸法のドアを作成するために，ダイアログの右上方にある [複製...]
ボタンをクリックしてください。すると，図 8-48 に示したダイアログが現
れ，新たに作成するドアの名前の入力が促されますので，「w800h2200」を
入力して，[OK] してください。
　次に，[タイププロパティ] ダイアログの中の [タイプパラメータ＞寸法]
の [高さ] と [幅] をそれぞれ「2200」と「800」とします（図 8-47）。こ
れで，「w800h2200」のドアが作成されました。このドアを「1F」に配置し
てください（図 8-49）。
　なお，外部に面するドアは，雨仕舞い（雨が内部に侵入しないしくみ）の観

図 8-48　タイプの名前の変更
名前は任意でよいが，寸法を表す名前にするとよい

点から，外部に向かって開く外開きにするのが一般的です（もちろん，ディテールを工夫すれば内開きにすることもできます）。外開きのドアを壁に配置する際は，壁の外壁側をクリックしてください。

8-16. 階段と手すり

次に階段と手すりを作成していきます（図 8-50）。

8-16-1. 階段

1 階から上る階段を作成するので，ビューを「平面図＞1F」に切り替えてください。そして，リボン［建築＞階段＞階段］[f] を選択してください（図 8-51）。

［プロパティ］から階段の特性を入力します（図 8-52）。階段の種類は，ここでは「現場打ち階段 [g] ／コンクリート」を使ってみましょう。［拘束＞基準レベル］（階段を上り始める階）が「1F」，［上部レベル］（階段を上り終わる階）が「2F」となっていることを確認してください。［寸法］の［蹴上数］は「14」とし，［実際の踏面奥行］には「=3200/13」と入力してください（= に続けて数式を入れれば計算してくれます）。

ここで，［蹴上数］が階段の蹴上 [h] の数（段数），［踏面奥行］は踏面 [i] の寸法のことです。箱形建築の階段は段数が 14 段，長さは 3200 で設計しています。踏面の数は「14−1＝13」なので，踏面の寸法は「3200÷13＝246.2」（ミリ）になります。なお，1 階の階高（2 階の床までの高さ）は 2800 ミリなので，蹴上の寸法は「2800÷14＝200」（ミリ）です。

階段の幅 [j] は 900 ミリで設計しているので，画面上部の［実際の経路幅］に「900」を入力してください。また，階段の中心が壁から画面の下方向に

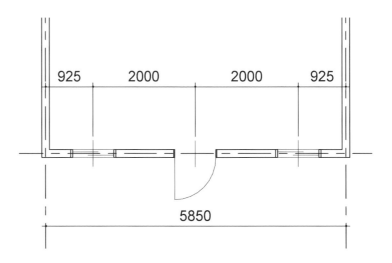

図 8-49　ドアの配置
ドアには開く向きがある。壁の外壁側をクリックすると外開きになる

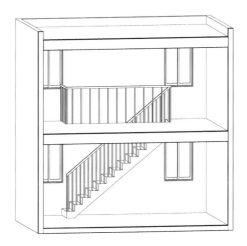

図 8-50　階段と手すり
階段と手すりを示す断面構成図

[e] 片開き戸
建築テンプレートには以下のタイプが用意されている。
◎二重：2 枚のドアが両側に回転して開く
◎片開き：1 枚のドアが回転して開く一般的なタイプ
◎親子：2 枚のドアが両側に回転して開くドアのうち，左右のドアの幅が異なるタイプ

[f] 階段

 階段

リボン［建築＞階段＞階段］

[g] 現場打ち階段
建築テンプレートには以下のタイプが用意されている。
◎プレキャスト階段：あらかじめ工場で製作される階段
◎現場打ち階段／コンクリート：現場でコンクリートを打設してつくられる階段
◎鉄骨階段：木造／鉄鋼／鉄鋼-ストリップの 3 種類がある（木造の鉄骨階段という言い方は不思議だが…）
いずれも，階段の踏面（段板）の両端をささら桁（階段の最下段から最上段にかけて斜めに延びる桁）が支える。ストリップは蹴上に面がないタイプ

（次ページに続く）

（前ページより続く）

[h] 蹴上（けあげ）
階段の各段の段差（1段あたりの高さ）のこと

[i] 踏面（ふみづら）
階段の各段の足が載る水平な面。また、その面の奥行の寸法のこと。通常、踏面の寸法は足裏の長さ程度（足裏の全体が踏面に載らなくてもよい）、踏面と蹴上を足した距離が一歩の歩幅程度（階段を上る動作における歩幅は歩く場合の歩幅より小さくなる）であることが望ましい。踏面＝246mm，蹴上＝200mmという箱形建築の階段は標準的な寸法の階段である。7章でモデリングした住吉の長屋の階段は，踏面＝230mm，蹴上＝207mmだった

[j] 階段の幅
階段の幅は、通常の上り下りがしやすい寸法でなければならないが、避難にも支障のない幅でなければならない。階段の幅の最小寸法は法律で定められている。建物の種類によって最小寸法は異なるが、小さな住宅でも、最小で750mmは必要である

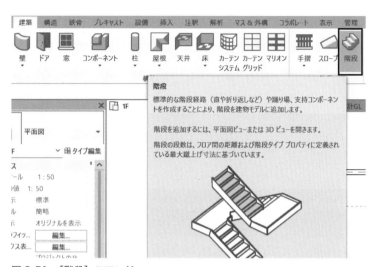

図 8-51　［階段］コマンド

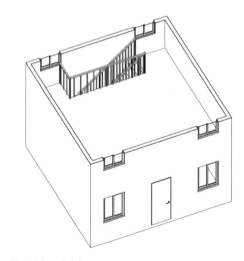

図 8-53　手すり

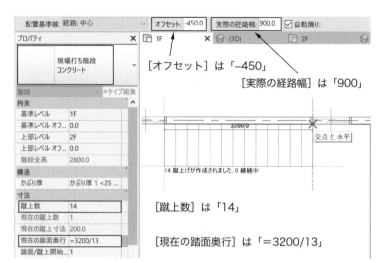

図 8-52　階段のプロパティとその作成

［現場打ち階段／コンクリート］を選択し，［オフセット］，［実際の経路幅］，［蹴上数］，［現在の踏面奥行］を設定している

450 ミリずれるので，［オフセット］を「−450」としてください。

　この設定で，階段の上り始めと上り終わりの壁の位置を指定し，［モード＞✓］をクリックすれば，階段が作成されます。

　このとき，「1つまたは複数の経路階段の実際の経路幅が階段タイプで指定されている最小階段経路幅を下回っています」といったアラート（警告）が出る場合がありますが，これは，階段の幅の最小値（最小階段経路幅）の初期値が1000ミリに設定されているために起こる警告です。住宅の階段幅は1メートル未満であることが多いので，問題ありません。

　階段が作成されると同時に，手すりも自動的に作成されます。室内側には手すりが必須ですが，壁側に作成される手すりは不要なので，選択して削除しましょう。

8-16-2. 手すり

　2階床の階段周りにも手すりが必要です（図 8-53）。手すりは，リボン［建築＞階段＞手すり］[a]の［パスをスケッチ］で作成しましょう（図 8-54）。

　［パスをスケッチ］は中心を描くことで手すりを配置する方法です。クリックすると切り替わるリボン［修正｜作成 手すりのパス］から［描画＞線］を

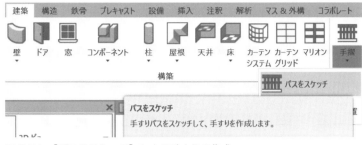

図 8-54 ［パスをスケッチ］による手すりの作成

図 8-55 手すりの描画ツール

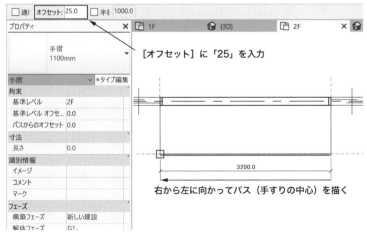

図 8-56 手すりの描画
［線］を使って手すりの位置（中心）を描画

選択してください（図 8-55）。そして，画面上部左の［オフセット］に「25」（ミリ）を入力し，まずは画面の右から左へ，長手方向（東西方向）の手すりのパス（中心）を描いてください（図 8-56）。［オフセット］に 25 ミリを入力するのは，手すりの幅が 50 ミリに設定されているからです（手すりの幅は［プロパティ＞タイプ編集］をクリックすれば確認できます）。パスが描けたら，［モード＞✓］をクリックすれば手すりが作成されます。

いったん長手方向の手すりを作成してから，同様に，短手方向（南北方向）の手すりのパスを下から上に向かって描いて，短手方向の手すりも作成してください。

8-17. 地盤面と外構

次に，地盤面[b]（地面）と点景などの外構[c]（外周り）をモデリングしていきます（図 8-57）。

8-17-1. ビューテンプレートと表示／グラフィックス

Revit では，2024 年のバージョンから地盤面を地形ソリッドと呼称するようになりました。古いバージョンで作成されたデータにも対応するために，各種設定画面では地盤面と地形ソリッドの 2 つが混在していますが，地形ソリッドのみ確認すれば大丈夫です。地形ソリッドを作成する前に，Revit のオブジェクトの表示に関する細かい設定の原理を理解していきましょう。

［建築テンプレート］の初期設定では，［平面図］には地形ソリッドが表示されるようになっています。地形ソリッドを表示させるのは配置図[d]に相当する「設計 GL」のみとしたいのですが，初期設定のままだと「1F」にも地形ソリッドが表示されてしまいます。

本章では，先に「8-7. スケールの設定とビューテンプレート」（P.92）において，すべての［平面図］ビューのプロパティを［ビューテンプレート＞平面図］に従うように設定していました。このままだと，「1F」に個別のプロパティを設定することができないので，この設定を変更して，「1F」に対してのみ，個別の設定を行えるようにする必要があります。

ビュー「平面図＞1F」を選択してください。［プロパティ＞識別情報＞ビューテンプレート］を見ると，［平面図］が指定されていると思います（図 8-9 参照）。その［平面図］をクリックすると［ビューテンプレートを割り当て］ダイアログが現れます（図 8-10 参照）。このダイアログの左方にある［ビューテンプレート＞名前］として指定されている［平面図］を［なし］に変更して［OK］してください。

[a] 手すり

リボン［建築＞階段＞手すり］

階段のサイドのほか，上階の床のない部分（階段や吹抜の周り），バルコニーや屋上などの端部に落下防止のための手すりが必要である。手すりの高さは，法律で 110 cm 以上と決められている。階段のサイドに取り付く手すりの高さには法律上の制限はないが，上り下りの際に手で握って身体を支えられる適切な高さとしなければならない

[b] 地盤面
建築は，その法律的な定義からして，地盤と一体化するものである。法律にこだわらない概念としては，地盤と一体化しない車や船を建築と見なす考え方もあるが，一般には，建築は地盤の上に建つ構造物である

[c] 外構
建物本体とは別に建物の外部（敷地周辺）にあるもの

[d] 配置図
建物の敷地と周囲を含む平面図または屋根伏図

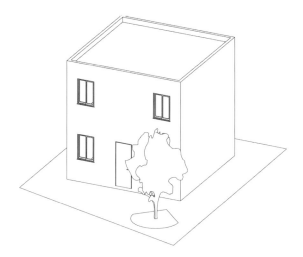

図 8-57　外構の表現

敷地（地盤面）と植栽を表現している

[a] 地形ソリッド

地形ソリッド

リボン［マス＆外構
＞外構作成＞地形ソ
リッド］

[b] 形状編集

点を追加
分割線を追加
支持部材を選択

サブ要素
を修正

形状編集 ▼

リボン［修正｜地形
ソリッド＞形状編
集］

敷地に起伏がある場
合，地盤面は高低差
のある3次元形状
の面となる。［形状
編集＞サブ要素を修
正］によって地盤面
を作成／編集する場
合，配置する点に高
さを与えることがで
きる（点を追加ある
いは選択したとき，
高さを入力するボッ
クスが現れる）。地
盤面が3次元形状
の面となる場合，
Revit は高低差に応
じて面を自動的に分
割する

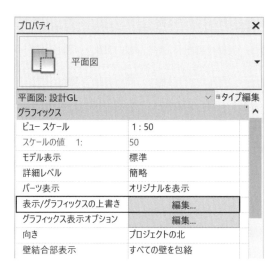

図 8-58　［表示／グラフィックスの上書き］の編集

ビューのプロパティから [表示／グラフィックス]（そこに表示するもの）を設定する

　［プロパティ＞グラフィックス＞表示／グラフィックスの上書き］の［編集...］（図 8-58）をクリックすると，［表示／グラフィックスの上書き］のダイアログボックスが開きます（図 8-59）。ここには，ビューが表示する項目の表示／非表示，線の太さや種類，パターンなど，設定可能な多くの項目がリスト表示されています。

　リストは［モデルカテゴリ］，［注釈カテゴリ］などにグループ化されています。［モデルカテゴリ］は床，壁，階段などの物理的に存在するモデルのリストで，［注釈カテゴリ］は通芯，レベル，寸法などの図面情報に関するもののリストです。

　［モデルカテゴリ］を見ると，［地形ソリッド］にチェックが入っていると思います。このチェックを外せば表示されないようになります（図 8-59）。

　以上で平面図に地形ソリッドを正しく表示できるようになりました。図面（画面）上に何をどう表示するかを設定する［表示／グラフィックスの上書き］は，Revit を使っていく上で多用することになる操作です。

8-17-2. 地形ソリッド

　地形ソリッドと樹木などの外構（外周り）は，リボン［マス＆外構＞外構作

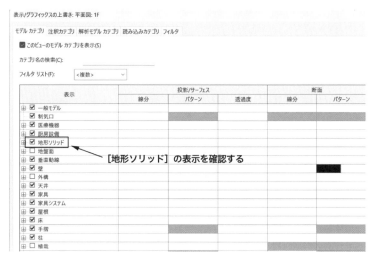

図 8-59　表示／グラフィックスの上書き

表示したくないオブジェクト（ここでは［地形ソリッド］）はチェックを外す

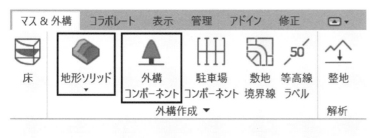

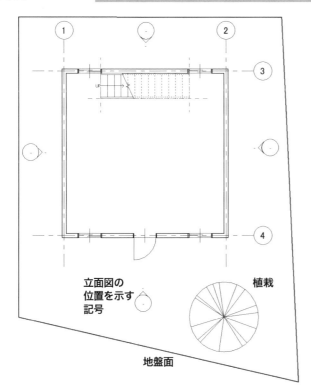

図 8-60　外構の作成
[マス＆外構] から，地盤面や外構コンポーネント（植栽など）を作成できる

図 8-61　地盤面（敷地）の描画
[描画>境界線>線] を使うと多角形の地盤を作成できる

成] から作成できます（図 8-60 上）。ビュー「設計 GL」を選択し，リボン [マス＆外構>外構作成>地形ソリッド>スケッチから作成][a] を選択すると，リボンが [修正｜地形ソリッドの境界を作成] に切り替わります（図 8-61）。

[地形ソリッド>読み込みから作成] で CAD などで作成された敷地図を読み込むこともできるのですが，ここでは [描画>境界線>線] を使って地形ソリッドを描いてみましょう。多角形の形状を，そのコーナーをクリックしながら線分で囲むように描いていきます。地形ソリッドが描けたら，[モード] の [✓] をチェックしてください。なお，地形ソリッドは地面であって，建物が建つ敷地ではありませんので，大きめにつくってください。

地形ソリッドの形状を修正したい場合は，地形ソリッドを選択し，リボン [修正｜地形ソリッド>形状編集][b] をクリックしてください。

形状ができたら，次に厚さを確認しましょう。地形ソリッドの厚さは，[プロパティ>タイプ編集] の [構造>編集] から変更できます。厚さは後ほど作成する基礎よりも深い寸法（たとえば 1000 ミリ）に変更しましょう。

地形ソリッドが描けたら，[立面図][c] の記号（図 8-60 下）は地形ソリッドの内側に配置してください。そうすることによって，地形ソリッドが立面図にも描かれることになります（立面の記号を地形ソリッドの外に置くと，立面図に地形ソリッドが描かれません）。

8-17-3. 外構コンポーネント

樹木などの点景は，図 8-60（上）にあるリボン [マス＆外構>外構作成>外構コンポーネント][d] から配置できます。[外構コンポーネント] をクリックし，[プロパティ] で樹木を選択し，配置してみましょう。図 8-60 では，「桜-4.5 メートル」（高さ 4.5 メートルの桜）を 1 本配置しています。

[c] 立面図
[建築テンプレート] の初期設定で，平面図には立面図を描く位置を示す記号が現れる。この記号を非表示にしたい場合は，ビュー（平面図）のプロパティの [表示／グラフィックスの上書き>注釈カテゴリ] の [立面図] をオフにする

[d] 外構コンポーネント

リボン [マス＆外構>外構作成>外構コンポーネント]

図 8-62 ［断面］コマンド
［断面］コマンドを使って平面図に切断位置をプロットすると，［断面図］ビューが作成される

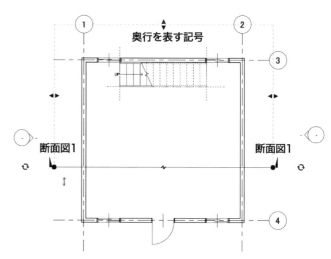

図 8-63 断面（切断位置）の作成
切断する位置と方向を指定する

断面図は建物を垂直に切断する切断図である（平面図は建物を水平に切断する）。建物を垂直に切断すると，地盤，床，壁，窓，屋根などの建築を構成する多くの部位が現れる。断面図を描く際は，その切断位置を工夫する必要がある。たとえば，ある部屋が切断されたとき，切断位置に窓がまったくなければ，その部屋には窓が存在しないように見えてしまう。もちろん，窓のある位置で切断できない場合もありえるが，できれば窓のある位置で切断するのがよい

8-18. 断面図

　さて，ここで，断面図 [a] を作成してみます。断面図はリボン［表示＞作成＞断面］で簡単に作成できます（図 8-62）。

　コマンド［断面］を選択して，いずれかの［平面図］に断面の切断位置と方向を示す切断線を描いてください。図 8-63 に，1 階平面図に入口から階段を見る断面の切断線を描いています。切断の方向（断面図を見る方向）は，切断線の両端に描かれる矢印によって示されます。この方向は，切断線を左から右に描いたときに手前から奥を見るように設定されます。

　切断線を描くと，パネル［オブジェクトブラウザ］に［断面図］ビューが追加されます。そのビューを選択すれば，図 8-64 のような断面図が現れます。この断面図は，壁と床の切断面が一体化していないなど，表現がラフで見づらいのですが，図面を正しく表現する方法については後述しますので，とりあえず見栄えは気にしないで，箱形建築を東西と南北の 2 方向に切断する断面図を作成してみてください。

　なお，［断面図］ビューでは［奥行］の設定ができます。図 8-63 に見られるように，切断位置を選択すると，「◁▷」のような奥行を表す記号が現れま

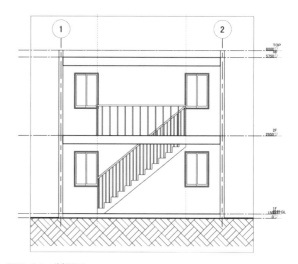

図 8-64 断面図
指定した切断位置における断面図

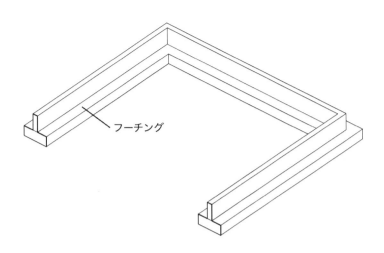

図 8-65　布基礎
壁の下部に設けられる逆 T 字型の基礎を布基礎という

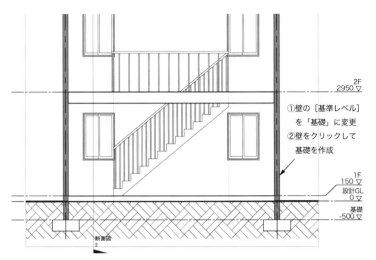

図 8-66　基礎の作成
GL-500 の位置にレベル「基礎」を作成。壁を選択して ［基準レベル］ を「基礎」に変更

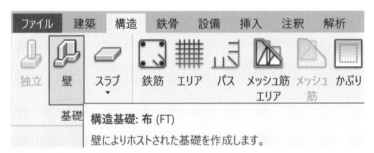

図 8-67　［基礎＞壁］ コマンド
布基礎は ［基礎＞壁］ を用いて作成する

す。この記号をドラッグすることで，断面図に表示する範囲を設定できます（この範囲を超える部分は表示されません）。

8-19. 基礎

　次に，基礎 [b] を作成します。基礎は建物の荷重を地盤に伝え，建物と地盤を一体化する建築の重要な部位です。

　基礎の形状は地盤と建物の状況に対応して設計されます。さまざまな形状がありえるのですが，ここでは，一般的な基礎の形状である布基礎 [c] を作成します。布基礎というのは，通常，鉄筋コンクリートでつくられ，図 8-65 に示したような逆 T 字型の形状をもちます。箱形建築は壁が床を支える構造なので，壁の下部に基礎が配置されます。逆 T 字型の水平部分はフーチングと呼ばれます。

　布基礎をモデリングするためには，フーチングの上面の高さを示す ［レベル］ の作成が必要です。いずれかの ［断面図］ ビューで，リボン ［建築＞基準面＞レベル］ を使って，「設計 GL」から–500 ミリの位置に ［レベル］ を作成してください（図 8-66）。 ［レベル］ の名前は，ここでは「基礎」とすることにします。

　基礎を作成する前に，［断面図］ ビューで 2 箇所の壁を選択してください。［プロパティ］ の ［拘束＞基準レベル］ には「設計 GL」が指定されているはずです。この指定を「基礎」に変更してください。すると，壁の下部が「基礎」レベルまで延長します（図 8-66 参照）。

　次に，図 8-67 に示したリボン ［構造＞基礎＞壁］ [d] を指定し，2 箇所の壁をクリックしてください。これで壁の下部に基礎のフーチングが作成されま

[b] 基礎
建物を支える下部構造（最下階の下部の構造）。建築は基礎によって地盤と一体化される「不動産」（土地に固定される動かないもの）である。基礎は，地盤の強度（建物を支える強度）に応じて設計される

[c] 布基礎
基礎の形状の一つ。最下階の梁または壁に沿って壁状に配置され，底面にフーチング（逆 T 字形の底版）をもつ。よく使われる布基礎以外の基礎の形状には，ベタ基礎（建物全体を面的な底版によって支える基礎）や独立基礎（個々の柱の下部にフーチングを設けて支える基礎）などがある

[d] 基礎＞壁

リボン ［構造＞基礎＞壁］

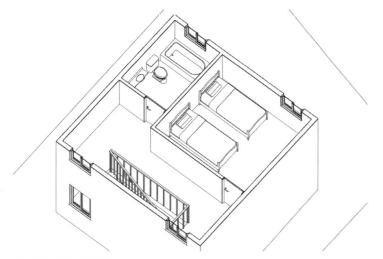

図 8-68　2 階の設計
2 階に間仕切り壁，ドア，家具を配置

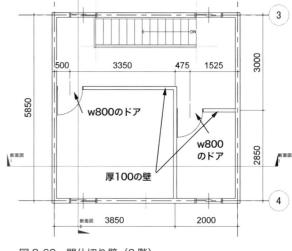

図 8-69　間仕切り壁（2 階）
2 階に室内壁とドアを配置

[a] 間仕切り壁
壁は，構造壁と間仕
切り壁に大別でき
る。構造壁は，床や
屋根を支える壁で，
間仕切り壁は，建物
の全体を支える働き
をもたない，空間を
仕切るための壁であ
る。構造壁が破壊さ
れれば建物全体の構
造が成り立たなくな
る一方，間仕切り壁
は全体の構造に影響
を及ぼさないので，
撤去可能である。な
お，部屋を仕切る壁
であっても，地震な
どによる水平力が建
物に加わった際に耐
力壁として働くよう
に設計されることが
あるので，構造的な
働きをもつこともあ
る

[b] 壁：意匠

[WA]

壁
▼

リボン［建築＞構築
＞壁＞壁：意匠］

す。別方向の［断面図］ビューでも同じ操作をして，四方の壁の下部に布基礎を作成してください。

8-20. 室内

　ここまでで，建物の外壁，床，屋根，階段ができあがりました。次に，室内を仕切って部屋を配置し，家具などを配置していきましょう。たとえば，2 階に，図 8-68 のような寝室と浴室・トイレを作成してみます。

8-20-1. 間仕切り壁とドア（2 階）

　2 階に，図 8-69 のように，間仕切り壁 [a]（室内の壁）を配置します。
　室内の壁は，屋根を支える構造壁ではなく，部屋を仕切るための間仕切り壁なので，厚さは 100 ミリで十分だと思います。リボン［建築＞構築＞壁＞壁：意匠］[b] の［プロパティ］で［標準壁／標準-100 mm］を選んでください（図 8-70）。
　壁を立ち上げる方向は［上方向］，［拘束＞基準レベル］は「2F」です。［拘束＞上部レベル］（壁の上端のレベル）は「RF」（屋根）なのですが，［上部レベル オフセット］に「−300」を入力してください。これは，室内壁は 2 階の天井面，すなわち，屋根の下面まで立ち上がればよいので，屋根の厚さである 300 ミリだけ，上部の位置を下げたいからです。
　壁は太線で描かれるよう初期設定されており，壁同士は自動的に包絡 [c]（外形を包む表現）されます。壁の位置は，壁を選択すると表示される寸法の修正により，柔軟に変更できます。手描きとは異なり，寸法を後から柔

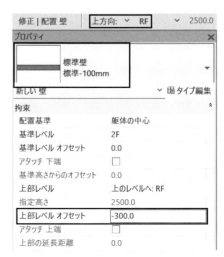

図 8-70　室内壁のプロパティ
厚さ 100 mm の壁を選択し，高さを「RF-300」に設定

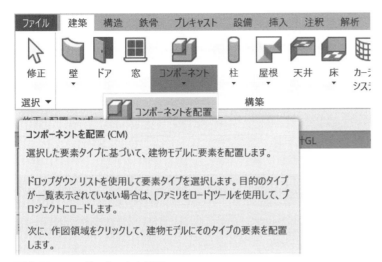

図 8-71　コンポーネントを配置
コンポーネント（家具などの要素）を配置するコマンド。ショートカットは CM（Component）

図 8-72
ファミリをロード

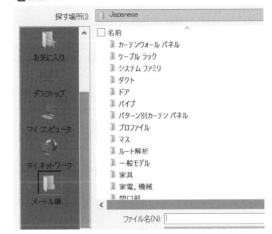

図 8-73　ファミリのライブラリ
さまざまなファミリ（部品）がライブラリに用意されている

軟に修正できるのが Revit の特徴です。

　壁が作成できたら，ドアも配置してください。一般に，ドアには枠があり，枠は壁からとび出るように取り付きます。図 8-69 では，「w800×h2000」（幅 800 ミリ）のドアを配置していますが，ドアの枠がサイドの壁から 25 ミリとび出る（枠の見付けを 25 ミリとする）ようにしています。

8-20-2. 家具と設備（2 階）

　ベッド，テーブル，キッチン，トイレ，浴槽などの家具や什器（設備）は，Revit では，コンポーネント（要素）と呼ばれます。図 8-71 に示したリボン［建築＞構築＞コンポーネント＞コンポーネントを配置］を使ってこれらの家具と設備を配置していきましょう。

　コンポーネントの種類は，［プロパティ］から選択できます。ただし，［建築テンプレート］に組み込まれているのは基本的な家具のみで，キッチン，トイレ，浴槽などは含まれていないと思います。Revit では，コンポーネントを含む建築のさまざまな要素（部位）と図面表現に必要な要素のことを，ファミリと呼んでいます。テンプレートに含まれていないファミリ（部品）は，外部のライブラリ（データベース）から読み込んだり，自分で定義をしたりする必要

があります。ここでは，Revit の標準ライブラリから，キッチン，トイレ，浴槽などを読み込んでみます。

　リボン［修正｜配置 コンポーネント］の［モード＞ファミリをロード］（図 8-72）をクリックすると，標準ライブラリが開きます（図 8-73）。この標準ライブラリにはさまざまなファミリが登録されているので，使いたいファミリを探して配置してください。図 8-74 に 2 階の配置例を示します。

　この図 8-74 では，以下のファミリをロードして使用しています。

　　洗面カウンター -楕円-3D：給排水衛生設備＞建築＞造作＞シンク
　　洋式便器-3D：給排水衛生設備＞建築＞造作＞手洗い所
　　浴槽-長方形-3D：給排水衛生設備＞建築＞造作＞浴槽

なお，ライブラリはファミリが階層的に整理されています。ファミリとして登録されているコンポーネントには，平面図や断面図などの 2D ビューでのみ表示される「2D」のものと，3D ビューでも表示される「3D」のものがあります。図 8-74 では 3D のコンポーネントを使用しています。

　コンポーネントは，コンポーネントを選択すると表示されるリボン［修正］にある［移動］[d] や［回転］[e] などを使って，位置を修正できます。

　なお，Revit のファミリは自分で作成できるほか，建築関係の各社がさまざ

[c] 包絡
壁の接合部などが壁の内部に現れるのを避ける図的な処理を包絡処理という。壁を切断する平面図では，切断される壁を太線の輪郭で表すことが多く，Revit の初期設定でもその方法で表される（表現方法は設定で変更できる）。構造壁であれ間仕切り壁であれ，壁の内部の構造は複雑であるが，通常，その内部を目にすることはなく，空間は壁の表面によって囲まれる。したがって，平面図においては，第 1 に，壁の表面（輪郭）を明確に表現することが重要である。その際，壁は一体化した塊として描かれるべきであるから，壁の輪郭を表す線は包絡処理されるべきである

[d] 移動

[MV]

リボン［修正＞移動］

[e] 回転

[RO]

リボン［修正＞回転］

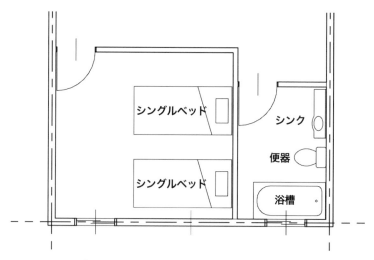

図 8-74　コンポーネントの配置（2 階）
洗面カウンター，洋式便器，浴槽を配置

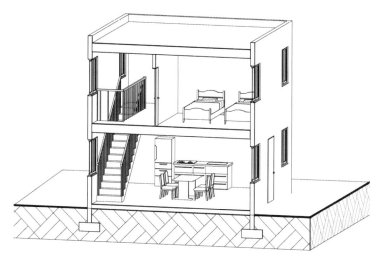

図 8-75　コンポーネントの配置（1 階）
ダイニングセット，システムキッチン，冷蔵庫を配置

[a] 部屋名
建築は何らかの機能（使われ方）をもつものであるから，必ず部屋をもつ。通常，住宅であれば，「居間，ダイニング，キッチン，浴室，トイレ」などの部屋をもつ。建築を学び始めたばかりの学生の中には，特定の機能をもたない空間に部屋名を与えることに抵抗を感じる人がいるかもしれない。しかし，その場合でも，特定の機能を明示しない「多目的室，スペース A，部屋 1」などの名称，あるいは「名前のない部屋」といった名称を工夫するべきである

まな製品を公開・配布しています。実務では，必要なファミリの作成や収集が重要になります。

8-20-3. 1 階のコンポーネントとアンダーレイ

　1 階にも，2 階と同様にコンポーネントを配置してください。図 8-75 は，以下のコンポーネントを配置しています（間仕切り壁は作成していません）。

　　　ダイニングセット：家具＞テーブル＞ダイニングテーブル
　　　システムキッチン 2-3D：設備，機器＞キッチン
　　　冷蔵庫 1：家電，機械＞住宅系

　さて，ここで，ちょっとしたおまじないが必要になるかもしれません。ビュー「平面図＞2F」を見ると，図 8-76 のように，1 階が透けて見えているのではないでしょうか？　これは，[平面図] ビューの [プロパティ＞アンダーレイ] の [範囲：下部レベル] に下の階が設定されているときに起こります。

　[アンダーレイ] は，上階のプランを考えるときに下階のプランを見たい場合に必要になる表現です。下階を透かして見たい場合もあると思いますが，そうでない場合は「なし」に変更しましょう。

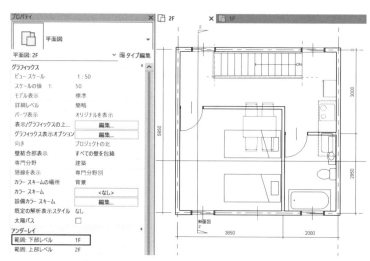

図 8-76　アンダーレイの設定
平面図ビューでは，指定した範囲を透過する／しないを指定できる

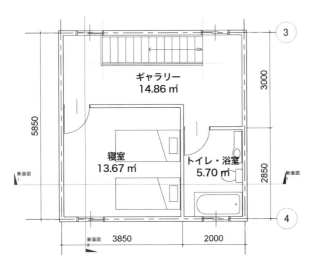

図 8-77　部屋名の表現

半面図には部屋名を表現が必要

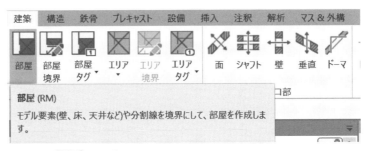

図 8-78　［部屋］ツール

部屋を作成するツール。ショートカットは RM（Room）

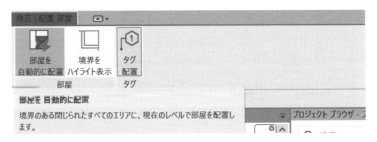

図 8-79　部屋の自動配置

部屋（部屋名）は個々に配置することもできるし，一括で自動配置することもできる

集計表/数量
- ドア
- ルーフィング
- 内部仕上表
- 各階床面積
- **各階部屋面積**
- 壁の付属品
- 天井
- 家具
- 床
- 柱 構造
- 構造梁
- 照明器具
- 窓

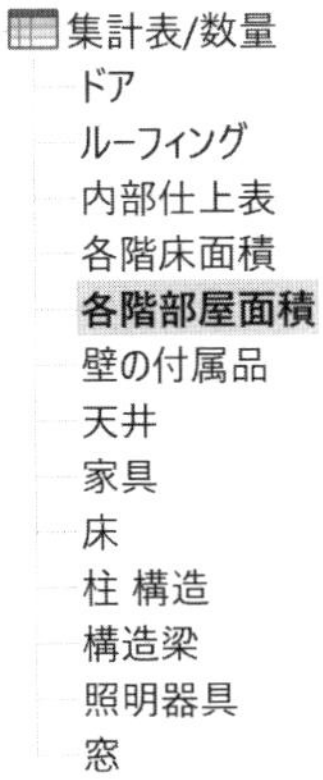

図 8-80

プロジェクト
ブラウザ
集計表

集計表からさまざまな
数量を集計できる

8-20-4. 部屋

平面図には部屋名 [a] が必要です。Revit は，［部屋］というオブジェクトをもっていますので，［平面図］に［部屋］を配置しましょう（図 8-77）。

ビュー「平面図＞2F」で，リボン［建築＞部屋とエリア＞部屋］をクリックしてください（図 8-78）。マウスカーソルを部屋のある位置にもっていくと［部屋］を配置できますが，部屋ごとに配置しなくても，リボン［部屋＞部屋を自動的に配置］を使うと，壁で囲まれた空間に自動的に［部屋］が作成されます（図 8-79）。

デフォルトでは部屋名が「部屋」といった名称となると思いますが，これは変更しましょう。Revit の BIM らしさが発揮されることの一つに，部屋の面積を自動的に計算し表示してくれることがあります。［プロジェクトブラウザ＞集計表／数量＞各階部屋面積］（図 8-80）をクリックすると，図 8-81 に示すような面積表が表示されます。この面積は，もちろん，壁の位置を変更すれば再計算されます。

	〈各階部屋面積〉	
A	**B**	**C**
床	部屋名称	面積(m2)
1F	ダイニング・キッチン	34.22
2F	トイレ・浴室	5.70
2F	寝室	13.67
2F	ギャラリー	14.86
		68.45

図 8-81　各階部屋の面積表

部屋を配置すると，その面積が自動的に集計される

2階平面図

立面図（西）

断面図2

1階平面図

立面図（南）

断面図1

図 8-82　箱形建築の図面表現（平面図，立面図，断面図）（1:100）

8-21. Revit による図面表現

以上で，箱形建築の 3D モデルができあがりました。同時に，3D モデルに連動して，平面図・立面図・断面図と立体図（3D ビュー）もできています。でも，現時点の各図面では，包絡処理がうまくいっていなかったり，記号などの表示がうるさすぎたりしていると思います。あるいは，まだ不足している情報もあって，あまり見やすくない状態だと思います。

本章の締めくくりとして，本節で，わかりやすく見やすいように見栄えを調整します。図 8-82 に完成した平面図・立面図・断面図を示します。

8-21-1. 表現の方法

図 8-82 の図面は，以下のスタイルで表現しています。

(1) 壁，床，基礎の切断面は塗り潰す。建築を水平あるいは垂直に切断して内部空間を表す平面図や断面図では，壁や床などの切断面 [a] を明確に表す必要がある。切断面の塗り潰しはそのための方法の一つである

(2) 通芯，レベル，断面の切断位置は表示しない。これらは工事のための図面には必要な情報だが，空間のカタチと大きさを表す基本図面では，表現するとかえって煩雑になる

(3) 平面図のほか，断面図にも部屋名を記入する。建築の部屋には必ず名称があるので，忘れないように記載する

(4) 地盤面と植栽は配置図のみに表現し，平面図には表現しない

(5) 配置図には屋根の形状を表現する。また，地盤面と植栽は配置図のみに表現する

(6) 立面図に表す地盤面は線で表現し，切断面のパターンは表示しない

8-21-2. モデルと注釈

ここで，Revit を使いこなすためのポイントであるモデルと注釈について説明します。

建築の図面に描かれるものには，物理的に存在する建築を表すオブジェクト（壁，床，屋根，建具，階段，家具など）と，物理的には存在しない作図や説明のためのオブジェクト（通芯，レベル，参照面，寸法など）の 2 種類があります。Revit では前者をモデル，後者を注釈と呼んでいます。

Revit では，モデルと注釈に属するオブジェクトを個別に表示／非表示にできます。その設定をする［プロパティ］が［V/G はモデルに優先］と［V/G は注釈に優先］です。「V/G」は「表示とグラフィックス」の略だと思います

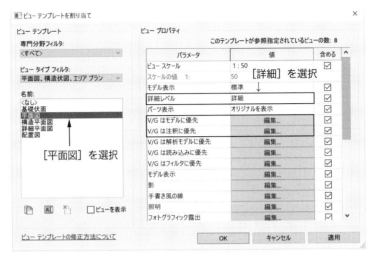

図 8-83　ビューテンプレートのプロパティ

［詳細レベル］，［V/G はモデルに優先］，［V/G は注釈に優先］の 3 項目を設定

が，この「V/G」をうまく設定するのが図面の見栄えをよくするコツです。

8-21-3. 平面図

まずは，ビュー［平面図］の「モデル」と「注釈」の［プロパティ］を設定し，表現を整えていきます。

［平面図］の［プロパティ］は各階ごとに設定することができますが，1 階と 2 階は共通なので，ここでは，ビューのテンプレート（ひな形）を使うことにします。「1F」と「2F」の両者のビュー［平面図］の［プロパティ］の［識別情報＞ビューテンプレート］に［平面図］を指定してください。

次に，指定した［平面図］クリックすると［ビューテンプレートを割り当て］ダイアログが現れます（図 8-83）。

ここでは，まずは，［詳細レベル］に［詳細］を指定してください。これは，建具（窓やドア）と家具などをわかりやすく示すための設定です。そして，モデルと注釈に関して，以下の設定をしてください。

(1)［V/G はモデルに優先］：以下の項目をオフ（チェックを外す）

地盤面，外構，植栽

［壁］の［断面＞パターン］をクリックする（図 8-84）。開いたダイアロ

[a] 切断面
詳細図では，壁や床の構造を表すためにその内部の構成を描く。しかし，基本図面では，壁や床の内部の構成の表現は省略することが多い。空間のカタチや大きさは壁・床・天井・開口部などの表面によって決定するので，その内部はむしろ省略する方がわかりやすいからである。壁や床の内部を省略するには，切断面を塗り潰すほか，その輪郭を太線で描く（すなわち，内部を白く塗り潰す）方法もよく使われる。建築を学び始めた学生は，まずは，いずれかの方法で，空間を明確に描くべきである

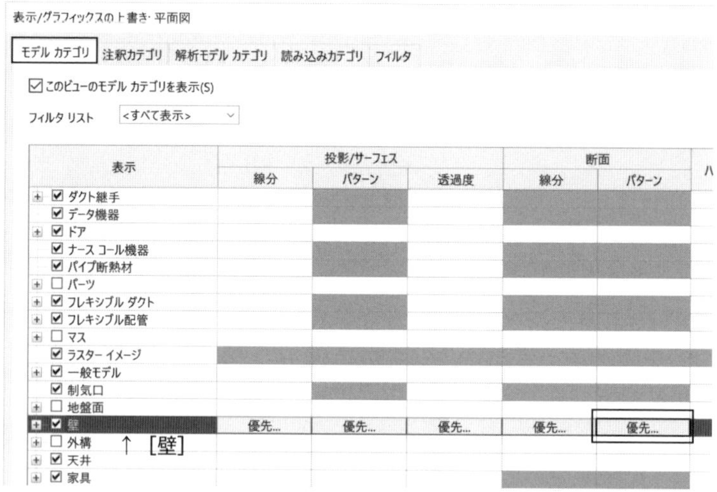

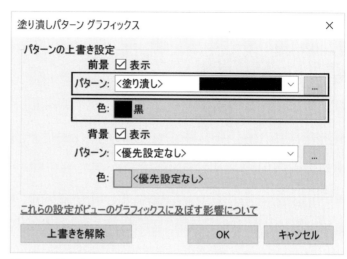

図 8-84　壁の断面パターンの設定

[壁] の [断面>パターン] をクリックする。[モデル カテゴリ] と [注釈カテゴリ] はタブで切り替えることもできる

グ [塗り潰しパターン グラフィックス] から以下の2つを設定（図 8-85）
　　[パターンの上書き設定>前景>パターン] を「塗り潰し」[a]
　　[色] を「黒」
(2) [V/G は注釈に優先]：以下の項目を非表示（図 8-86）
　　　参照面，断面図，立面図，通芯

8-21-4. 立面図

次に，立面図の表現を整えます。

「西／東／南／北」の4つのビュー [立面図] に [ビューテンプレート>立面] を指定してください。そして平面図と同様に以下の設定をしてください。
(1) [詳細レベル]：「簡略」
(2) [モデルカテゴリ]（V/G はモデルに優先）：
　　　[地形ソリッド>断面>パターン] を「塗り潰し」に設定
　　　[色] は「黒」ではなく「白」とする
　　　[植栽] を表示
(3) [注釈カテゴリ]（V/G は注釈に優先）：以下を非表示
　　　レベル線，参照図，断面図，通芯

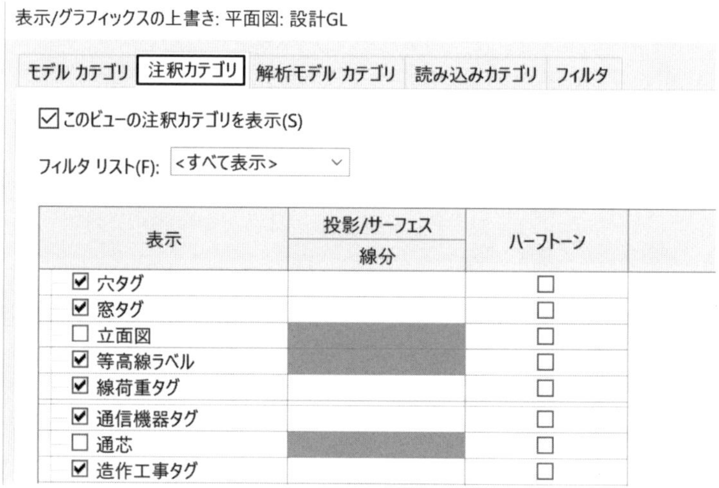

[a] 塗り潰し
Revit では，さまざまなオブジェクトの断面にパターンを設定できる。平面図においては，壁と開口部が切断されるが，切断面が表れるのは壁なので，壁を塗り潰すことで，内部の詳細を省略する切断面の表現ができる

[b] ビュースケール
図面のスケールの設定。先に「8-7. スケールの設定とビューテンプレート」で，平面図と立面図のスケールを1:50 に設定したので，それに合わせて断面図も 1:50 に設定している。スケールは，モデリングの過程では特に意識する必要はなく，最終的に図面を出力する際に設定すればよいことではある。しかし，スケールによって，オブジェクト（建築のカタチ）に対する線の太さや文字（寸法）の大きさなどが変わってくるので，あらかじめスケールを意識しておく方がよい

右側：

図 8-85　塗り潰しのパターン

[パターン] を「塗り潰し」に，[色] を「黒」に設定

表示/グラフィックスの上書き: 平面図: 設計GL

| モデル カテゴリ | 注釈カテゴリ | 解析モデル カテゴリ | 読み込みカテゴリ | フィルタ |

☑ このビューの注釈カテゴリを表示(S)

フィルタ リスト(F)：　<すべて表示>

表示	投影/サーフェス	ハーフトーン
	線分	
☑ 穴タグ		☐
☑ 窓タグ		☐
☐ 立面図		☐
☑ 等高線ラベル		☐
☑ 線荷重タグ		☐
☑ 通信機器タグ		☐
☐ 通芯		☐
☑ 造作工事タグ		☐

図 8-86　表示／グラフィックスの上書き：注釈カテゴリ

[参照面，断面図，立面図，通芯] を非表示にする

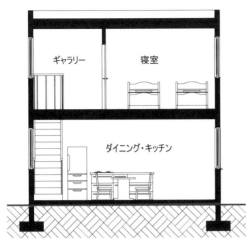

図 8-87　断面図
切断面を黒く塗り潰した断面図。部屋名は［文字］として記入している

図 8-88　配置図
建物の屋根伏と敷地（地盤面）を表した配置図。方位は［記号］を用いて配置している

　続いて，地形ソリッドの断面の左右下の線をトリミングしましょう。［プロパティ＞ビューをトリミング］と［プロパティ＞トリミング領域を表示］をオンにして，トリミング領域の枠を調整してください。

8-21-5. 断面図
　断面図の表現も整えましょう（図 8-87）。
　ビュー［断面図］の［ビューテンプレート］にテンプレート［断面図］を割り当て，以下の設定と操作をしてください。
(1)［ビュースケール］[b]：「1:50」
(2)［詳細レベル］：「詳細」（「簡略」でもよい）
(3)［モデルカテゴリ］（V/G はモデルに優先）：
　　　［壁］，［床］，［構造基礎］の［断面＞パターン］を［塗り潰し］
　　　［色］は「黒」
(4)［注釈カテゴリ］（V/G は注釈に優先）：
　　　以下を非表示
　　　　レベル線，参照面，断面図，立面図，通芯
(5)［部屋名］：
　　　リボン［注釈＞文字 [c]］を用いて記入。文字のフォントやサイズは，

［文字］の［プロパティ］で変更できる
　もし地形ソリッドのパターンと基礎の塗り潰しが逆転してしまった場合は，リボン［修正］で［地形ソリッド］を選択し，いったん［カットしてクリップボードへ］でカットして，［貼り付け＞同じ位置に位置合わせ］でペーストしてみてください。

8-21-6. 配置図
　ビュー「平面図＞設計 GL」を配置図として表現しましょう（図 8-88）。ここで，箱形建築の平面形状は，平面図ではなく屋根伏図 [d]（屋根面のカタチを表す図）として描くことにします。ビュー「平面図＞設計 GL」の［プロパティ］で，以下の設定をしてください。
(1)［識別情報＞ビューテンプレート］：「なし」
(2)［ビュースケール］：「1:100」
(3)［グラフィックス＞表示／グラフィックスの上書き＞編集...］をクリックし，［注釈カテゴリ］の以下を非表示
　　　参照面，断面図，立面図，通芯
(4)［範囲＞ビュー範囲＞編集...］をクリックし，［ビュー範囲］ダイアログの［メイン範囲＞上］と［メイン範囲＞断面］の両者を，箱形建築の高さで

[c] 文字

[TX]

A 文字

リボン［注釈＞文字］

[d] 屋根伏図
屋根を上方から眺める投象図（遠近感を表さない図）。建築では，床伏図，天井伏図，基礎伏図などによって，各部の形状を伏図として描く。ここで，伏図は必ず上方から下方を眺める図であって，下方から上方を眺める図は伏図とは呼ばれない（天井の場合も，天井伏図は天井を上方から眺める図である）

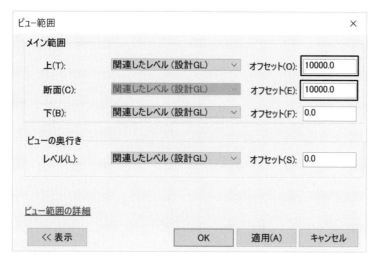

図 8-89　ビュー範囲
配置図では、「設計 GL」のレベルの上部にあるものをすべて描きたいので、[断面] と [上] を「10000（mm）」とし、GL ～ GL+10000 の範囲を描くようにしている

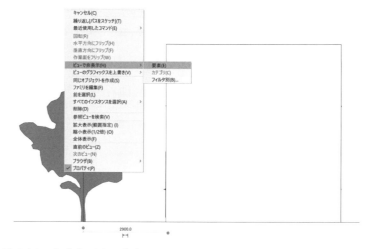

図 8-90　オブジェクトの非表示
個々のオブジェクトを非表示にするには、オブジェクト選択＋右クリックで現れるサブメニューから「ビューで非表示＞要素」を実行する

[a] 方位
平面図の方位は、デフォルト（初期設定）で、画面の上が北になっている。この設定は、もちろん、変更することができる

[b] 記号

リボン [注釈＞記号]

[c] ファミリをロード

リボン [修正｜配置記号＞ファミリをロード]

[d] シート

リボン [表示＞シート構成＞シート]

ある6メートル以上、たとえば「10000」に設定（図 8-89）

ここで、[ビュー範囲] は、水平な切断図である [平面図] ビューをどの高さで切断し、どこからどこまでを表現するかの設定です。[断面] が切断面のビューのレベル（この場合は、GL＝高さゼロ）からの高さ、[下] が描く高さの下限、[上] が上限です。[断面] と [上] を建物の高さより高くすれば、屋根面が描かれます。

図 8-88 では配置図に方位 [a] を記入しています。方位は [記号] の一つとしてファミリのライブラリに登録されています。リボン [注釈＞記号[b]] をクリックし、[修正｜配置 記号] の [ファミリをロード[c]] から読み込んで配置してみてください。ライブラリのフォルダ「注釈」の中に、「方位1」などの記号が用意されています。

8-21-7. 要素の非表示

以上の設定で、図面の表現が整理できたと思います。上記の設定以外で表示したくない要素があれば、各ビューで個別に非表示にすることもできます。

たとえば、ビュー「立面図＞東」で、[植栽] を表示したくない場合、その [植栽] を右クリックすると現れるサブメニューから [ビューで非表示＞要素]

を選択すると、その要素は非表示となります（図8-90）。[要素] ではなく [カテゴリ] を指定すると、選択した要素と同一のカテゴリ（この場合はすべての [植栽]）を一括で非表示にできます。

逆に、非表示となっている要素を表示したい場合は、画面の下部にある [ビューコントロールバー] の [非表示要素の一時表示] を使います（図 8-91）。このアイコンをクリックするとすべての要素が一時的に表示されるので、表示したい要素を右クリックして、[ビューで非表示解除] を選択してください。[非表示要素の一時表示] はスイッチになっているので、再度クリックすれば、一時的な表示の状態は解除されます。

8-22. 図面のレイアウト

最後に、図 8-82（平面図、立面図、断面図）に示したように、複数の図面（ビュー）を1枚のシート（用紙）にレイアウトしてみましょう。

8-22-1. シートの作成

リボン [表示＞シート構成＞シート[d]] をクリックすると、新規にシートを作成するダイアログが現れます（図 8-92）。このダイアログでは、図面の

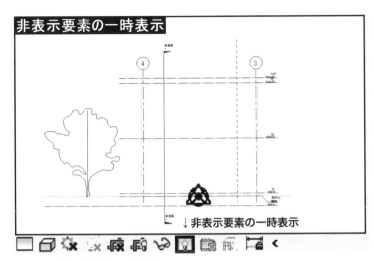

図 8-91　非表示要素の一時表示
画面下部のビューコントロールバーの中に非表示の要素を一時的に表示するためのスイッチがある

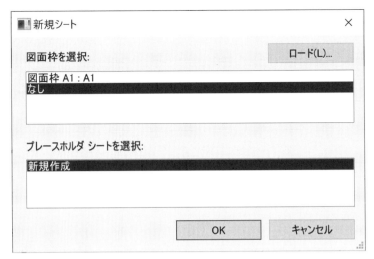

図 8-92　シート
複数のビュー（図面）を 1 枚のシート上にレイアウトするためには［表示＞シート構成＞シート］から図面枠を指定する

サイズや図面枠のデザインが定義されたテンプレートである［図面枠］[e] を選択できます。

　［建築テンプレート］には A1 サイズ（841×594 ミリ）の［図面枠］が登録されていますが，そのほかのサイズの［図面枠］もライブラリに用意されていますので，必要に応じて，「ロード...」をクリックして，［ファミリをロード］から読み込んでください。なお，［図面枠］は，メニュー［ファイル＞新規作成＞図面枠］から作成することもできます。

8-22-2. シート上への図面のレイアウト

　ここでは，特に，シートのサイズやデザインにはこだわらないこととして，［図面枠］に「なし」を指定します。

　「なし」を含めて，いずれかの［図面枠］を指定すると，パネル［プロジェクトブラウザ］にビュー［シート］が追加されます。その［シート］を表示して，［プロジェクトブラウザ］上の［平面図］，［立面図］，［断面図］などのそれぞれのビューの名称をドラッグすれば，［シート］上に図面がレイアウトされます。［シート］の［プロパティ］として，「タイトルあり／なし」などがあるので，必要に応じて変更してください。

レイアウトしたビュー（個々の平面図，立面図，断面図など）を修正すると，その修正は［シート］上の図面にも反映されます。

8-22-3. 文字の記入

　シートに何かを，たとえば断面図に部屋名を書き込みたい場合は，リボン［注釈＞文字］[f] を使用します。［文字］の大きさは，その［プロパティ］から変更できます。

●

　Revit の操作を一通り解説した本章はかなり長くなってしまいました。でも，これで，BIM の作法としての図面の作成を前提とした 3D モデリングが学べたと思います。Revit で作成した図面は，［CAD 形式］[g] などで書き出して，AutoCAD などの CAD（Computer Aided Design）やそのほかのソフトウェアで読み込んだり編集することができます。必要に応じて，CAD での図面の編集も試みていただければと思います。

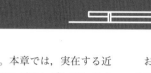

前章で BIM（Revit）の基本的な操作を学びました。本章では，実在する近代建築の傑作，ファンズワース邸（1951）を Revit でモデリングしていきます。また，3D モデルを美しくレンダリング（描画）する方法についても解説します。

本章はやや難易度の高い内容となりますが，高度に設計されたファンズワース邸のモデリングと図面の作成にチャレンジしてください。

9-1. ファンズワース邸

ファンズワース邸 [a] は，アメリカ・イリノイ州のシカゴの近郊に建つ平屋建ての住宅（別荘）です。近代建築の巨匠の一人，ミース・ファン・デル・ローエ [b]（1886-1969）によって設計されました。別名「ガラスの家」と呼ばれる鉄骨構造の美しい建築です（写真 9-1，9-2，図 9-1）。

およそ 8.8×16.5 メートルの方形の平屋（1 階建て）の内部空間をもち，そこに外部空間であるポーチとテラスが接続しています。地上より持ち上げられた床と屋根が鉄骨の柱で支えられています。内部空間は周囲をガラスで包まれていて，周辺は自然に囲まれています。

Revit はあらかじめ用意されたファミリ [c]（部品）をつかってモデリングをするのがもっとも効率的です。ファンズワース邸のディテール（細部の構成）は高度に設計されています。高度なディテールを Revit でつくりこむことは可能ですが，簡単とはいえません。Revit を実務に使うならば（本来実務に使うものなのですが…），さまざまなディテールをファミリとして作成していくことになります。でも，BIM の学習としては，そこに手間をかけるのは避けたいと思います。そこで，本章では，やや乱暴なやり方になりますが，ファンズワース邸を忠実につくりこむのではなく，Revit にあらかじめ用意されている

[a] ファンズワース邸　シカゴ生まれの医師，エディス・ファンズワース（1903-1977）が，ミース・ファン・デル・ローエに設計を依頼した別荘。1951 年に竣工している。近代建築のマスターピース（傑作）の一つ。アメリカ・シカゴの西 100 km ほどに位置するプラーノに建つ。現在は公的財団が所有し，歴史遺産として一般公開されている
https://
farnsworthhouse.
org/

ファンズワース邸の図面は，以下の書籍に収録されている
『GA ディテール No.1〈ミース・ファン・デル・ローエ〉ファンズワース邸 1945-50』(A.D.A. EDITA Tokyo Co., Ltd., 1976)

写真 9-1　ファンズワース邸

写真 9-2　ファンズワース邸

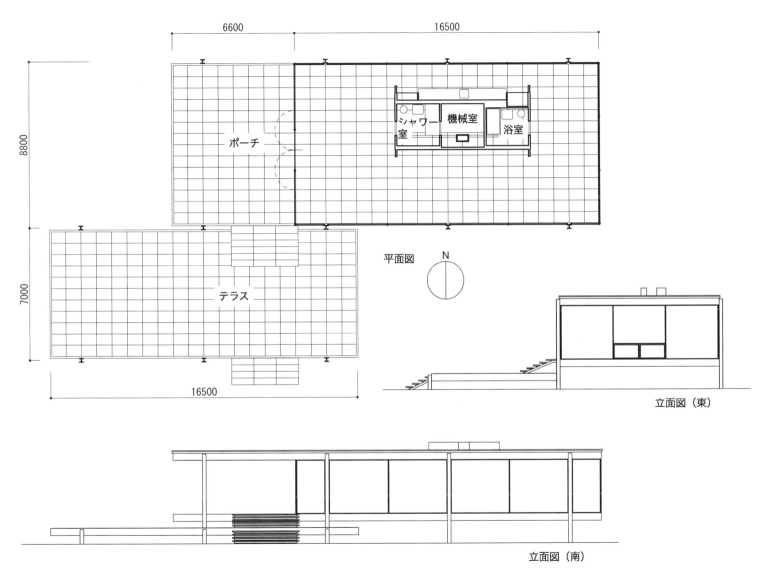

6600　　16500

8800

7000

ポーチ

シャワー室　機械室　浴室

平面図　N

テラス

16500

立面図（東）

立面図（南）

図 9-1　ファンズワース邸／平面図，立面図（1:200）

[b] ミース・ファン・デル・ローエ
ドイツに生まれた建築家。1938 年までの拠点はドイツであったが，以降はアメリカに移住し，イリノイ州のシカゴを拠点とする。鉄とガラスによる近代建築のデザインを追求した。代表作は，バルセロナパビリオン（1929，スペイン），トゥーゲントハット邸（1930，チェコ），イリノイ工科大学クラウンホール（1956，アメリカ），シーグラムビル（1958，アメリカ），ベルリン国立美術館新ギャラリー（1968，ドイツ）など

[c] ファミリ
Revit では部品のことをファミリ（共通の特性をもつもの）と呼んでいる。ファミリをライブラリ化（ほかのプロジェクトと共有する部品とする）ことで，モデリングの効率化が図れる。あらかじめ多くのファミリが用意されているが，建材メーカーなどが提供するファミリもある。また，ファミリを自分で作成することもできる

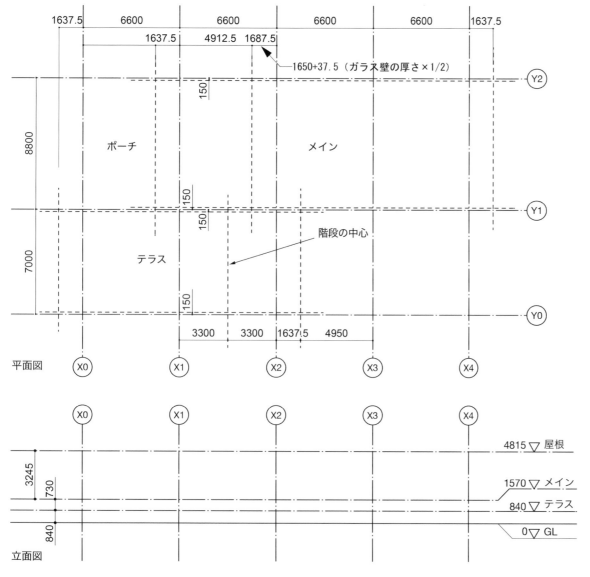

1637.5　6600　6600　6600　6600　1637.5

1637.5　4912.5　1687.5

1650+37.5 （ガラス壁の厚さ×1/2）

150

Y2

8800

ポーチ　　　　　　　　メイン

150

150

Y1

7000

テラス

階段の中心

150

Y0

3300　3300　1637.5　4950

平面図

X0　　　　X1　　　　X2　　　　X3　　　　X4

X0　　　　X1　　　　X2　　　　X3　　　　X4

4815 ▽ 屋根

3245

730

1570 ▽ メイン

840 ▽ テラス

840

0 ▽ GL

立面図

図9-2　通芯，レベル，参照面（1:250）　平面図の点線は参照面を示している

ファミリだけを使っていきたいと思います。至高の
ディテールをもつファンズワース邸の設計者である
ミースには怒られてしまうかもしれませんが，BIM
の勉強のために，お許しを願いたいと思います。

　ファンズワース邸のしくみ（構成）については，
前掲（P.72）の『建築のしくみ —住吉の長屋／サ
ヴォワ邸／ファンズワース邸／白の家』（丸善，以
下『建築のしくみ』という）の4章で解説していま
すので，参考にしてください。なお，本章では，一
部の図を『建築のしくみ』から転載しています。

9-2. 寸法とスケールの設定

　前章と同様に，［建築テンプレート］を使って，［プ
ロジェクト］を開始してください。

　アメリカに建つファンズワース邸は，インチ・
フィートの単位で設計されていますが，本書では寸
法をミリに換算しています。鉄骨の寸法も，アメリ
カの規格に相当するJIS規格（日本工業規格）に置
き換えています。Revitを使えば，インチ・フィー
トでの寸法の指定も容易なのですが，私たちとって
はインチ・フィートだと寸法の感覚がつかみにくい
と思いますので，ここではミリを使っていきます。

　インチ・フィートをミリに換算することは，オリ
ジナルの設計を少しだけ歪曲してしまうことになり
ます。でも，これも勉強のための一歩として，設計
者であるミースにお許しいただきたいと思います。
インチ・フィートでのモデリングは，Revitに慣れ
た後で，各自で試してください。

　テラスを含むファンズワース邸は，おおよそ30×
16メートルほどの大きさをもちます。箱形建築よ
りはかなり大きな建築なので，図面のスケールは，
［建築テンプレート］で初期設定されている
「1:100」で進めていきます。

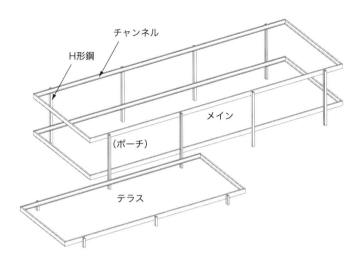

図 9-3　柱とチャンネル
ファンズワース邸の骨格となる柱（H形鋼）とチャンネル（溝形鋼）

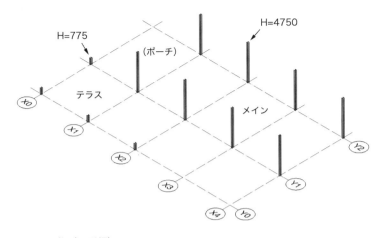

図 9-4　柱（H形鋼）
テラスのみを支える柱の高さは 775 mm，屋根を支える柱は 4750 mm

9-3. モデルの構成（通芯とレベル）

　ファンズワース邸は，部屋が 1 つだけのワンスペースの住宅です。洗面室，トイレ，暖炉，キッチンなどの設備は，部屋の中に設備コア（設備がまとまった空間）として配置されています。部屋へのアプローチ部分に，屋根のある外部空間，すなわちポーチがあり，そのポーチより一段低いレベルにテラスがあります（テラスには屋根はありません）。本章では，ポーチを含む屋根のある部分を，便宜上「メイン」と呼ぶことにします。

　最初に，［平面図］ビューで［通芯］[a] と［参照面］[b] を図 9-2 のように設定してください。

　通芯の交差点（交点）に立つ柱は 200 ミリ角の H 形鋼 [c] です。X 方向（東西方向）のスパン（間隔）が 6.6 メートル，屋根のある部分の Y 方向（南北方向）のスパンが 8.8 メートルです。これらの柱が，床と屋根の周囲に廻る幅 100 ミリのチャンネル（溝形鋼，後述）を支えます（図 9-3）。チャンネルは東西に 1.65 メートル（6.6 メートルの 1/4）跳ね出しています。そして，床と屋根のレベルにあるチャンネルの間にガラスの壁が取り付きます。

　参照面は幅 100 ミリのチャンネルの通芯（中心軸）を表すものです。ガラ

スの壁（サッシの見込み＝厚さが 75 ミリ）の通芯とにズレが生じることから，参照面に位置を示す寸法が細かい値になっています。

　また，［立面図］ビューで［レベル］[d] を図 9-2 のように設定してください。ここでは，チャンネルの上面をレベルとしています。

　［通芯］の名称は「X0 〜 X4」と「Y0 〜 Y2」としています。［レベル］の名称は，「GL」（高さゼロ）のほか，「テラス」（テラスを支えるチャンネルの上面），「メイン」（部屋とポーチを支えるチャンネルの上面），「屋根」（屋根を支えるチャンネルの上面）としています。

　なお，床と屋根はチャンネルの間に架け渡される H 形鋼の梁によって支えられるのですが，梁は床下あるいは天井裏に隠れるので，ここではモデリングを省略します。基礎のモデリングも省略します。

9-4. 柱

　平面図ビュー「GL」上で，200 ミリ角の H 形鋼（H-200×200×8×12）を配置しましょう（図 9-4）。以下，手順を示します。

(1) リボン［建築＞柱＞柱 構造］で柱を配置する。しかし，「建築テンプレート」には H 形鋼が組み込まれていない。そこで，リボン［修正｜配置 構

[a] 通芯 [GR]
リボン［建築＞基準面＞通芯］

[b] 参照面 [RP]
リボン［建築＞基準面＞参照面］

[c] H 形鋼

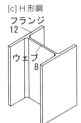

フランジ 12
ウェブ 8

H 型の断面をもつ鉄骨。建築における鉄骨は，コンクリートのような塊ではなく，薄い板（面）によって構成された断面をもつことが多い。H 形鋼のほか，溝形の断面をもつ溝形鋼，L 型の山形鋼，パイプ上の鋼管，板状の平鋼などがある。建築の鉄骨は工場で製作され，現場に輸送され，組み上げられる。鉄骨のサイズは，日本では JIS（日本工業規格）で定められている。H 形鋼には，2 枚の平行な板状の部分と軸となる 1 枚の板状の部分がある。前者はフランジ，後者はウェブと呼ばれる

[d] レベル [LL]
リボン［建築＞基準面＞レベル］

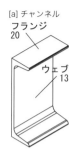

[a] チャンネル

フランジ
20

ウェブ
13

溝形の断面の鉄骨。
溝形は「C」の形状
であり，「チャンネ
ル（Channel）」と
呼ばれる

[b] ビュー範囲
平面図は，一般に
は，建物を水平に切
断した切断レベルか
ら下方を表す図であ
る。Revit の平面図
には「ビューの範
囲」という概念が
あり，図に描く切断
レベルの上下の範囲を
指定することができ
る。また，眺める下
方の上限も指定する
ことができる。たと
えば，2 階の平面図
を描くとき，2 階の
床下より下方の 1
階を眺める必要があ
るかどうかはケース
バイケースなので，
必要に応じて，
「ビューの範囲」を
設定することになる

[c] ビューテンプ
レート
P.92 の「8-7. スケー
ルの設定とビューテ
ンプレート」参照

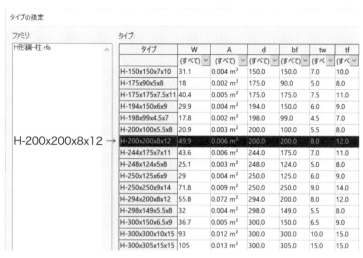

図 9-5　ファミリをロード
「H-200×200×8×12」は，断面の全体の幅と奥行が 200 mm，両側の平行な部分（フランジという）の厚さが 12 mm，軸の部分（ウェブという）が 8 mm であることを表す

タイプ	W	A	d	bf	tw	tf
	(すべて)	(すべて)	(すべて)	(すべて)	(すべて)	(すべて)
H-150x150x7x10	31.1	0.004 m²	150.0	150.0	7.0	10.0
H-175x90x5x8	18	0.002 m²	175.0	90.0	5.0	8.0
H-175x175x7.5x11	40.4	0.005 m²	175.0	175.0	7.5	11.0
H-194x150x6x9	29.9	0.004 m²	194.0	150.0	6.0	9.0
H-198x99x4.5x7	17.8	0.002 m²	198.0	99.0	4.5	7.0
H-200x100x5.5x8	20.9	0.003 m²	200.0	100.0	5.5	8.0
H-200x200x8x12	49.9	0.006 m²	200.0	200.0	8.0	12.0
H-244x175x7x11	43.6	0.006 m²	244.0	175.0	7.0	11.0
H-248x124x5x8	25.1	0.003 m²	248.0	124.0	5.0	8.0
H-250x125x6x9	29	0.004 m²	250.0	125.0	6.0	9.0
H-250x250x9x14	71.8	0.009 m²	250.0	250.0	9.0	14.0
H-294x200x8x12	55.8	0.072 m²	294.0	200.0	8.0	12.0
H-298x149x5.5x8	32	0.004 m²	298.0	149.0	5.5	8.0
H-300x150x6.5x9	36.7	0.005 m²	300.0	150.0	6.5	9.0
H-300x300x10x15	93	0.012 m²	300.0	300.0	10.0	15.0
H-300x305x15x15	105	0.013 m²	300.0	305.0	15.0	15.0

H-200x200x8x12 →

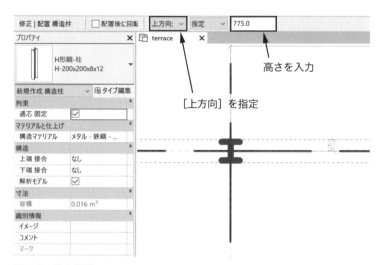

高さを入力

［上方向］を指定

図 9-6　柱の配置
通芯の交点に H 形鋼を配置する

造柱＞配置＞ファミリをロード］を使って，ライブラリフォルダの「柱構造＞鉄鋼＞H 形鋼-柱.rfa」を開き，「H-200×200×8×12」を指定して読み込む（図 9-5）

(2) 読み込んだ H 形鋼を通芯の交差点に配置する。テラスのみを支える 4 本の柱の高さは「775」ミリ，屋根を支えるメイン部分の柱の高さは「4750」ミリ。リボンの下部に現れる柱配置のオプションを［上方向］とし，高さの寸法を［指定］して，通芯の交差点に柱を配置する（図 9-6）

9-5. チャンネル

次に，「テラス／メイン／屋根」の 3 つのレベルに架かるチャンネル [a]（床と屋根の外周を支える溝形鋼）を作成しますが，ここで，［平面図］ビューで，先に配置したはずの柱の一部（テラスのみを支える柱）が見えていないと思います。これは，［ビュー範囲］[b]（ビューの可視化領域）がテラスより上のレベルに設定されているからです。そこで，チャンネルを作成する前に，［ビュー範囲］の設定をしましょう。

9-5-1. ビュー範囲

すべての平面図について，一括で以下の設定をしてください。この設定で，各レベルよりも下方のオブジェクトが表示されるようになります。

(1) すべての［平面図］ビューを［選択］し，パネル［プロパティ］の［識別情報＞ビューテンプレート [c]］に［平面図］を割り当てる（図 9-7）。

(2) また，すべての［立面図］ビューにも［ビューテンプレート＞立面］を割り当てる

(3) ［ビューテンプレートを割り当て］ダイアログの［ビュープロパティ＞ビュー範囲］の［編集］をクリックして，設定用のダイアログを開く（図 9-8）

(4) ［メイン範囲＞下］と［ビューの奥行き＞レベル］が「関連したレベル」になっているので，これを「下のレベル」あるいは「無制限」に切り替える

9-5-2. 詳細レベル

ビューの［プロパティ］の［詳細レベル］が「簡略」に設定されていると水平フレーム（梁）の形状が現れません。［詳細レベル］を［詳細］に変更して

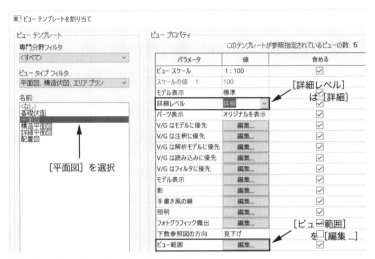

図 9-7　ビューテンプレートを割り当て

ビューにはテンプレートを指定できる（テンプレートを指定しない場合は〈なし〉を選択する）

図 9-8　ビュー範囲の設定

ビューの可視化領域の設定。平面図におけるビュー範囲は，［メイン範囲］が切断面の上下の領域，［ビューの奥行き］が下方の上限を示す

ください。さらに，［ビューテンプレート＞立面］の［詳細レベル］も「詳細」に変更してください。

9-5-3. テラスのチャンネル

　テラスに「C-380×100×13」という高さ 380 ミリ，幅 100 ミリのチャンネルを配置しましょう。チャンネルは［建築］リボンではなく［構造］リボンにある［構造＞梁］[d] を使って，以下の手順で配置します。

(1) チャンネルも［建築テンプレート］には組み込まれていないので，［ファミリからロード］で，ライブラリの「構造フレーム＞鉄鋼＞C-溝形鋼.rfa」の中にある「C-380×100×13」を読み込む（図 9-9）

(2) ファミリはそれぞれが基準点（ファミリの原点）をもっている。［プロパティ＞タイプ編集...］をクリックし，［タイププロパティ］の［寸法＞x］を「50」ミリに変更する（図 9-10）。この変更によって，基準点が 100 ミリの幅の中央に設定される

(3) チャンネルは柱の内側に取り付き，長手方向（東西の方向）に跳ね出している（図 9-11）。チャンネルの断面は左右対称ではないので，ウェブ（垂直な面）の位置に注意する必要がある。オプションの［連結］を

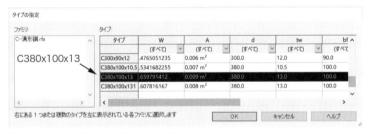

図 9-9　ファミリのロード／チャンネル

「C-380×100×13」（高さ 380 mm，幅 100 mm，ウェブの厚さ 13 mm）を指定する

　チェックし，［参照面］の交点を時計回りに結んでいけば，ウェブが外側に位置するようにチャンネルが配置される（図 9-12）

9-5-4. コーナーの連結

　配置されたチャンネルを［プロジェクトブラウザ＞3D ビュー］で確認すると，接合部において，図 9-13 の右図のように，チャンネルの断面が見えてしまっていると思います。これではダメなので，接合部の調整が必要です。

[d] 梁：構造
[BM]

梁

リボン［構造＞構造＞梁］

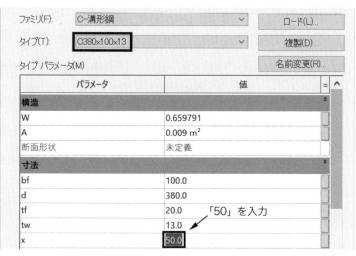

図 9-10　チャンネルのタイプ編集

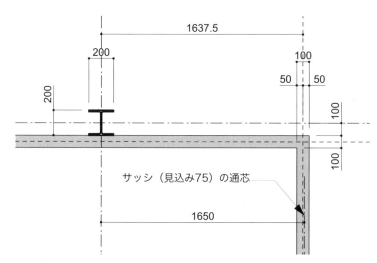

図 9-11　チャンネルのコーナー

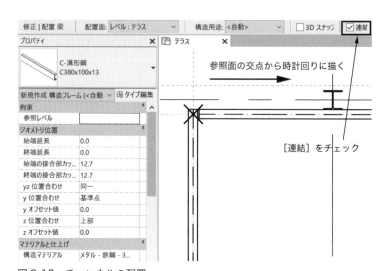

図 9-12　チャンネルの配置

チャンネルを選択すると現れるリボン［修正 | 構造フレーム］の中に［ジオメトリ＞梁接合／柱接合］[a] があります（図 9-13）。このコマンドを使って，チャンネルの接合部に現れる矢印をクリックすると，接合部の形状が変化します。外向きの矢印「→」をクリックして，チャンネルの端部を 45 度カットで接合させてください。この操作は［平面図］ビューでもできます。

9-5-5. ポーチ／部屋と屋根のチャンネル

「テラス」のほか，「メイン」と「屋根」のレベルにもチャンネルを配置してください。「屋根」レベルは「メイン」のチャンネルを［クリップボードにコピー］[b] して［選択したレベルに位置合わせ］[c] すれば OK です。これで示したフレーム（構造体）ができあがります（P.127 の図 9-3 参照）。

9-6. 床

次に床を作成します。床と屋根の構成を図 9-14[d] に示します（屋根については後述します）。

ファンズワース邸の床は，厚さ 30 ミリのトラバーチン [e] という上質の大理石で仕上げられています。床はチャンネルの間に架かる H 形鋼の梁に支え

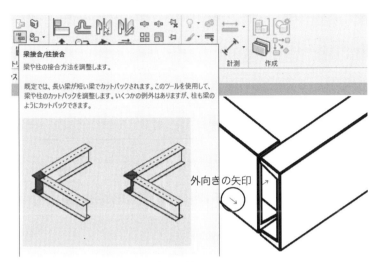

図 9-13　チャンネルの接合部（梁接合）
外向きの→をクリックして接合部の形状を修正する

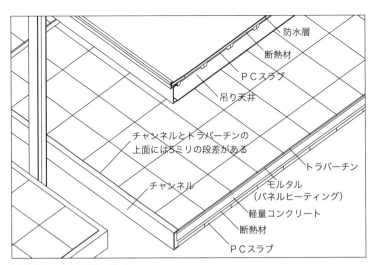

図 9-14　床と屋根の構成
床は，PC スラブ（工場で生産されるプレキャストコンクリート版）の上に構成される。床下には温水パイプが通っていて，冬期には床全体がパネルヒーティングとして暖められる

られていて，ほぼチャンネルの背（高さ）に等しい厚さで下地が構成されています。本章では，床下に隠れてしまう梁と下地のモデリングは省略しますが，トラバーチンはそれらしく表現したいと思います。

　床の構造の設定については前章でも説明していますが，もう一度，ここで復習しましょう。

9-6-1. 床の構造とマテリアル

　最初にメイン（部屋とポーチ）の床をつくっていきます。メインの床の上面は，チャンネルの上面よりも 5 ミリ高い位置にあります。床の下面をチャンネルの下面に合わせると，床の厚みは，厚さ 30 ミリのトラバーチンを含んで 385 ミリということになります（実際には，床の下面のディテール[f] は単純ではありませんが，見えない部分なので，チェンネルの下面に合わせた一様な面とします）。

　ビューを「平面図＞メイン」に切り替え，リボン［建築＞構築＞床］[g] のプルダウンメニューの［床：意匠］で床を作成すればよいのですが，厚さ 385 ミリのトラバーチン仕上げの床は用意されていません。そこで，以下の手順で作成しましょう。

(1) ［床：一般 150 mm］などを選び，［プロパティ＞タイプ編集］をクリック

(2) ［タイププロパティ］ダイアログ（図 9-15）で，［複製］ボタンをクリック。複製する床の「名前」は，たとえば「FWH 385 mm」などとする

(3) ［タイププロパティ＞タイプパラメータ＞構成＞構造］の［編集...］をクリック

(4) 床の構成（素材の重なり）を設定する［アセンブリを編集］ダイアログの「構造 [1]」の行を選択してから［挿入］をクリックすると，その上に行が作成される。作成された行の［機能］を「仕上げ 1[4]」に変更する（図 9-16）。この「仕上げ 1[4]」をトラバーチンとしたいので，厚さを「30」に設定する。また，その下部を床の構造体としたいので，「構造 [1]」の厚さを「355」とする

　これで 355 ミリの下地の上に 30 ミリのトラバーチンが載った床が定義できました。次にマテリアルを設定することで，600×825 ミリ角のトラバーチンの目地（パターン）を定義しましょう。

[f] 床のディテール
ファンズワース邸の床は，チャンネル（水平フレーム）の間に架かる H 形鋼の梁と，その H 形鋼の下側のフランジの上に載るプレキャストコンクリート版（PC スラブ，工場で生産されるコンクリート版）によって支えられる。プレキャストコンクリート版の上部に断熱材，軽量コンクリート，モルタルが打設され，その上にトラバーチンが張られる。モルタルの内部には，床暖房（パネルヒーティング）のための温水を流すパイプが仕組まれている

[g] 床

床
▼

リボン［建築＞構築＞床］

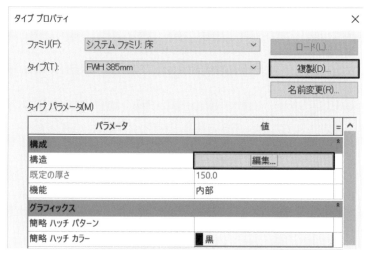

図 9-15　床のタイププロパティ

床の構造を設定するダイアログ。既存のタイプを「複製」し，その「構造」を［編集...］する

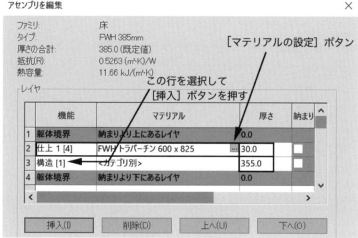

図 9-16　床のアセンブリを編集

厚さ 355 mm の構造体「構造 [1]」の上部に厚さ 30 mm のトラバーチン「仕上げ 1 [4]」が重なる床を定義する

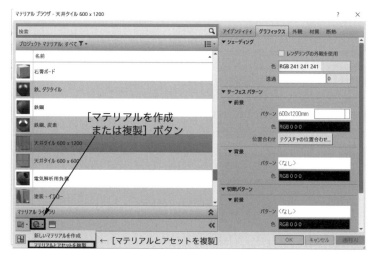

図 9-17　マテリアルブラウザ

オブジェクトのマテリアル（素材）を設定するダイアログ

[a] マテリアル
マテリアル（素材）はオブジェクトのプロパティ（特性）の一つ。たとえば，ファンズワース邸の床は，PC（プレキャストコンクリートスラブ），断熱材，軽量コンクリート，モルタル，トラバーチンといったマテリアルによって構成されている。しかし，表面（上面）に現れるマテリアルはトラバーチンのみであって，そのほかは内部または下面にあるので，目には見えない。そこで，本章では，目に見えるトラバーチンだけをモデリングしている。実務的な実施設計などで，もし，すべてのマテリアルの使用量（重量）などを知りたい場合は，すべてのマテリアルをモデリングに含める必要がある

9-6-2. マテリアル

　［仕上げ 1 [4]］の［マテリアル］の項目を選択してボタン［...］をクリックすると，マテリアル[a]（素材）の設定をする［マテリアルブラウザ］が現れます（図 9-16，9-17）。ここでトラバーチンを指定したいのですが，見当たらないと思います。そこで，以下の手順で代替品を定義しましょう。

(1) 用意されているマテリアルの中から「天井タイル 600×1200」を選択する（このマテリアルは「一般」に分類されている）

(2) ダイアログの左下にある［マテリアルを作成または複製］ボタンから「マテリアルとアセットを複製」する。複製の名前は，たとえば「FWHトラバーチン 600×825」などとする

(3) ダイアログの右側にある［サーフェスパターン＞前景＞パターン］をクリックすると，［塗り潰しパターン］ダイアログが現れる（図 9-18）

(4) ここで，たとえば「600×1200 mm」などのパターンを選択し，［塗り潰しパターンを複製］ボタンをクリックすると，［サーフェスパターンを追加］ダイアログが現れる（図 9-19）

(5) ここで，［名前］を「600×825 mm」に変更し，［行間隔］を「600 mm」と「825 mm」とする

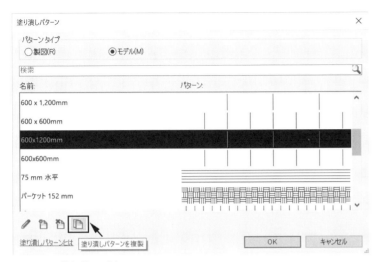

図9-18　塗り潰しパターン
マテリアルの表面のパターン（目地）を設定するダイアログ

図9-19　サーフェスパターンを追加
トラバーチンのサイズ（目地の間隔）である600×825 mmのパターンを作成

　これで600×825ミリ角のトラバーチンの床が定義できました。開いているダイアログの［OK］をクリックしていけば設定が確定します。

9-6-3. 配置
　リボン［修正｜床の境界を作成］を使って，以下の手順で「FWH 385 mm」を配置しましょう（図9-20）。
(1) ビューを「平面図＞メイン」に切り替える
(2) ［描画＞長方形］[b] でチャンネルの内側に長方形を描く。その際，床の上面を5ミリ高くするために，［プロパティ］の［拘束＞基準レベルオフセット］を「5」とする
(3) ［モード］を［✓］（チェック）する
(4) ビューを「平面図＞テラス」に切り替える
(5) 「メイン」と同様に床を配置すればよいが，テラスの床の上面のレベルは，チャンネルの上面より10ミリ高い位置にあるので，［基準レベルオフセット］は「10」とする（下面のレベルがチャンネルの下面と一致しないことになるが，それは気にしないことにする）
　これで床ができあがりました。先に設定した床のパターン（目地）は自動的

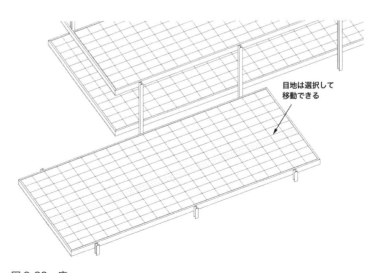

目地は選択して移動できる

図9-20　床
トラバーチンの目地のある床

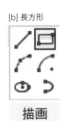

[b] 長方形

描画

リボン［修正｜床の境界を作成＞描画＞長方形］

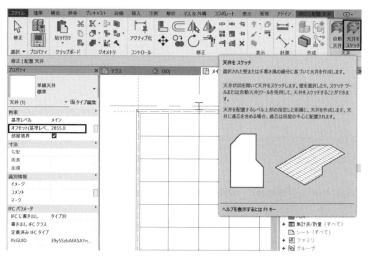

図 9-21　天井の作成
［天井をスケッチ］で天井を作成する

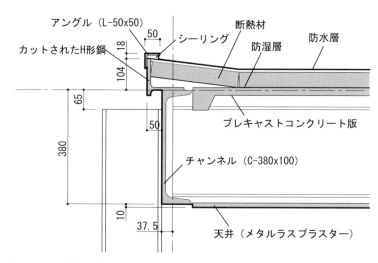

図 9-22　屋根のディテール
屋根はチャンネルの間に架かる H 形鋼の上に載るプレキャストコンクリート版によって支えられる

[a] 天井

天井

リボン［建築＞構築
＞天井］

[b] 天井をスケッチ

天井を
スケッチ

リボン［修正｜配置
天井＞天井＞天井を
スケッチ］

[c] 図 9-22
『建築のしくみ』よ
り転載

[d] プレキャストコ
ンクリート版
現場で打設されるの
ではなく，工場で生
産されるコンクリー
ト版

に配置されます。目地の位置が適切でない場合は，目地を選択（Tab キーを押
して選択）し，マウスをドラッグして移動すれば位置を調整できます。

9-7. 天井

　続いて，ビューを「平面図＞メイン」に切り替え，天井（屋根ではなく天
井）を配置しましょう（図 9-21）。
　ファンズワース邸の天井には，メタルラスプラスターという薄い石膏質の
ボードが使われていますが，ここでは，［単線天井］（このマテリアルは石膏ボー
ドです）で代用したいと思います。
　(1) リボン［建築＞構築＞天井］[a] の［プロパティ］から［単線天井］を選
　　　択する。
　(2) リボン［修正｜配置 天井＞天井＞天井をスケッチ］[b] を指定する。
　(3) ［プロパティ＞拘束＞オフセット（基準レベル）］に天井高である
　　　「2855」を入力する。
　(4) ［描画＞長方形］を選択して，床と同様に，チャンネルの内部に長方形を
　　　描いて，［モード］を［✓］（チェック）する。

9-8. 屋根と鼻隠

　ファンズワース邸の屋根のディテールを図 9-22[c] に示します。実際のファ
ンズワース邸の屋根は，チャンネルの間に架かる H 形鋼（H-300×150）とプ
レキャストコンクリート版 [d] によって架構されています。プレキャストコン
クリート版の上には防湿層と断熱材が載ります。チャンネルの上部には，鼻隠
となる「カットされた H 形鋼」とアングル（山形鋼）が溶接され，断熱材＋
防湿層の端部をおさえます。
　Revit でこのディテールを忠実にモデリングするのはかなり面倒です。H 形
鋼を加工して製作された「カットされた H 形鋼」は Revit のライブラリには
存在しないので，ファミリを自作しなければなりません。ファミリの作成は，
Revit の操作に慣れればさほど難しいことでもないのですが，ここではその解
説は避けたいと思います。そこで，ディテールを少し単純化して，ファミリを
作成しない方法でモデリングを進めます。

9-8-1. 屋根

　ここでは，プレキャストコンクリート版の上に載る厚さ 70 ミリの断熱材の

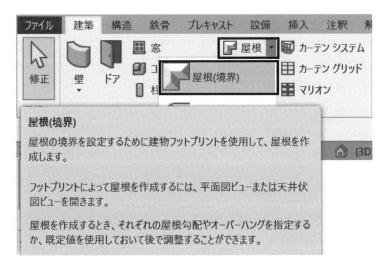

図9-23　屋根（境界）
フットプリント（上から見たカタチ）に基づく屋根を作成する

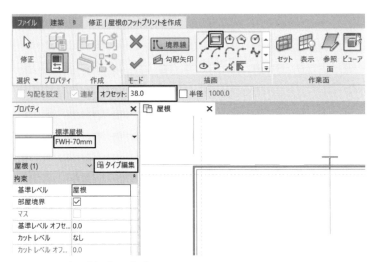

図9-24　屋根（境界）の作成
描画の方法は長方形。オフセットに「38」を指定。プロパティは［タイプ編集］で指定

部分を目に見える屋根としてモデリングすることにします。ビューを「平面図
＞屋根」に切り替えて作業を進めてください。

(1) リボン［建築＞構築＞屋根］の［屋根（境界）］[e]をクリックする（図
9-23）と，リボンが［修正｜屋根のフットプリントを作成］に切り替わ
る（図9-24）

(2) ［プロパティ＞タイプ編集］をクリックして，「標準屋根／コンクリート
200 mm」などを［複製］して，厚さを「70」に変更する（図9-25）。
また，「タイプ」の名称を「FWH-70 mm」などに変更する

(3) ［描画＞長方形］を指定する（図9-24）。屋根がチャンネルの側面より
38 mm オーバーハングするように［オフセット］に「38」を入力する

(4) 屋根を支えるチャンネルの周囲（外側）に長方形を描けば屋根ができあ
がる（図9-26）

9-8-2. 鼻隠

次に，屋根の端部に取り付く鼻隠[f]をモデリングします。前述の通り，鼻
隠は「カットされたH形鋼」とアングル（50×50ミリの山形鋼）で構成され
ていますが，ここでは，単純な形状の鼻隠を取り付けます。作業は，ビュー

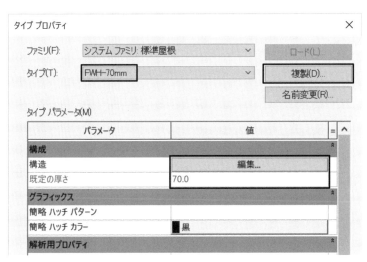

図9-25　屋根のプロパティ
標準屋根を複製し，その厚さを変更。タイプの名称も変更する

[e] 屋根（境界）

屋根（境界）

屋根にはさまざまな
形状がありえる。屋
根（境界）は「上方
から見たカタチ」に
基づいて屋根を作成
する方法。ファンズ
ワース邸の屋根はほ
ぼ水平なので，ここ
では，長方形をフッ
トプリントとする水
平な屋根を作成する
（実際には，屋根に
は，雨水を流すため
の水勾配＝わずかな
傾斜がつけられてい
る）

[f] 鼻隠
屋根の端部に取り付
く板状の部材

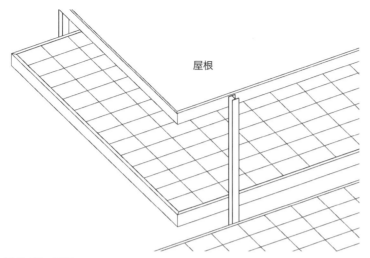

図 9-26　屋根

チャンネルの上部に厚さ 70 mm の屋根を載せる。屋根の端部はチャンネルの側面より 38 mm オーバーハングさせる

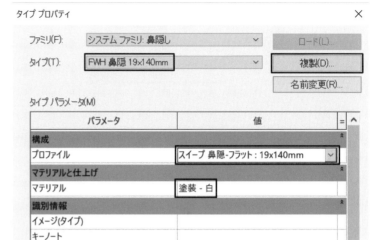

図 9-27　鼻隠の複製とそのプロパティ

鼻隠に「スイープ 鼻隠-フラット：19×140 mm」を設定

[a] 鼻隠

屋根
スイープ 鼻隠

リボン［建築＞構築＞屋根＞屋根：スイープ：鼻隠］

[b] 図 9-29
『建築のしくみ』より転載

[c] マリオン
ガラス窓の枠となるサッシが取り付くフレーム。マリオンは，一般的には，フレームの垂直な部分を指すが，Revit ではフレームを総称してマリオンと呼んでいる

[d] 押縁
はめ殺しのガラスの縁を両側から抑えるサッシの部材

「3D」で進めてください。

(1) リボン［建築＞構築＞屋根＞屋根：スイープ：鼻隠］[a] を選択する

(2)［プロパティ＞タイプ編集］をクリックすると現れる［タイププロパティ］の［プロファイル］で「スイープ 鼻隠-フラット：19×140mm」を選択する（図 9-27）。［マテリアル］は「塗装：白」に変更するとよい

(3)［プロパティ］に戻って，鼻隠は取り付く高さの設定として，［拘束＞オフセット（鉛直）］に「50」（ミリ）を入力する

(4) 屋根の上面のエッジをクリックすれば，屋根の外側に鼻隠が取り付く（図 9-28）

9-9. ガラスの壁

　ファンズワース邸のガラス壁のディテールを図 9-29 [b] に示します。ガラス壁を支えるサッシ（枠）は，柱（H 形鋼）と水平フレーム（チャンネル）に接合されたアングル（山形鋼）とフラットバー（平鋼）によって構成されています。サッシを構成するマリオン[c] ＋押縁[d] の見込み（奥行）は 75 ミリです。また，見付け（立面として見える幅）には，50 ミリ，35 ミリ，20 ミリの 3 種類があります。

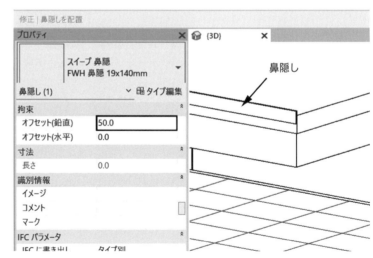

図 9-28　鼻隠の作成

屋根の上面のエッジをクリックすると設定した鼻隠が取り付く

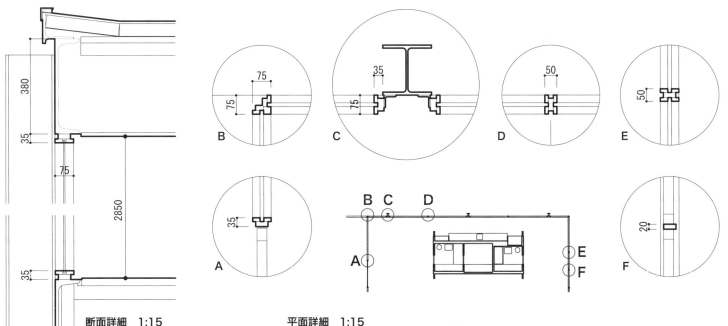

断面詳細　1:15　　　　　　平面詳細　1:15

図9-29　ガラス壁のディテール
実際のファンズワース邸のガラス壁は，スティールのフラットバーとアングルによって構成される

このディテールを忠実にモデリングするにはかなりの手間がかかります。そこで，ここでは，Revit に用意されている［カーテンウォール］を使って，ガラスの壁を単純化して作成していきます（図9-30）。細やかな凹凸は省略することになりますが，押縁を含むマリオンの見付けと見込みは正確につくっていきますので，十分リアルに見えると思います。

9-9-1. カーテンウォール

オフィスビルなどの外壁にはよくガラスの窓が使われます。ガラスに限らず，建物の外壁に使われる非構造壁はカーテンウォール [e] と呼ばれます。Revit には，壁の一種として［カーテンウォール］が用意されています。
やや面倒な手順になりますが，以下の方法でガラス壁が作成できます。
(1) ビューを「平面図＞メイン」に切り替え，リボン［建築＞構築＞壁＞壁:

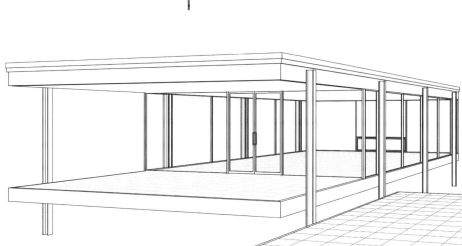

図9-30　カーテンウォールによるガラスの壁
Revit の［カーテンウォール］を使うと，ファンズワース邸のガラス壁を，ある程度リアルに作成できる

**カーテン
グリッド**

リボン［建築>構築
>カーテングリッ
ド］
カーテンウォール
は，グリッドに基づ
いて分割されること
が多い。ファンズ
ワース邸のガラス壁
もサッシによって，
グリッド状に分割さ
れている

[b] 全セグメント

**全
セグメント**

リボン［修正｜配置
カーテングリッド>
配置>全セグメン
ト］
カーテンウォールの
端から端にグリッド
のセグメント（グ
リッド線）を描く

[c] 寸法補助線を移動
寸法を選択すると，
寸法補助線（寸法の
距離の始点と終点を
示す線）上に青い点
が現れる。この点を
動かすと寸法を測る
始点と終点の位置を
変更できる

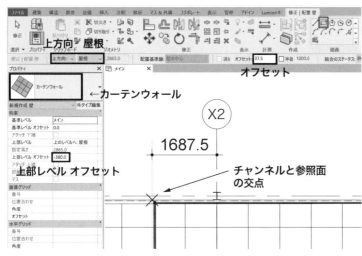

図 9-31　カーテンウォールの作成

平面図「メイン」で［長方形］を描く。方向（上），上部位置（屋根），上部のオフセット，オーバー
ハング（オフセット）を設定する

意匠］をクリックし，［プロパティ］から［カーテンウォール］を選択す
る（図 9-31）

(2) カーテンウォールはレベル「メイン」から上方向に，レベル「屋根」よ
り 380 ミリ（チャンネルの高さ）下がった位置まで立ち上がる。そこで，
リボンの下部のオプションに［上方向］と［屋根］を指定し，［プロパ
ティ>拘束>上部レベルのオフセット］に「−380」を入力する

(3) カーテンウォールの中心は，チャンネルの側面から 37.5 ミリ内側にある
（カーテンウォールの見込みは 75 ミリ）。そこで，リボンの下部のオプ
ションの［オフセット］に「37.5」を入力する

(4) リボン［描画］から［長方形］を選び，図 9-32 に示したように，ガラス
壁の外形を描く（チャンネルのコーナーと西面は，X2 通りの西側の参照
面とチャンネルの交点をクリック）。カーテンウォールは長方形の外側に
［オフセット］して配置されるが，カーテンウォールは外側ではなく内側
に配置したいので，ここで，キーボードの Space キーを押す。すなわち，
長方形の対角の始点をクリックしてから，オフセットを内側に切り替え，
終点をクリックする

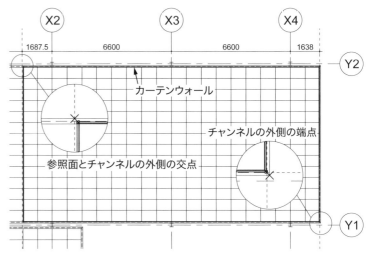

図 9-32　カーテンウォール（平面図）

カーテンウォールは X2 ／ Y2 の西側と X4 ／ Y1 付近を対角とする長方形を描いて配置する（チャン
ネルの外側から 37.5 mm 内側にオフセット）

9-9-2. カーテングリッド（南面と北面）

　以上でカーテンウォールが平面図上に配置されます。でもまだ，マリオン
（枠）は配置されていません。マリオンを配置するには，以下の手順で，カー
テングリッドを作成する必要があります。

(1) ビューを「立面図>南」に繰り替える

(2) リボン［建築>構築>カーテングリッド］[a] をクリックする

(3) リボン［修正｜配置 カーテングリッド>配置］の［全セグメント］[b] を
選択する

(4) カーテンウォールのエッジ（外枠）の上にマウスをもっていくと現れる
点線にしたがって，X2 ～ X3 の中間と X3 ～ X4 の中間にグリッド線を
描く（図 9-33）。おおよその位置に描いてから，グリッド線を選択する
と寸法が現れるので，寸法を調整する。寸法の端点は，寸法線の端に現
れる「寸法補助線を移動」[c] する黒丸をドラッグすれば動かせるので，
寸法の一方の端点を通芯上に移動すれば，通芯からの距離が測れる

(5) X2，X3，X4 通りの 3 本の柱に接合するマリオンの位置（通芯から
112.5 ミリの位置）にもグリッド線を描く（図 9-34）。ここでは，一時
的に，ビューテンプレート［立面］の［表示／グラフィックス上書き>

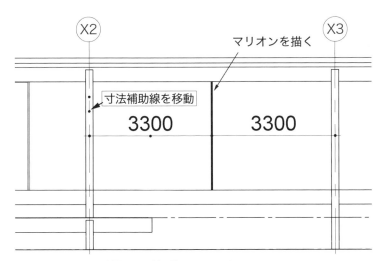

図 9-33 カーテングリッド（南面），X2 ～ X3
X2 ～ X3 および X3 ～ X4 の中間と柱の両側（通芯から 112.5 mm）にカーテングリッドを描く

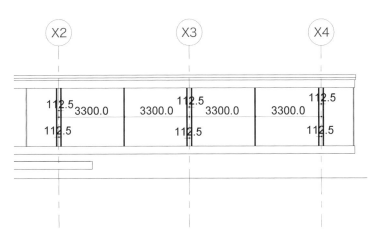

図 9-34 カーテングリッド（南面），X2 ～ X4
マリオンを配置。配置後に現れる寸法を調整して位置を確定する

V/G はモデルに優先＞モデルカテゴリ］から「構造柱」の表示をオフに
すると作業がしやすい

これで，ビュー「立面図＞南」にカーテングリッドが配置できました。「立
面図＞北」にも同様にカーテングリッドを配してください。

9-9-3. カーテングリッド（西面）

西面にはドアが取り付きます。西面へのカーテングリッドは Y2 通りから
3650 ミリと Y1 通りから 3050 ミリの位置に配置してください（図 9-35）。

9-9-4. カーテングリッド（東面）

東面には，通芯の間を 3 等分する位置に垂直のカーテングリッドがありま
す（図 9-36）。

3 等分の中央の領域の下部には 2 つの内倒し窓が横並びに取り付きます。中
央の領域には T 字形のグリッド線を配置する必要がありますので，［修正｜配
置 カーテングリッド＞配置＞全セグメント］を［1 セグメント］[d] に切り替
えてください。［全セグメント］がカーテンウォールの全体（端から端まで）
にグリッド線を配置するのに対して，［1 セグメント］はセグメント（グリッ

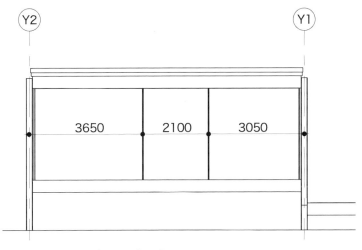

図 9-35 カーテングリッド（西面）
Y2 通りから 3650 mm，Y1 通りから 3050 mm の位置にカーテングリッドを描く

[d] 1 セグメント

1
セグメント

リボン［修正｜配置
カーテングリッド＞
配置＞1 セグメン
ト］
セグメント間（グ
リッド線の間）にセ
グメントを描く

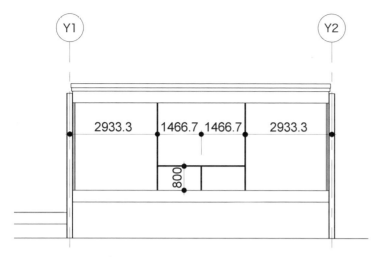

図 9-36　カーテングリッド（東面）
Y1–Y2 の間を 3 等分，また，中央の下部に T 字型を描く

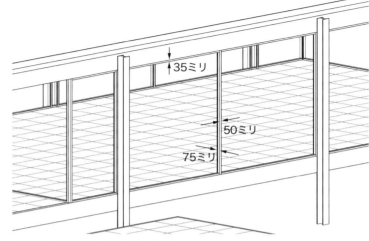

図 9-37　マリオンの見付けと見込み
マリオンの見付け（幅）は，垂直部分が 50 mm，水平部分が 35 mm

ド線）の間に別のグリッド線を配置できます。

9-9-5. マリオンの配置

　以上でカーテングリッド（マリオンの位置）が配置できたので，そこにマリオンを割り当てていきます。東面の内倒し窓のマリオンを例外として，マリオンの見付け（幅）は，垂直なものが 50 ミリ，水平なものが 35 ミリです（図9-37）。なお，実際のファンズワース邸では，マリオンの内側にガラスを支える押縁が取り付きますが，ここでは押縁は省略します。

　では，南面からマリオンを作成していきましょう。

(1) ビューを「立面図＞南」に切り替える
(2) リボン［建築＞構築＞マリオン］[a] をクリックし，［プロパティ］からいずれかの［長方形マリオン］（たとえば「50×150 mm」）を選択する
(3) ［タイプ編集］をクリックし，［タイプ］を［複製］する。名前は「FWH 50×75mm」などとして，［厚さ］に「75」，［寸法］は「幅1」と「幅2」にそれぞれ「25」を入力して，見付け 50 ミリのマリオンを定義する（図9-38）。水平なマリオンの見付けは 50 ミリではなく 35 ミリだが，後で修正できるので，ここではこの設定で OK

(4) リボン［修正｜配置 マリオン］から［全グリッド］[b] を選択し，カーテングリッドが配置されたカーテンウォールをクリックする（図9-39）
　図9-40 を参照して，北面，西面，東面にも，同様にマリオンを配置してください。

9-9-6. マリオンの寸法の変更

　次に，［プロパティ］の［タイプ編集］から，「見付け 35mm／見込み 75mm」のマリオンを作成してください（［複製］してプロパティを変更）。そして，水平なマリオンを選択し，その［プロパティ］を新たに作成した見付け 35 ミリのマリオンに変更してください。

　垂直マリオンは，1 本だけ，東面の 2 連の内倒し窓の中央のみ，見付けが 20 ミリです。「見付け 20mm／見込み 75mm」のマリオンも作成（［複製］してプロパティを変更）して，［プロパティ］を変更してください。

9-9-7. 内倒し窓

　以上で，外壁にカーテンウォールが配置されました。でも，この状態では，すべてのパネル（マリオンに囲まれた領域）がガラス（はめ殺しガラス）に

[a] マリオン

マリオン

リボン［建築＞構築＞マリオン］

[b] 全グリッド

全グリッド

リボン［修正｜配置 マリオン＞全グリッド］

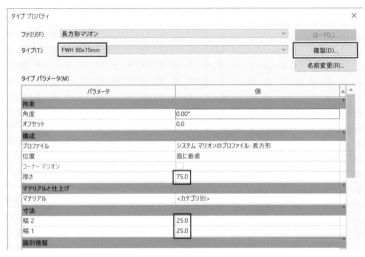

図 9-38　マリオンの複製

既存のマリオンを複製し，見込み（厚さ）を 75 mm に，見付け（幅 1＋幅 2）を 50 mm に変更

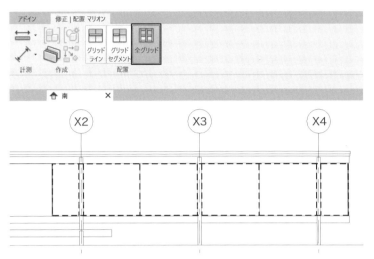

図 9-39　マリオンの配置

指定したマリオンをカーテングリッド（全グリッド）上に配置。水平なマリオンの寸法は後から変更する

なっています。西面のドア，東面の窓のパネルは変更しなければなりません。

　まずは，東面のガラス 2 枚を内倒し窓に変更しましょう（図 9-41）。

　ビュー「立面図＞東」で窓となる部分のガラスを選択してください。マリオンと重なっているので選択しにくいと思いますが，Tab キーを何度か押して，選択されるオブジェクトを切り替えて，ガラスを選択してください（図 9-42）。［プロパティ］の［タイプ］をプルダウンして，「ガラス＞内倒し」を選択してください。すると，ガラスが内倒し窓に入れ替わります。

9-9-8. ドア

　西面には両開きのガラスのドアがあります。中央のガラスをドアに変更しましょう。

　ガラスのドアは［建築テンプレート］には用意されていません。中央のガラスを選択したら，［プロパティ］の［タイプ編集］をクリックして［タイププロパティ］のダイアログを開いてください。そして，［ロード］をクリックし，ライブラリ［カーテンウォールパネル＞ドア］から「両開き-太框.rfa」を読み込めば，両開きのドアが配置されます（図 9-43）。

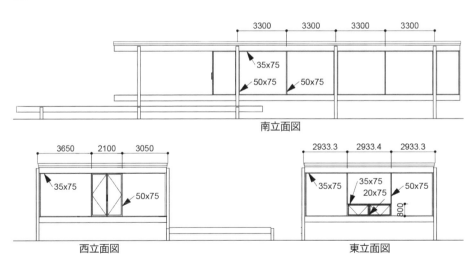

図 9-40　マリオン立面図

垂直マリオンの見付けは 50 mm（内倒し窓の中央のみ 20 mm），水平は 35 mm。見込み（厚さ）はすべて 75 mm

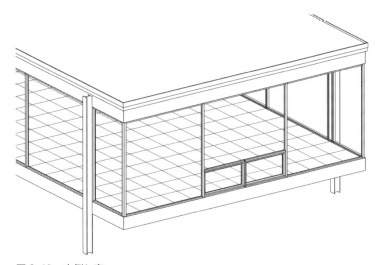

図 9-41　内倒し窓
東面の中央には開閉する内倒し窓が取り付いている

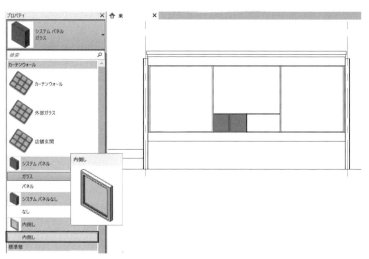

図 9-42　パネルの変更（ガラスから内倒し窓へ）
パネルを選択し，プロパティのタイプを変更する

9-9-9. ファミリの編集

　ここで配置した「両開き-太框.rfa」は，框（ドアの枠）がやや太くなっています。しかし，アルミでつくられた実際のファンズワース邸の框の見付けは，下枠が75ミリ，縦と上枠は50ミリと非常に細くつくられています（図9-44）。框の寸法を変更するには，ロードしたファミリ「両開き-太框.rfa」を修正しなければなりません。

　ファミリを編集するには，ドアを選択して，リボン［モード＞ファミリを編集］（あるいは，右クリックすると現れるサブメニューから［ファミリを編集］）を実行します。ドアを定義しているプロジェクト（ファイル）が開きますので，カタチを修正して，リボン［ファミリエディタ＞プロジェクトにロードして閉じる］をクリックすれば，修正がプロジェクトに反映されます。

　框の見付けの変更は，変更したい位置に［参照面］を描き，それを頼りに，框を細くしていけばOKです。取っ手の位置は寸法の入力で変更できます。

　ファミリの作成や編集の詳細は本書の範囲を超えますので，これ以上の解説は控えますが必要に応じて，ファミリの編集を試してみてください。

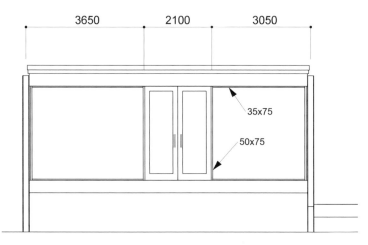

図 9-43　ドア
パネルを選択し，プロパティのタイプを，ライブラリの「カーテンウォールパネル＞ドア＞両開き-太框.rfa」をロードして変更する

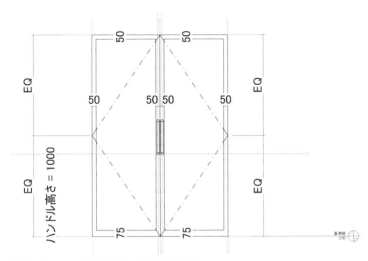

図 9-44　ファミリを編集（ドアの立面図）
ファミリを編集して框（ドアの枠）の寸法を修正する。修正できたら，ファミリをプロジェクトに
ロードする

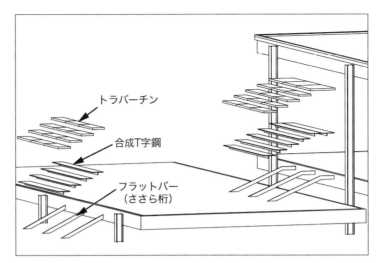

図 9-45　階段（分解図）
ささら桁（フラットバー）の上に合成 T 字鋼が載り，その上にトラバーチンが載る

9-10. 階段

　ファンズワース邸には，テラスおよびポーチに上る 2 つの鉄骨階段があります。

　階段の踏面（足が載る段板）は，床と同様のトラバーチンで，大きさは幅 3600× 奥行 375 ミリ × 厚さ 50 ミリです（最上段のみ奥行 750 ミリ）。このトラバーチンが 75×12 ミリと 350×10 ミリのスティールのプレート（板）を組み合わせてつくった合成 T 字鋼[a] の梁の上に載ります。合成 T 字鋼は，中央と左右の隅の 3 箇所で，厚さ 25 ミリ × 幅（高さ）100 ミリのフラットバー（ささら桁）によって支えられます（図 9-45[b]）。

　階段の幅は 3600 ミリで，階段の位置は，中心となる軸が図 9-2（P.126）に示した通芯 X1 と X2 の中間の［参照面］に一致します。

9-10-1. テラスからポーチへの階段

　階段のモデリングは，前章の箱形建築の「8-16. 階段と手すり」（P.107）と同様に，リボン［建築 > 階段 > 階段］をから［プロパティ］を設定し，階段を配置すれば OK です。なお，最上段はポーチのレベルに一致します。

　［建築テンプレート］に用意された［プロパティ］のみでファンズワース邸の階段を忠実にモデリングするのは難しいのですが，たとえば以下のように設定をすれば，それらしい階段が作成できると思います（図 9-46）。なお，［タイプ］を設定する際は，これまでと同様，新たなタイプを［複製］して名前を変更してください。

▽プロパティの設定（その 1）
　① タイプとして「鉄骨階段 > 鉄骨 - ストリップ」を選択
　② ［階段］，［ささら桁］，［踏面］のそれぞれに新たな［タイプ］を設定
▽階段のタイプ（図 9-47）
　① ［計算規則 > 最小階段経路幅］を「3600」ミリ
　② ［階段経路のタイプ］を新たに設定（後述の「踏面のタイプ」を参照）
　③ 支柱（ささら桁）として，左右に［（開いた）中桁］を使用。側面からのオフセットは 110 ミリ
　④ 中桁を「1」つ使用
▽踏面（踏み板）のタイプ（図 9-48）
　① ［マテリアルと仕上げ > 踏み板のマテリアル］はコンクリート系

[a] 合成 T 字鋼
この合成 T 字鋼（フラットバーの組み合わせ）で支えられる階段は，おそらくはミースのお気に入りのデザインで，イリノイ大学クラウンホール（1956）などにも見られる。踏面となるトラバーチンは，サイド（両脇）のささら桁ではなく下部で支えられているので，宙に浮いているような軽やかさが表れている

[b] 図 9-45
『建築のしくみ』より転載

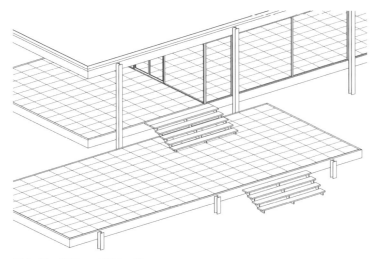

図 9-46　階段のモデリング

ポーチとテラスに鉄骨階段が取り付く

タイプ(T):	鉄骨 − FWH	
パラメータ	値
計算規則	
蹴上げの最大高 =最大蹴上げ寸法	200.0
最小踏み面奥行き	240.0
最小階段経路幅	3600.0
計算規則	編集...
構成	
階段経路のタイプ	踏み板 - FWH
踊り場のタイプ	一体型ではない踊り場
機能	内部
支柱	
右側の桁	(開いた)中桁
右側の桁のタイプ	ささら桁 - FWH
右側面オフセット	110.0
左側の桁	(開いた)中桁
左側の桁のタイプ	ささら桁 - FWH
左側面オフセット	110.0
中桁	☑
中桁のタイプ	ささら桁 - FWH
中桁の数	1

図 9-47　階段のタイプ

「右側，左側，中桁」の 3 箇所に ［ささら桁］ を設定する。階段の幅は 3600 mm

② ［踏み面＞踏み板の厚さ］は「50」ミリ
③ ［踏み面＞段鼻の長さ］は「0」ミリ
④ ［踏み面＞段鼻プロファイル］は「既定値」
⑤ ［蹴上げ＞蹴上げ］はチェックなし
▽ささら桁のタイプ（図 9-49）
　① ［寸法＞幅］は「25」ミリ
▽プロパティの設定（その 2）（図 9-50）
　① ［拘束＞基準レベル］は「テラス」
　② ［拘束＞基準レベル オフセット］は「10」ミリ（トラバーチンの高さ）
　③ ［拘束＞上部レベル］は「メイン」
　④ ［拘束＞上部レベル オフセット］は「150」ミリ（蹴上寸法の 145 ミリ＋トラバーチンの高さである 5 ミリ）
　⑤ ［寸法＞蹴上数］は「6」段
　⑥ ［寸法＞現在の踏面奥行］は「350」ミリ
以上の設定で階段の中心が X2 と X3 の中間の［参照面］上に位置するよう

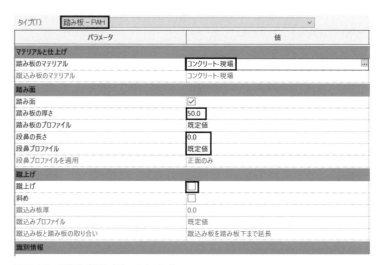

タイプ(T):	踏み板 − FWH	
パラメータ	値
マテリアルと仕上げ	
踏み板のマテリアル	コンクリート-現場
蹴込み板のマテリアル	コンクリート-現場
踏み面	
踏み面	☑
踏み板の厚さ	50.0
踏み板のプロファイル	既定値
段鼻の長さ	0.0
段鼻プロファイル	既定値
段鼻プロファイルを適用	正面のみ
蹴上げ	
蹴上げ	☐
斜め	☐
蹴込み板厚	0.0
蹴込みプロファイル	既定値
蹴込み板と踏み板の取り合い	蹴込み板を踏み板下まで延長
識別情報	

図 9-48　踏面（踏み板）のタイプ

踏面となるトラバーチン（厚さ 50 mm）は ［コンクリート-現場］ で代用する

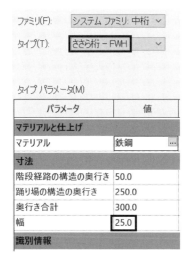

図 9-49　ささら桁のタイプ

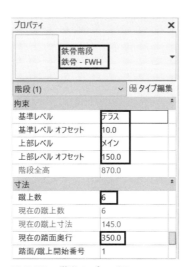

図 9-50　階段のプロパティ

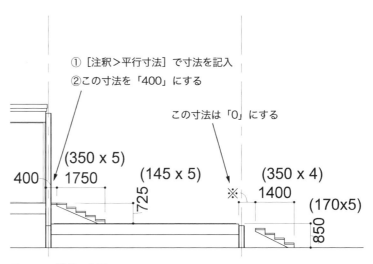

図 9-51　階段の位置

に配置してください。ポーチから少し離れた位置に配置し，後から位置合わせをするとよいと思います。ビューを［立面図］に切り替え，リボン［注釈＞平行寸法］で最上段の踏面の端部とチャンネルとの距離を記入し，その距離を「400」ミリとすればOKです（図 9-51）。なお，手すりは不要なので，削除しましょう。

　階段に最上段とポーチとの間にできる隙間には，厚さ 50 ミリ，奥行 400 ミリの［床］を作成してください。［基準レベル］は「メイン」のレベル＋5 ミリ（トラバーチンの高さ）です。

9-10-2. GL からテラスへの階段

　ビューを「GL」に切り替え，同様の階段を GL からテラスに向けて配置してください。この階段の［プロパティ］は，ポーチへの階段に対して，以下が変更になります。

　　①［拘束＞基準レベル］は「GL」
　　②［拘束＞上部レベル］は「テラス」
　　③［拘束＞上部レベル オフセット］は「10」ミリ（トラバーチンの高さ）
　　④［寸法＞蹴上数］は「5」段

　なお，最上段の踏面はチャンネルの側面に接合してください。チャンネルから離れたおおよその位置に配置し，寸法を記入して位置合わせをするとよいと思います。

9-11. 設備コア【演習】

　室内には，トイレ，浴室，キッチン，暖炉などが組み込まれた設備コア[a] があります（写真 9-3 ～ 9-5）。設備コアの壁は木造でつくられて，設備コアの南側には暖炉があり，北側にはキッチンがあります（P.125 の図 9-1 参照）。やや複雑な形状ではありますが，［壁］と［床］を使えばモデリングできます。

　演習として，設備コアをモデリングしてみてください。図 9-52 にカタチを単純化した平面図と立面図，図 9-53 に立体図，図 9-54 にビュー「平面図＞メイン」に描いた［参照面］と壁を示します（キッチン側のパネルは省略しています）。

　ここでは，下地となる高さ 2400 ミリの壁の厚さを 80 ミリ，その外側に張られている高さ 2300 ミリのパネルの厚さを 20 ミリとしています（下地とパネルはマテリアル（木目）が異なります）。パネルには継目がありますが，パネルの大きさは［マテリアルブラウザ］[b] で設定できます。なお，南側の壁

[a] 設備コア
設備コアの西側は，当初はシャワー室として設計されていたが，現在は，機械室に改修されている

[b] マテリアルブラウザ
「9-6-2 マテリアル」（P.132）参照

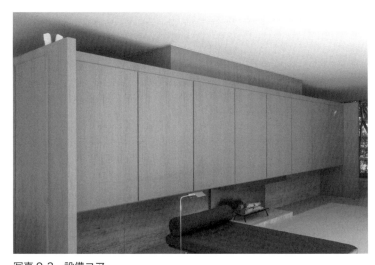

写真 9-3　設備コア
下地となる壁の表面に薄いパネルが張られている

写真 9-4　キッチン

写真 9-5　設備コア東面

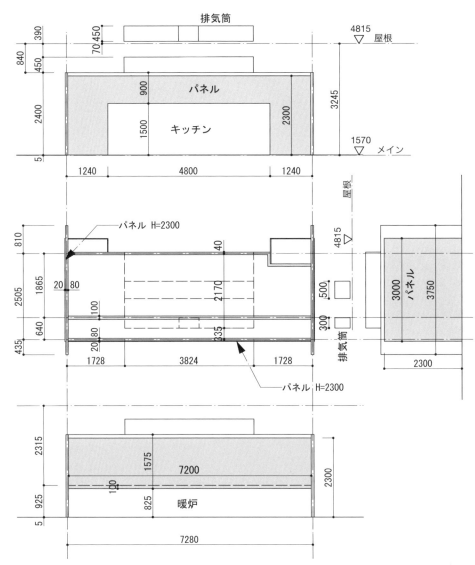

図 9-52　設備コア　平面図, 立面図 (1:110)

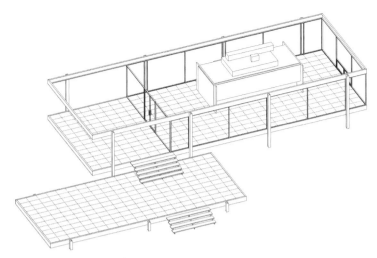

図 9-53　設備コアと排気筒
室内の中ほどにトイレ，浴室，キッチン，暖炉などの設備が集まったコアがある。コアは木造でつくられ，床の上に置かれている

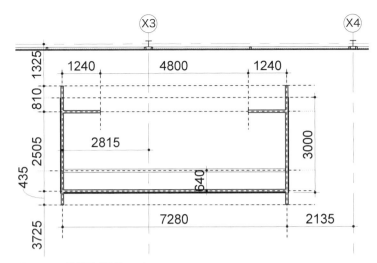

図 9-54　参照面（設備コア）
参照面を用いて壁の位置を割り出し，壁を配置すれば設備コアをモデリングできる

の下部の凹みに設けられた暖炉の壁と天井はトラバーチンです。

　設備コア上部と天井の間に高さ 450 ミリのボリューム（設備スペース）があります。また，屋根の上部に排気筒が設けられています。

9-12. レンダリング

　Revit には高度なレンダリング機能が備わっています。レンダリングは，基本的には，［3D ビュー］を設定して，そのビューでリボン［表示＞レンダリング］を選択し，表示される［レンダリング］ダイアログの［レンダリング］ボタンをクリックするだけです（図 9-55）。

　［レンダリング］ダイアログには，［品質＞設定］のプルダウンメニューがあり，「ドラフト／中／高／最高」などを選択できます。品質が高いほどレンダリングには多少の時間がかかります。また，［解像度，照明，背景］も設定できます。

9-12-1. カメラ

　リボン［表示＞作成＞3D ビュー］の［カメラ］[a] を使うと，［3D ビュー］の構図を設定できます。ビューを［平面図］に切り替えて，［カメラ］をクリッ

クし，視点（カメラの位置）と視野（方向）を指定すれば，その構図で［3D ビュー］が作成されます（図 9-56）。

　作成された［3D ビュー］には構図を表すトリミング領域（枠）が現れます（図 9-57）。この領域のサイズを変更することで，視野を調整できます。また，枠を選択した状態で［平面図］ビューに戻ると，カメラの視点と視野を調整できます。

9-12-2. 太陽

　太陽の位置は，リボン［管理＞設定＞その他の設定＞太陽の設定］で設定できます。［レンダリング］をする前に，［3D ビュー］で，画面下部のビューコントロールバーの🔆［影オン／オフ］ボタンをオンにすれば，太陽による影の状態を確認できます（図 9-57）。

9-12-3 マテリアル

　図 9-58，9-59 に外観のレンダリング画像を示します。レンダリングする際には，マテリアルを適切に設定すると，仕上がりがリアルになります。マテリアルは，それぞれのオブジェクトの［プロパティ］で設定できます（P.132

[a] カメラ

　既定の 3D ビュー

　カメラ

　ウォークスルー

リボン［表示＞作成＞3D ビュー］

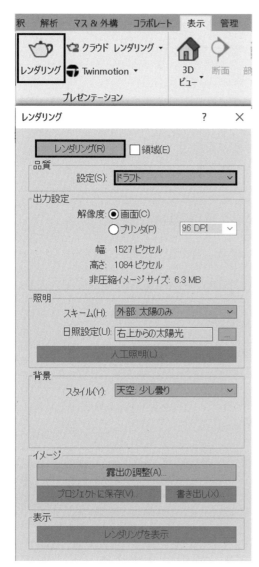

図 9-55　［レンダリング］ダイアログ

［レンダリング］をクリックするとレンダリングが始まる

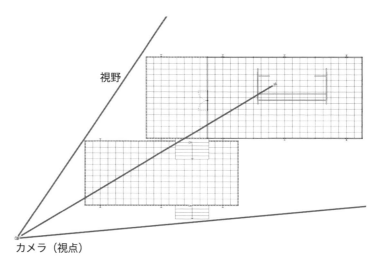

視野

カメラ（視点）

図 9-56　カメラの配置

［カメラ］を使って，視点と方向を指定すれば，［3D ビュー］が作成される

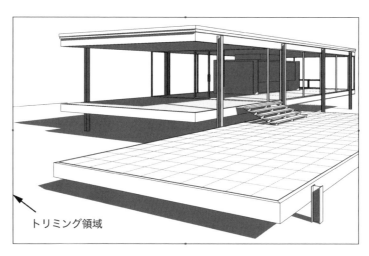

トリミング領域

図 9-57　3D ビューのトリミング領域と影

トリミング領域を変形することで視野を調整できる。影はビューコントロールでオン／オフ

の「9-6-2. マテリアル」参照）。

9-12-4 家具

　図 9-60 では，ファンズワース邸の設計者のミースが 1929 年に設計したバルセロナ・チェアー／カウチ／テーブルを配置しています。図 9-61 がそのレンダリング画像です。

　これらの家具は，ミースが，1929 年のスペイン・バルセロナ万国博覧会のドイツ館バルセロナ・パビリオンに置くために設計したものです。バルセロナ・パビリオンは博覧会後に解体されましたが，1986 年に復元され現在に至っています。

　これらの家具は，Revit のモデル（ファミリ）が，アメリカの Knoll 社の以下のホームページよりダウンロードできます。

　https://www.knoll.com/

　Knoll 社に限らず，世界の建材（建築材料），設備，家具，各種の器具メーカーが Revit のファミリを提供しています。

●

　以上，至高のディテールをもつ近代建築の傑作であるファンズワース邸を，Revit の基本的なコマンドとファミリだけでモデリングしました。厳密に実物通りというわけにはいきませんでしたが，「ガラスの家」の高度な構成を学べたのではないかと思います。

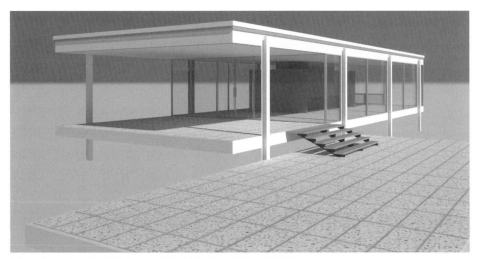

図 9-58　テラス側（南西）から見た外観（レンダリング画像）

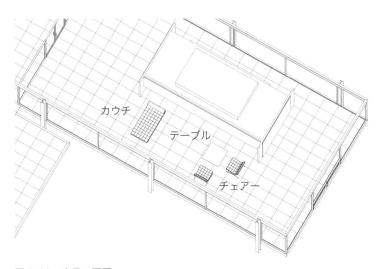

図 9-60　家具の配置
ミース設計のバルセロナチェアー／テーブル／カウチを配置している

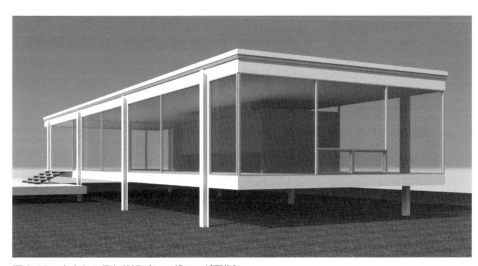

図 9-59　南東から見た外観（レンダリング画像）

図 9-61　室内（レンダリング画像）

10章 法政大学 55/58 年館
ラーメン構造とカーテンウォールの近代建築

[a] 大江宏
日本の戦後を代表する建築家の一人。近代建築を批判的に捉え，一つの理念に縛られず，多様な概念を盛り込んだ建築設計を模索した。1938年に東京帝国大学工学部建築学科を卒業。大学の同期に丹下健三（1913-2005），一級上に6章のヒアシンスハウスを設計した立原道造（1914-1939）がいた。1950年に設立された法政大学工学部建築学科の教授として，1953年以降の一連の法政大学校舎の設計に関わった。ほかの代表作に，乃木神社（1962），普連土学園（1968），角館町伝承館（1978），国立能楽堂（1983）など。大江宏については以下の文献に詳しい
『建築作法-混在併存の思想から』（大江宏著，思潮社，1989）
『大江宏対談集 建築と気配』（大江宏著，思潮社，1989）
『恣意と必然の建築-大江宏の作品と思想』（石井翔大著，鹿島出版会，2023）

本書の締めくくりとして，本章では，Revitがもっとも得意とする大規模な建築をモデリングしてみます。

現代の大規模な建築の多くは鉄筋コンクリート構造または鉄骨構造で建設されています。それらの建設の技術は，20世紀初頭に確立された近代建築に基づいています。近代は，鉄筋コンクリートや鉄骨（製鉄による鋼材）といった構造材料によって，どんな空間をつくることができるかを模索し，確立した時代でした。

日本では第2次世界大戦後の1950年代以降に，多くの近代的な建築が建設されるようになりました。その日本の近代建築を牽引した建築家の一人に大江宏[a]（1913-1989）がいました。本章では大江宏の代表作の一つである法政大学55/58年館[b]（写真10-1，図10-1）をモデリングしていきます。

10-1. 法政大学 55/58 年館

法政大学55/58年館は，戦後復興期の1955～1958年に東京都千代田区に建てられた大学の校舎です。7階建てで全長が120メートル以上の大きな建築です。図10-2に4階の平面図と断面図を示します。

この大きな建築は，1955年と1958年の2期に分けて建設されており，その建設年が校舎の名称の由来にもなっています。西側の半分が55年館，東側が58年館です（図10-3）。

いずれも鉄骨鉄筋コンクリート（鉄骨を併用した鉄筋コンクリート構造）によるラーメン構造によってつくられています。ここで，ラーメン構造の「ラーメン」というのはドイツ語で，英語の「フレーム」，日本語の「軸組」という意味です。すなわち，基本的に，垂直な柱と水平な梁を格子状に架構すること

写真 10-1　法政大学 55/58 年館

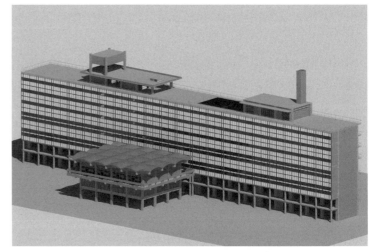

図 10-1　法政大学 55/58 年館（Revit による CG モデル）

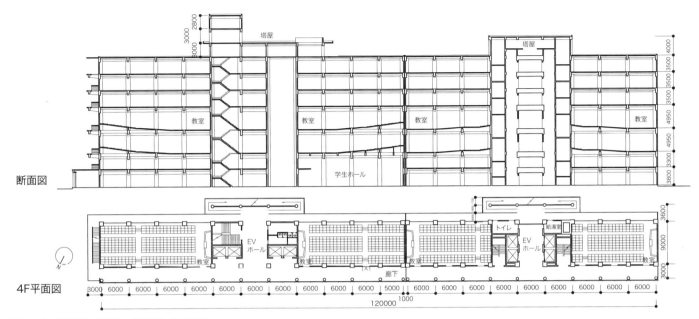

断面図

4F平面図

塔屋

教室　　教室　　教室　　教室

学生ホール

トイレ　EVホール　給湯室

EVホール　教室

教室　　教室　　教室　　廊下

N

3000　6000　6000　6000　6000　6000　6000　6000　6000　5000　6000　6000　6000　6000　6000　6000　6000　3000

120000　1000

図 10-2　平面図（4 階）・断面図（1:800）

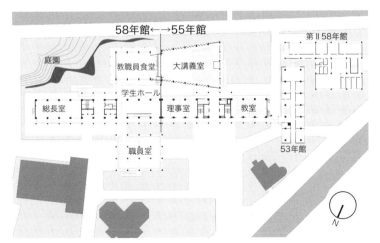

58年館←→55年館

庭園

教職員食堂　大講義室　第Ⅱ58年館

学生ホール

総長室　理事室　教室

53年館

職員室

N

図 10-3　配置図

で成立する建築の構造形式のことです。

　ラーメン構造に対して，住吉の長屋（7 章）や箱形建築（8 章）の構造形式は壁が床や屋根を支える壁構造でした。ファンズワース邸（9 章）は一種のラーメン構造なのですが，ラーメン構造は，住宅よりもむしろ，法政大学55/58 年館のような大規模な建築においてこそ，より一般的な構造形式です。Revit には，柱や梁をはじめとするラーメン構造のエレメントが多数用意されていますので，本章ではそれを使っていきたいと思います。

　さて，55 年館と 58 年館は同じ構成による建築です。本章では，説明をわかりやすくするため，55 年館のみをモデリングすることとし，58 年館の解説は省略します（図 10-4，10-5）。また，55 年館には地階（地下 1 階）がありますが，地階は省略します。南側にある大講義室棟と教員食堂棟，北側にある1 階部分が吹きさらしのピロティ棟（職員室），背面（南面）のスロープと屋上の塔屋のモデリングの解説も省略します。でも，近代建築の特徴であるラーメン構造とカーテンウォール（ガラスとパネルによる壁）はしっかりつくって

[b] 法政大学 55/58 年館
大江が法政大学に設計した一連の校舎の中核をなす作品。58 年館の中心に大きな学生ホールが置かれ，周囲を教職員室が取り巻いていた。その平面計画は戦後民主主義の新しい時代精神を体現していたといえる。校舎は 2020 年に解体されたが，大江が手掛けた和風庭園は残された。本作品発表当時の主要な掲載雑誌に以下がある
『国際建築 1958 年11 月号』（美術出版社，pp.24-41，1958）
『建築文化 1958 年12 月号』（彰国社，pp.11-18，1958）
『新建築 1958 年12 月号』（新建築社，pp.61-74，1958）

図 10-4　55 年館部分の 3D モデル

55 年館の東（図の左）に 58 年館が隣接する。手前にピロティ棟（職員室）が建ち，2 階でつながる

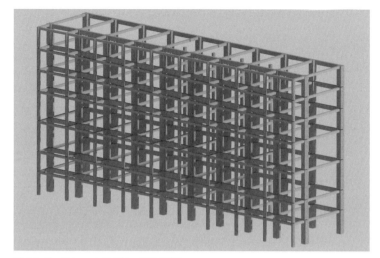

図 10-5　フレームモデル（55 年館）

ラーメン構造による柱と梁のフレーム

[a] ビューの名称変更
ビューの名称はユ
ニークでなければな
らない（同じ名称が
重複してはいけな
い）ので，たとえ
ば，「南」を「北」
に名称変更する場合
は，すでに存在する
「北」をいったん別
名（なんでもよい）
に変更しなければな
らない

[b] 通芯
　　　　　　[GR]

通芯

リボン［建築＞基準
面＞通芯］
前出（P.94）

いきます。

　残念なことに，この 55/58 年館は，2020 年に解体されて姿を消してしまいました。だからこそ，本章で CG を使っておきたいと思います。

10-2. プロジェクトのスタート

　Revit を起動したら，［建築テンプレート］を指定して，新しいプロジェクトを開始してください。本章では，以下，モデリングの手順を箇条書きで簡潔に記していきます。

10-3. ビューテンプレート

　最初にビュー［平面図］で使用する［ビューテンプレート］の設定をしてください。

(1) ビュー［平面図＞設計 GL］の［プロパティ＞識別情報＞ビューテンプレート］の右側のボタンをクリック
(2) ダイアログ［ビューテンプレートを割り当て＞名前］で［平面図］を指定
(3) ダイアログ右の［ビュープロパティ＞ビュースケール］を「1:200」に設定
(4) ［ビュープロパティ＞V/G はモデルに優先］をクリックし，［壁］と［構

造柱］の［断面＞パターン］を黒色の「塗り潰し」に変更（P.120 の図 8-85 参照）
(5) ［ビュープロパティ＞V/G は注釈に優先］をクリックし，［立面図］を非表示（チェックを外す）
(6) 梁を作成する際に，指定レベルより低い部分を見たいため，［ビュープロパティ＞ビュー範囲］をクリックし，［メイン範囲＞下＞オフセット］に「–1000」を入力（図 10-6）

10-4. 方位の設定

　前ページの図 10-2 の平面図の方位は北が下方向になっています。すなわち，図面の下にメインのアプローチがあります。Revit の画面は北が上方向なので，平面図と立面図の方位を一致させる必要があります。

　Revit では，もちろん，正確に建物の配置を方位に合わせることができますが，ここでは，簡易な方法で立面図の方位を調整したいと思います。すなわち，［プロジェクトブラウザ＞ビュー＞立面図］の「西／東／南／北」の名称をクリックして，方位に合わせて「北と南」，「東と西」をそれぞれ名称変更[a]して，名称を入れ替えてください。

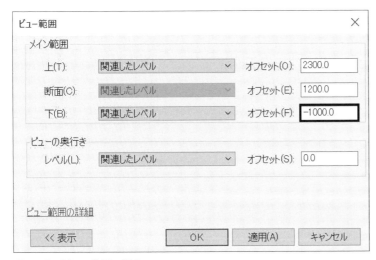

図 10-6　ビュー範囲の設定
［メイン範囲＞下＞オフセット］に「–1000」を入力

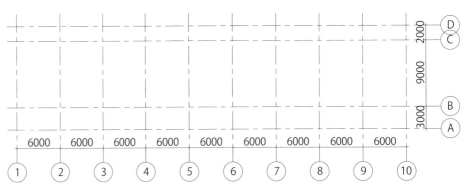

図 10-7　通芯
X 方向に 10 本，Y 方向に 4 本の通芯を作成

10-5. 通芯

X 方向に「1 〜 10」の 10 本の通芯，Y 方向に「A 〜 D」の 4 本の通芯 [b] を描いてください（図 10-7）。

(1) リボン［建築＞基準面＞通芯］を選択

(2) X 方向に 6000 ミリの間隔で 10 本の通芯を描く。1 本の通芯を作成し，［選択］後にリボン［修正＞修正＞コピー］でコピーするとよい。このとき，オプション［複数］をチェックすると続けてコピーできる。Esc キーを押すか，コマンドを［修正］に切り替えれば［コピー］モードが終了

(3) Y 方向は，画面下方から 3000 ／ 9000 ／ 2000 の間隔で 4 本の通芯を描く。通芯の名称をクリックすると変更できるので「A ／ B ／ C ／ D」に変更

10-6. レベル

55 年館は 7 階建てなので，「GL（設計 GL）／ 1F 〜 7F ／ RF」のレベルを作成してください（図 10-8）。ここで，レベルをコピーすると，レベルと連動する平面図が作成されません。後から平面図を作成することもできるで

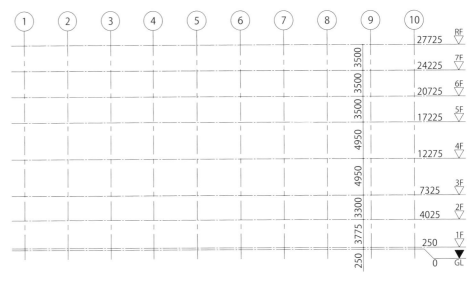

図 10-8　レベル
GL および 1 階〜 R 階のレベルを作成

すが，ここではコピーを使用しないで，各階の［レベル］を作成してください。1F は GL＋250，各階の階高は「3775 / 3300 / 4950 / 4950 / 3500 / 3500 / 3500」です。

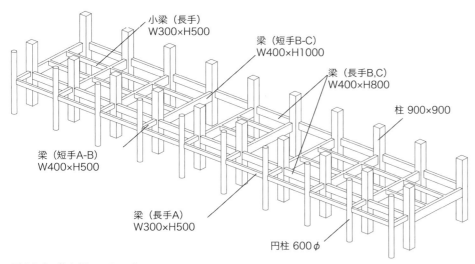

図 10-9　柱と梁のフレーム

柱は 900×900 mm の角柱と 600φ の円柱。梁は建物の長手方向（長い方向）に 3 種類，短手方向（短い方向）に 2 種ある。長手方向の梁には，柱の間に架かる梁（大梁）のほかに，柱ではなく梁（短手方向の梁）の間に架かる小梁がある

(1) ビュー「立面図＞北」を選択
(2) リボン［建築＞基準面＞レベル］[a] を選択
(3) 名称を，下から，「GL ／ 1F ～ 7F ／ RF」に変更

10-7. 柱

　次に，柱と梁のフレームをモデリングしていきます（図 10-9）。まずは柱を立てていきましょう。

　B 通りと C 通りに立つ柱は角柱，A 通りは円柱です。角柱は 900×900 ミリの正方形断面とします（実際には，柱の太さは階数によって 700×700 ～ 1000×1000 まで変化しています。また，一部の柱の断面は長方形です）。円柱の断面はすべて直径 600 ミリの正円です。なお，柱は［建築＞構築＞柱：意匠］だと円柱が使いにくいため，ここでは，［構造＞構造＞柱］[b] を使ってください。

　柱は，まずは 1 ～ 2 階部分のみを作成するのがよいと思います。また，本節以降の梁，床のモデリングでは，まずは 2 階部分のみを作成しましょう。3 階以上の階は 2 階をコピーすれば作成できます（柱は 3 階までの高さでモデリングして，後で 7 階～ R 階まで延長します）。

[a] レベル

[LL]

レベル

リボン［建築＞基準面＞レベル］

[b] 柱：構造

[CL]

柱 構造

リボン［構造＞構造＞柱］

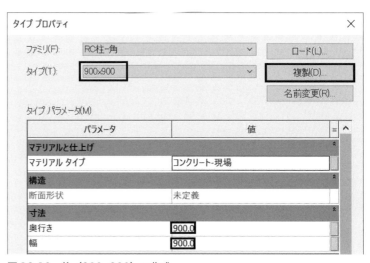

図 10-10　柱（900×900）の作成

テンプレートに 900×900 mm の柱が用意されていないので，類似する柱を［複製］して，寸法と名称を変更する

　まずは，B ／ C 通りに 10 本の柱を立てましょう。

(1) ビュー「平面図＞GL」で作業する
(2) リボン［構造＞構造＞柱］で「RC 柱－角」を選択
(3) 900×900 の柱はテンプレートに用意されていないので，「RC 柱－角：600×600」などを指定し［タイプ編集］をクリック
(4) ダイアログ［タイププロパティ］の［複製...］をクリック
(5)［名前］を「RC 柱-角：900×900」に変更
(6)［タイプパラメータ＞寸法＞奥行き／幅］を「900」に変更して［OK］（図 10-10）
(7) 柱を配置する際，リボン下部のオプションのプルダウンメニューが［上方向］になっていることを確認する。またその右のプルダウンメニューは「3F」を指定
(8) B ～ C 通りのすべての交差点に柱を立てる（最初の 1 本をコピーしてもよい）

続いて，A 通りに 10 本の円柱を立ててください。

(1) リボン［構造＞構造＞柱］を選択。テンプレートに円柱が用意されていないので，リボン［モード＞ファミリをロード］をクリック

写真 10-2　梁の構成

解体時（2019 年）の写真。梁の両端（柱との接合部）にはハンチ（ふくらみ）があるが，モデリングでは省略している

(2) ダイアログ［ファミリロード］から「柱：構造＞コンクリート＞RC 柱─円.rfa」を読み込む

(3) 直径として 600 ミリを指定するために［タイプ編集］をクリック

(4) ダイアログ［タイププロパティ］の［複製…］をクリック

(5) ［名前］を「600φ」などに変更

(6) ［タイプパラメータ＞寸法＞半径］を「300」に変更

(7) 角柱と同様の設定で A 通りのすべての交差点に円柱を立てる

10-8. 梁

　梁の構成はやや複雑です。柱の間に架かる長手方向（A ～ C 通り上）と短手方向（1 ～ 10 通り）の大梁（柱間に架かる梁）のほかに，B 通りと C 通りの間の長手方向に梁の中間を結ぶ小梁（梁と梁の間に架かる梁）が架かります。写真 10-2 に実際の梁の様子を，梁の構成を示す梁伏図[c]を図 10-11 に，立体図を図 10-12 に示します。

　柱に対する梁の位置には 2 種類あります。基本的には，梁は通芯上，すなわち，梁と柱の中心軸が一致するように配置されるのですが，中心からズレて柱の側面と梁の側面を一致させる配置もあります。図 10-11 にグレーで示し

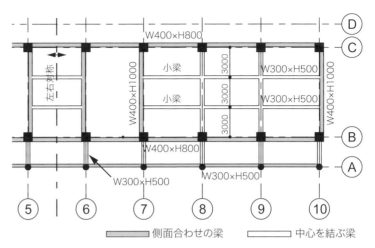

図 10-11　梁伏図

エレベーター，階段，トイレのあるコアの部分，両端部，B/C 通り上の梁は，側面が柱の側面に一致する

た梁（1，4 ～ 7，10 通りの 6 本と B ／ C 通りの 2 本）が側面が一致する梁です。

　最初の練習としては，すべての梁の中心を通芯に合わせて配置してもよいと思います。でも，実際の建築設計では，梁の位置を，柱や壁の側面に合わせることがよく起こります。Revit では梁のプロパティに［オフセット］を指定することで，簡単に位置合わせができるので，使ってみましょう。

　梁の天端（上面の高さ）は，レベルに対して，床の仕上げ厚の 25 ミリだけ下がった位置にしてください。これは，梁の天端を鉄筋コンクリートでつくられる床スラブ（床の鉄筋コンクリート部分）に一致させるためです。

10-8-1. 長手方向（B ／ C 通り上の梁）

　B 通りと C 通り上の梁は W（幅）400×H（高さ）800 ミリ[d]とします。なお，梁の天端（上面のレベル）は，床の仕上げ厚[e]を考慮して，上階のレベルより 25 ミリ下げます。

(1) ビュー「平面図＞2F」で作業（以下同様）

(2) リボン［構造＞構造＞梁］[f]をクリック

(3) ［建築テンプレート］に「コンクリート─長方形梁 400×800 mm」が用

---

[c] 梁伏図
梁の構成を示す図。床を見下ろした際の梁の構成を描いた図を見下げ図，床から見上げた上階の梁を描いた図を見上げ図という。梁伏図のほか基礎伏図，床伏図などがある

[d] B/C 通り上の梁
一般に，ラーメン構造ではよくあることだが，55 年館でも，平面上は同じ位置にある梁でも，階によって寸法が異なる。たとえば，B/C 通り上の長手方向の梁の寸法には，W が 350 ～ 400 mm，H が 800 ～ 1200 mm のバリエーションがある。上階よりも大きな荷重を受ける下階の梁は太くなる傾向があるし，コーナーや吹抜（床のない部分）などに面した梁が太くなることもある

[e] 床の仕上げ厚
床スラブ（鉄筋コンクリートでつくられる床板）の上に施された仕上げの厚み

[f] 梁：構造

[BM]

梁

リボン［構造＞構造＞梁］

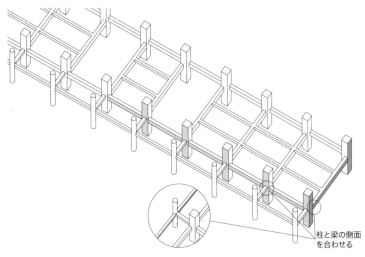

図 10-12 梁の位置
円柱同士をつなぐ梁は，円端部の接線上に面して配置されている

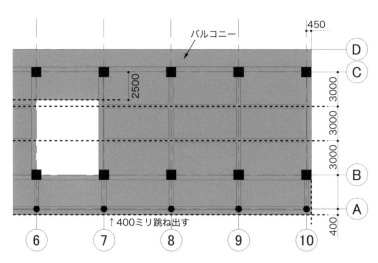

図 10-13 梁伏図／床伏図
B–C 通り間に 2 本の小梁が架かる。床は，A 通りから 400 ミリ飛び出し，また，D 通りまで延びる（C–D 通り間はバルコニー）。床のエレベータ，階段部分には穴が空く

意されているので，これを使用
(4) ［z オフセット値］を「−25」ミリとする（以下，同様）
(5) 梁の側面が柱の側面に一致するように，［y オフセット値］を「250」ミリとしてから，1 〜 10 通りの柱の中心を結ぶように配置。なお，梁は，画面の右から左，上から下に描いた場合に X／Y 軸のプラス方向にオフセット

10-8-2. 長手方向（A 通り上の梁）

A 通りの梁は W300×H500 ミリです。［建築テンプレート］には用意されていないと思いますので，作成しましょう。
［プロパティ］でほかの「コンクリート−長方形梁」を選択して，［タイプ編集］をクリック，続けて［複製...］をクリックし，「300×500mm」を作成。そして，［H（背）］を「500」，［B（幅）］を「300」に変更してください。「300×500mm」が作成できたら，B／C 通り上の梁と同様に［z オフセット値］を「−25」とし，［y オフセット値］は「150」ミリとして，円柱の側面に合わせて配置してください。

10-8-3. 短手方向（B–C 通り間の梁）

9000 ミリのスパン（柱の間隔）の B–C 通り間に架かる梁は W400×H1000 ミリ[a] です。
(1) リボン［構造＞構造＞梁］をクリック
(2)「400×1000mm」を作成する（ほかの「コンクリート−長方形梁」を選択＞［タイプ編集＞複製...］＞［H（背）＝1000，B（幅）＝400］に変更）
(4) ［z オフセット値］は「−25」ミリ
(5) 1，4 〜 7，10 通りの梁は，梁と柱の側面が一致するので，「y オフセット値」を「250」ミリとし，柱の中心を端点として梁を配置する
(6) 2，3，8，9 通りの梁は，「y オフセット値」を「0」として，柱の中心を結ぶように梁を配置する

10-8-4. 短手方向（A–B 通り間の梁）

A–B 通り間（3000 ミリ間隔）の梁は W400×H500 ミリです[b]。
(1) リボン［構造＞構造＞梁］をクリック
(2)「400×500mm」を作成する（ほかの「コンクリート−長方形梁」を選択＞［タイプ編集＞複製...］＞［H（背）＝500，B（幅）＝400］に変更）

[a] B–C 通り間の梁
実際には，H には階数によって 1000 〜 1200 のバリエーションがある

[b] A–B 通り間の梁
実際には，H＝500 〜 750，W＝350 〜 400 mm のバリエーションがある

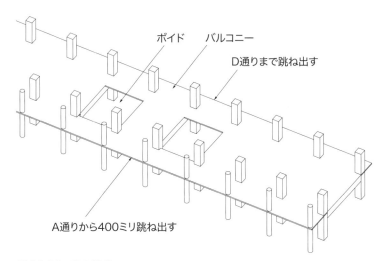

図 10-14　床の構成
エレベーターや階段があるコア部分（2箇所）は，床のボイド（穴）を空ける

図 10-15　床の構成（アセンブリ）
仕上げが25 mm，コンクリート部分が120 mm，計145 mmの厚さの床を作成する

(3) ［z オフセット値］は「−25」ミリ。「y オフセット値」は「0」

(4) A 通り上の円柱と B 通り上の角柱の中心を端点として結ぶ（［コピー］を使うとよい）

10-8-5. 長手方向（小梁）

B–C 通りの間には 2 本の小梁（柱間ではなく梁と梁の間に架かる梁）が架かります。寸法は W300×H500 ミリです。

(1) スパン（間隔）が 9000 ミリの B–C 通り間を 3 等分する 3000 ミリ間隔の 2 本の［参照面］[c]を描く（図 10-13）

(2) リボン［構造＞構造＞梁］をクリック

(3) 作成済みの「300×500mm」を指定する

(4) 1–4 通り，5–6 通り，7–10 通りの間を結ぶ。端点の位置は梁の中心

10-9. 床

床はコンクリート部分（構造）の厚さが 120 ミリ，仕上げの厚さが 25 ミリです。そこで，構造部分と仕上げによって構成される 145 ミリの床を作成します。床は A 通りから 400 ミリ跳ね出します。また，C 通りから D 通りまで

跳ね出して，C–D 通り間はバルコニーとなります。なお，階段とエレベーターがある部分に床はないので，そこにはボイド（穴）を設けます（図 10-14）。

(1) 以下の位置に［参照面］を作成（図 10-13）

　　A 通りの北側に 400 ミリ跳び出た位置

　　C 通りから B 通り側に 2500 ミリ寄った位置

　　1 通りと 10 通りの柱の外側の側面を通る位置

(2) リボン［構造＞床：構造］[d]をクリック

(3) 「一般 150mm」などを選択して，［タイプ編集＞複製…］して，名前を「120+25mm」とする

(4) ［タイプパラメータ＞構成＞構造］の［編集…］をクリック

(5) ［アセンブリを編集］を設定（図 10-15）。［構造 [1]］を選択して［挿入］をクリックすると［構造 [1]］の上部に新たな部位が作成される。新たな部位の［機能］を［仕上 1[4]］に変更し，［厚さ］に「25」を入力。［構造 [1]］の［厚さ］は「120」に変更

(6) リボン［修正｜床の境界を作成＞描画］から［長方形］を選択

(7) 交差点「D／1」付近（参照面と D 通りの交点）から「A／10」付近（参照面の交点）を対角とする［長方形］を描く（図 10-13）

[c] 参照面
　　　　　　[RP]

参照 面

リボン［建築＞作業面＞参照面］
前出（P.100）

[d] 床：構造
　　　　　　[SB]

床: 構造

リボン［建築＞ビルド＞床＞床：構造］

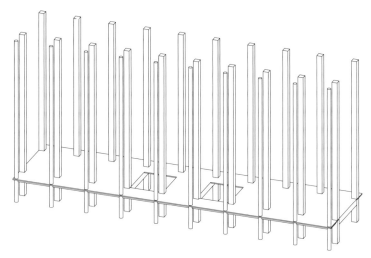

図 10-16　柱の高さの修正
A〜C通りのすべての柱を選択し，[プロパティ>上部レベル]を「RF」に変更

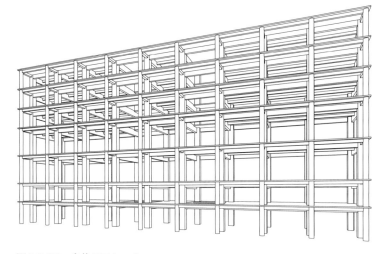

図 10-17　全体のフレーム
2階の梁と床を3〜R階にコピーすれば，ラーメン構造のフレーム全体ができあがる

(8) 階段とエレベーターのあるコア部分（2箇所）に［長方形］（ボイド）を描く。長方形の1辺は［参照面］上に，ほかの3辺は梁の内側に揃える

(9) リボン［修正｜床の境界を作成>モード］を［✓（チェック）］

10-10. 柱の高さの修正

　以上で，1〜3階の柱と2階の梁および床が作成できました。柱の高さを修正し，2階の梁と床を各階にコピーすれば，全体のフレーム（ラーメン構造）ができあがります。

　柱の高さは，すべての柱を選択し，［プロパティ>上部レベル］を「RF」にすれば修正できます（図10-16）。

10-11. 床と梁のコピー

　2階の梁と床を3階以上の各階にコピーしていきます（図10-17）。

(1) ビューを「立面図>北」に切り替え

(2) 2階の床と梁を選択し，リボン［修正｜複数選択>クリップボードにコピー］[a]

(3) ［貼り付け>選択したレベルに位置合わせ][b] の［レベルを選択］で「3F

[a] クリップボード
　にコピー
　　　　　［Ctrl＋C］

リボン［修正>クリップボード>クリップボードにコピー］
選択したオブジェクトをコピーする際に，そのオブジェクトを記憶させる

[b] 選択したレベルに位置合わせ
リボン［修正>クリップボード>貼り付け（プルダウン）>選択したレベルに位置合わせ］

〜RF」を複数選択（Ctrl または Shift キー併用すると複数選択できる）

(4) ［OK］をクリック

10-12. カーテンウォール

　これでラーメン構造のフレームができあがりました。次に，正面（北面）に，55年館の外観を特徴付けるカーテンウォール（ガラスとパネルの組み合わせによる非構造壁）を作成していきます（図10-18）。

　カーテンウォールは，前章（ファンズワース邸）の「9-9. ガラスの壁」（P.136）と同様，①カーテンウォールを配置，②カーテングリッドを作成，③マリオン（縦横の枠）を配置，という手順で作成できます。

　55年館のカーテンウォールは，透明なガラスと不透明なパネルが組み合わさったパターンをもっています。3〜4階，および，5〜7階のそれぞれが同一のパターンです。また，6メートルの間隔で立つ柱のスパン（柱間）に合わせて，水平方向にも同一のパターンが連続します。作成の手順としては，3階と5階の各階に1スパン分のカーテンウォールを作成し，それを全体にコピーすれば効率的です。

　ガラスとパネルを支えるマリオンには4種類の太さがあります（図10-

図 10-18　カーテンウォール
正面の 3 ～ 7 階に取り付くカーテンウォール

19）。垂直に延びる太いマリオンが柱間の 1 スパンを 1・3・3・1 のリズムで分割しています。2 枚のガラスと 3 枚のパネルの併置する巧みな構成が見られ，下階（3 ～ 4 階）と上階（5 階以上）の階高の違いによるガラスの水平ラインによって上昇感が感じられるなど，このカーテンウォールには豊かな表情があると思います。

　このカーテンウォールの作成にあたっては，やや複雑なカーテングリッドのパターンの作画が必要です。マリオンにも 4 種類の定義が必要で，ガラスとパネルの区別も必要です。そのため，このカーテンウォールの作成にはやや手間がかかります。

　最初の練習としては，より単純なカーテングリッドのパターンでつくってみてもよいと思います。でも，面倒でも正確につくっていくと，美しいカーテンウォールの構成が実感できると思います。

10-12-1. カーテンウォール（下階）

　最初に 3 ～ 4 階のカーテンウォールをつくっていきます。3 階の東の端の 1 スパンに基本形を作成し，それをコピーしていきたいと思います。

　ビュー「平面図＞3F」で以下の操作をしてください。

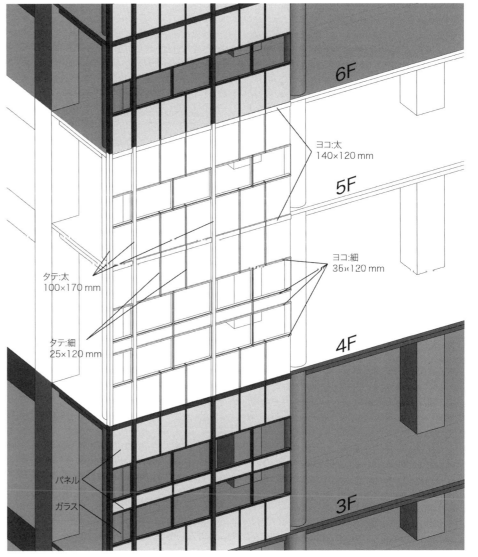

図 10-19　カーテンウォールの構成
4 種類のマリオン（枠）がガラスまたはパネルを支えている。マリオンとガラス／パネルのリズムが豊かな表情がある

[a] カーテングリッド

カーテン
グリッド

リボン［建築＞構築
＞カーテングリッ
ド］
前出（P.138）

[b] 全セグメント

全
セグメント

リボン［修正｜配置
カーテングリッド＞
配置＞全セグメン
ト］
前出（P.138）

[c] セグメントの追
加／削除

セグメントの
追加／削除

リボン［修正｜カー
テンウォール グ
リッド＞カーテング
リッド］

[d] マリオン

マリオン

リボン［建築＞構築
＞マリオン］

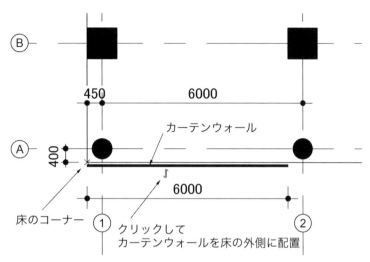

図 10-20　カーテンウォールの配置
3 階の床のコーナーを基点として，長さ 6000 mm のカーテンウォールを床の外側に配置する

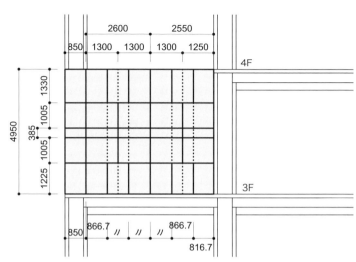

図 10-21　カーテングリッドの作成
図の点線部分は［修正｜カーテンウォールグリッド＞セグメントの追加／削除］を使い削除する

(1) リボン［建築＞構築＞壁＞壁：意匠］の［プロパティ］で［カーテン
ウォール］を選択。［上部レベル］は「4F」。［基準レベルオフセット］と
［上部レベルオフセット］は「0」
(2) 東側の端部の壁の角（左下端，床の端部）をクリックして，長さ
「6000」を入力し，右方向の水平位置でクリックし，幅6000ミリのカー
テンウォールを配置（図 10-20）
(3) カーテンウォールは床の外側に配置したいので，アイコン［←→］をク
リックして，配置する位置を「外側」に変更

10-12-2. カーテングリッド

　続いて，ビューを「立面図＞北」に切り替え，リボン［建築＞構築＞カーテ
ングリッド］[a] の［修正｜配置 カーテングリッド＞配置＞全セグメント］[b]
を用いて，［カーテングリッド］を描いてください。カーテングリッドのパター
ンを図 10-21 に示します。なお，カーテンウォールの作成中は，ビューの
［プロパティ＞ビューテンプレート］の［V/G は注釈に優先］で［レベル］を
非表示にすると作業がしやすいと思います。
　まずは，垂直なグリッドを，「850 ／ 2600 ／ 2550」の間隔で描いてくだ

さい。垂直なグリッドの芯々（マリオンの中心間）の間隔は「800 ／ 2600 ／
2600」なのですが，左（東）の端に立つマリオン（見付け 100 ミリ）がグ
リッドの内側に割り付けられることを考慮すると，「850 ／ 2600 ／ 2550」と
いう寸法になります。
　次に，「2600 ／ 2550」のスパンを 3 分割／ 2 分割してください。スナップ
を利かせるとうまく分割できる場合がありますが，そうでない場合は，寸法を
指定して位置を合わせてください。そして，その後に水平なグリッドを描いて
ください。
　図 10-21 の点線はマリオンのない部分を示しています。［修正］を使ってグ
リッドを選択し，リボン［修正｜カーテンウォールグリッド＞カーテングリッ
ド＞セグメントの追加／削除］[c] を使って，点線部分を削除してください。

10-12-3. マリオン

　次にリボン［建築＞構築＞マリオン］[d] で，マリオンを作成していきます。
　マリオンには以下の 4 種類のタイプがあります。マリオンを配置する前に，
各タイプを［タイプ編集＞複製］を用いて作成してください。
　① タテ太（100×170 ミリ）：厚さ＝170 mm，寸法＞幅 1＝50，幅 2＝50

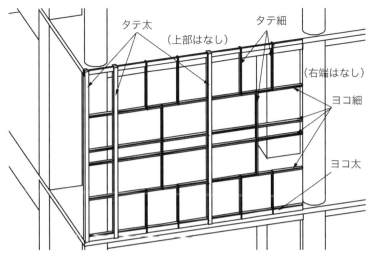

図 10-22　マリオンの割り付け
カーテングリッドに 4 種類のマリオンを割り付けていく。ただし，右端と上端には割付けない

② タテ細（25×120 ミリ）：厚さ＝120 mm，寸法＞幅 1＝12.5，幅 2＝12.5
③ ヨコ太（140×120 ミリ）：厚さ 120 mm，寸法＞幅 1＝140，幅 2＝0
④ ヨコ細（35×120 ミリ）：厚さ＝120 mm，寸法＞幅 1＝35，幅 2＝0
マリオンのタイプが定義できたら，それぞれを該当するカーテングリッドに割り付けてください（図 10-22）。その際，この後にコピーしていく隣接するカーテングリッドと重なる部分（図の上部と右端）にはマリオンを割り付けないでください（マリオンを割り付けないことによって，コピー後にマリオンがうまく連続します）。

10-12-4. パネル
　ここまでに作成したカーテンウォールはすべてガラスで構成されています。しかし，実際の 55 年館のカーテンウォールはガラスと不透明なパネルが組み合わさっています。以下の手順でガラスをパネルに変更してください。
(1) 図 10-19（P.159）を参照して，パネルとなるガラスを選択[e]する。選択する際，右クリックで現れるサブメニューの［パネルを選択＞水平グリッド沿い］を使うと，水平に連続するパネルが一括で選択[f]できる
(2)［プロパティ＞タイプ編集］で［タイププロパティ］ダイアログを開き，

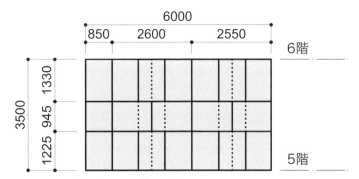

図 10-23　上階のカーテングリッド
上階（5～7 階）は，下階（3～4 階）と階高が異なり，カーテングリッドのパターンも異なる

［ガラス］となっている［タイプ］を［パネル］に変更する

10-12-5. スパンの配列複製
　以上で 3 階の 1 スパンのカーテンウォールができあがりました。この部分を水平方向および 4 階部分にコピーしていきましょう。
(1) カーテンウォールを選択して，リボン［修正＞配列］[g]をクリック
(2) 画面のリボン下部に現れるオプションの［グループ化と関連付け］のチェックを外し，［項目数］には「9」を入力。［指定］が［2 点間］であることを確認
(3) 選択したカーテンウォールを「6000」の距離で水平方向へ移動し，確定する
　西側端部に 900 ミリの空き部分ができてしまいますが，この部分には，別途，900 ミリ幅でカーテンウォールを作成してください。900 ミリの両端に幅 100 ミリの「タテ太」のマリオンを割り付ければ，東端部と同じパターンのカーテンウォールとなります

10-12-6. 4 階への複製
　以上で 3 階部分ができあがりました。3 階部分を選択して，［クリップボードにコピー］[h]し，［選択したレベルに位置合わせ］[i]で，4 階にコピーしてください。

[e] パネルの選択
パネルの選択にはコツがある。P.102 の図 8-35（床の選択）で述べたように，重複したオブジェクトの一つを選択する際には，キーボードの Tab キーを押すと，選択可能なオブジェクト（青いハイライト）が切り替わる。したがって，パネルの端部にカーソルを置き，Tab を何度か押せばパネルが選択できる

[f] 一括で選択
パネルを選択して右クリックすると，［垂直グリッド沿い／水平グリッド沿い］といったサブメニューが現れる。このサブメニューを使うと垂直あるいは水平方向に並ぶパネルを一括で選択できる

[g] 配列

 　[AR]

リボン［修正＞配列］

（次ページへ）

(前ページより)

[h] クリップボード
にコピー

[Ctrl+C]

リボン［修正＞ク
リップボード＞ク
リップボードにコ
ピー］
前出（P.102）

[i] 選択したレベル
に位置合わせ
リボン［修正＞ク
リップボード＞貼り
付け（プルダウン）
＞選択したレベルに
位置合わせ］

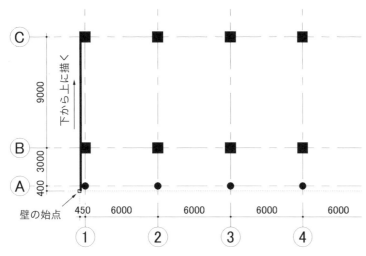

図 10-24　外壁（東西）の壁の作成

南面4, 5階部分のカーテンウォール。南面は北面と異なり，柱と梁のフレーム内に収まっている

図 10-25　南面の構成

南面のファサードは各階をつなぐスロープが特徴的。端正な北面とは対象的な力強い表情を見せる

[a] 壁：構造

壁 構造

リボン［構造＞構造
＞壁］

壁は［建築＞構築＞
壁＞壁：意匠］で
「意匠壁」を作成し
てもよいが，床を
［床：構造］で作成
しているので，ここ
では［壁：構造］と
している

[b] スロープ
異なる床レベルをつ
なぐ斜路。近代建築
の巨匠，ル・コル
ビュジエが自作に好
んで使用した。大江
宏をはじめ多くの追
随者を生み，スロー
プは近代建築の代名
詞の一つとなった

10-13. カーテンウォール（上階）

　5〜7階の上階のカーテンウォールのパターンを図 10-23 に示します。
下階と同様の手順で上階のカーテンウォールも作成してください。

　5階の1スパンを基本形として作成し，水平方向にコピーし，6階と7階に
もコピーすればOKです。ただし，7階（最上階）のみ，上端にも下端と同様
の「ヨコ太」のマリオンを配置してください。

10-14. 外壁（東西面）

　以上で，正面の外壁（カーテンウォール）ができあがりました。次に，側面
にあたる東西の端部の外壁を作成しましょう。

　両端部に，厚さ150ミリの外壁を，以下の手順で作成してください（図
10-24）。

(1) ビュー「平面図＞GL」で操作

(2) リボン［構造＞構造＞壁：構造］[a] をクリックし，「標準壁-150 mm」
を選択

(3) オプションは「上方向／指定：RF ／配置基準線：躯体の中心／オフセッ

ト：−75」

(4)［上部レベルオフセット］は「200」（屋上の上に延びるパラペットの高
さを 200 ミリとする）

(5) 東西の両端の床の内側に壁を作成（東側は下から上に，西側は上から下
に壁を描く）

10-15. 外壁（南面）と室内壁【演習】

　以上で，55 年館のフレーム，正面（北面）のカーテンウォール，東西のサ
イドの外壁ができあがりました。正面のカーテンウォールの下端と上端のディ
テール（3 階と R 階の床との取合い）は省略していますし，1 〜 2 階部分もで
きていません。南面，室内，屋上などもできていません。でも，正面の下方か
ら眺めれば十分に完成した大迫力の建築に見えると思います。

　本書の 55 年館のモデリングのとりあえずのゴールはここまでとしたいと思
いますが，手を加えていくとより建築らしくなりますので，Revit の操作に慣
れたら，ディテールを調べて，55 年館をつくりこんでみてください。

　以下，南面のカーテンウォール，室内壁，天井の作成のヒントを記します。

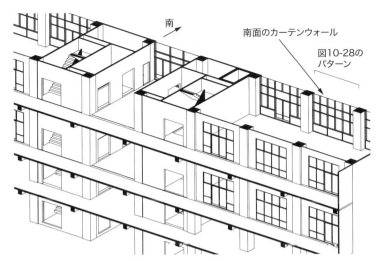

図 10-26　南面外壁と室内壁の構成（4 階部分）
南面はカーテンウォールで作成できる。室内には［壁］は配置して開口を設ける

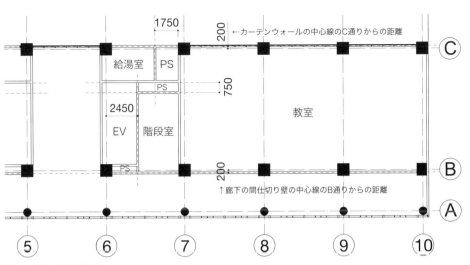

図 10-27　壁の構成
南面外壁と室内壁を，必要に応じて参照面を描き，作成する

10-15-1. 南面カーテンウォール

　南面にはバルコニーが設けられ，中央に大迫力のスロープ[b] が取り付きます（図 10-25）。南面の外壁は，スティールサッシによるカーテンウォールです。このカーテンウォールは，正面とは異なり，柱（床）の外側ではなく，柱／床／梁に囲まれたフレームの内部に納まっていますので，フレームの内部にカーテンウォールを配置し，マリオンを割り付けてください。

　図 10-26 〜 10-28 に南面のカーテンウォールの構成を示します。図 10-28 はドアのない部分のマリオンのパターンを示しています。

10-15-2. 室内壁

　室内壁の構成を図 10-29 に示します。室内には，教室，階段室，エレベーター室，トイレ，給湯室，パイプスペースなどを間仕切る室内壁があります（図 10-26，10-27）。

　室内壁は「標準壁-150 mm」で作成するとよいと思います。必要に応じて［参照面］を描き，壁を配置してください。一部の壁の面は，柱やボイドの側面に合わせてください。

　2 箇所にあるコア周り（階段室，エレベーター室など）の平面構成はほぼ左

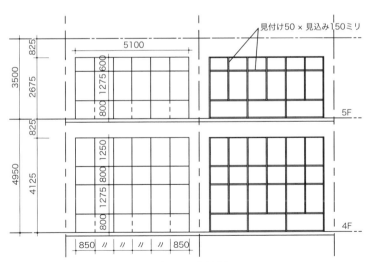

図 10-28　南面外壁の立面構成（4 〜 5 階部分）
南面には柱／床／梁に囲まれるフレーム内にカーテンウォールが納まる

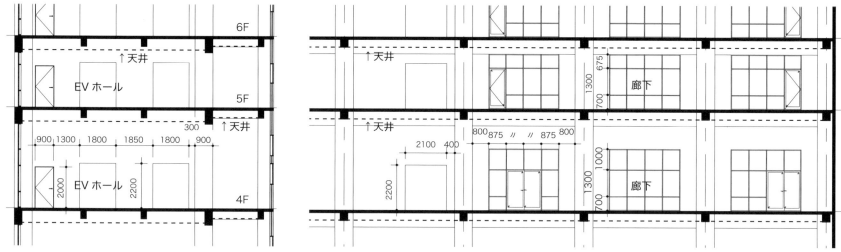

図 10-29　短手／長手断面図

6～10通り部分の4, 5階断面図。各開口部を作成後,［鏡像化−軸を描画］,［コピー＞選択したレベルに位置合わせ］を使用し, 1～5通りへ複製するとよい

右対称です。どちらか片側を作成したら, もう一方はミラー複製すればOKです。コア周りの壁を選択して,［修正＞修正＞鏡像化−軸を描画］[a] を実行すればミラー複製できます。

　コア周りの室内壁は各階で共通ですが, 教室を間仕切る壁は, 上階で教室が小さくなるので, より細かく間仕切られます。

　廊下に面した壁は壁の一部が開口部となっています。この壁は, 壁の中にカーテンウォールを埋め込む方法で作成できます。先に配置する「標準壁-150 mm」とは別に,［カーテンウォール］を作成し, その［プロパティ＞タイプパラメータ＞構成＞自動的な埋め込み］にチェックをすれば, 壁の中にカーテンウォールを埋め込むことができるようになります（ここで作成するカーテンウォールは,［タイプ編集］から［複製...］し, 名前を「埋め込み用カーテンウォール」などとしてください）。

　そのほか, コア内部の階段もぜひ作成してみてください。

10-15-3. 天井

　各階の床の下部には天井が取り付き, 天井裏に照明器具や設備の配管が格納されます。55/58 年館の天井は, 梁の下面よりやや高い位置に取り付き, 天井

の下部に梁が露出しています。 図 10-29 に天井の位置を示していますので, 天井も作成してみてください。

●

　以上で, 55 年館の南面のスロープを除く 3 階より上部のできあがりです。大規模な建築のモデリングはいかがでしたか？　BIM を使うと, 驚くほど効率的に 3D モデルと図面が作成できます。また, 大規模な建築のカタチの構成の勉強にも BIM が役だったのではないかと思います。

　最後に, 図 10-30 ～ 10-33 に, 隣接する 58 年館, 正面の手前に建つピロティ棟（1 階が吹抜になった職員室）, 南面のバルコニーとスロープを含めた法政大学 55/58 年館のレンダリング画像を示します。南面のスロープ, 屋上のカタチ, ピロティ棟の屋根を構成する交差ヴォールト [b] など, ここには, 特徴的なカタチが集まっていて, その集まりが 1 つの建築に多様な表情を与えています。55/58 年館は 2020 年になくなってしまいましたが, CG による 3D モデルからもその特徴は感じられると思います。

[a] 鏡像化−軸を描画 [DM]

リボン［修正＞修正＞鏡像化−軸を描画］

[b] ヴォールト
アーチを水平に押し出したカタチのこと。ピロティ棟の屋根は, ライズ（アーチの基準面からの高さ）が低い複数のヴォールトが直交する交差ヴォールトとなっている。2 章でモデリングしたエッフェル塔の下部のボイドも交差ヴォールトのカタチである

図10-30　ピロティ棟（手前），55年館（奥・右側），58年館（奥・左側）

図10-31　廊下

図10-32　ピロティ棟

図10-33　教室

あとがき

　本書は，SketchUp と Revit を使った 3D モデリングとその図面表現について解説したテキストです。SketchUp は建築の 3D モデルを最初に学ぶために最適なツールです。また，Revit は建築図面の出力を前提として，3D モデルを作成するツールです。

　コンピュータは便利なツールです。用意されたコマンドをクリックしていけば，簡単にカタチがつくれたり図面が描けたりします。しかし，そのカタチが意味のないものだったり，図面が間違っていることが起こりえます。操作している人が間違いに気がつかないと，コンピュータ任せの正しくないカタチや図面になってしまうことも起こります。その意味では，手を動かす実体験こそが重要であり，建築を学ぶためにコンピュータを使うことは望ましくないという考えもありえます。

　私は，1980 年代の前半に大学で建築を学びました。その頃は，パソコンはまだ普及しておらず，建築の図面はもっぱら手描きでした。3 次元空間における線や面の実長（実際の長さ）や実形（面に垂直な方向から見た場合のカタチ）を求めたり，カタチ同士の相貫（重なり）や陰影（太陽光による影）を表したり，あるいは，透視図を描くといった問題は，2 次元の紙の上で解くしかありませんでした。副投象という別の方向から眺める投影面をいくつも作図したり，ラバットメントという作図方法で空間上のカタチを図面上で回転させたりといったかなり面倒なことをしていました。
　でも，今では，そういった作業はコンピュータが代行してくれます。実長，実形，相貫，陰影などはコンピュータが一瞬で計算してくれますし，透視図は当たり前のように瞬時に出力されます。

　1980 年代の後半には，パソコンが普及し，デジタル化が進みました。今日では，仕事の効率から考えれば，建築の図面を手描きで作成するのは効率的ではありません。図面の作図はコンピュータに委ねるのが効率的です。
　しかし，実際には，図面の原理を理解していないと正しい図面は描けません。たとえば，透視図を描く際に，それがどのような構図であるのが適切なのかを判断するのは人間です。パソコンが瞬時に描く透視図には無限の構図がありえるわけですが，そこから建築のカタチの特徴を表す適切な構図を選び出す

判断をするのは人です。だからこそ，人は透視図の原理を知らなければなりません。平面図・立面図・断面図なども，同じように，図面の原理を理解して，コンピュータが出力する図面が適切であるかどうかは人が判断しなければなりません。

　人の判断が鈍いとコンピュータは「宝の持ち腐れ」あるいは「使わない方がいい道具」になってしまうだろうと思います。一方，人が判断力を正しく発揮しコンピュータにできることをコンピュータに委ねられれば，人はよりクリエイティブになれると思います。
　カタチの正しさや美しさを判断するのは人だと思います。コマンドをクリックすれば即座にコンピュータの画面にカタチが現れることは快感ですが，大事なことは，正しく美しいカタチが現れるようにコンピュータを使うことだと思います。

　建築の学習において，手作業による実体験が重要であることは当然ですが，だからといって，コンピュータを使うことを避けるべきではないと思います。手を動かすこととコンピュータを使うことの両者を学習し，感性と判断力を養うことこそが大事だと思うのです。また，コンピュータを使うことで手描きでもうまく描けるようになるとも思います。

　本書は，優れた建築の美しいカタチを 3D モデルでつくりながら，SketchUp と Revit の使い方を解説しています。しかし，本書が目指したのは，コンピュータの使い方の解説そのものではなく，ツールとしてコンピュータを使いながら，優れた建築の正しく美しいカタチや，建築の構成と図面表現について学べるテキストとなることでした。

　さて，コンピュータのソフトウェアは年々バージョンアップします。本書の初版が刊行されたのは 2020 年 3 月でしたが，SketchUp も Revit も，今日までに数度バージョンアップしています。基本的な操作は変わってはいないのですが，一部のコマンドの操作方法が変更になったり，画面やアイコンのデザインが新しくなったりしました。

SketchUpでは，初版執筆時には「レイヤ」と呼ばれていた用語が「タグ」に変更されました。「断面塗り潰し表示」がデフォルトになったりもしました。Revitは，毎年バージョンアップし新しい機能が年々追加されていますが，本書が解説する基本的な操作はほとんど変わっていません。しかし，2024年のバージョンアップで，地盤を作成する「地盤面」というコマンドが「地形ソリッド」に変更になりました。地盤作成の操作自体は大きく変わってはいないのですが，「地盤面」が平面的なオブジェクトだったのに対して，「地形ソリッド」は立体的なオブジェクト（ソリッド）となりました。

Revitは，古いバージョンを使い続けることができますが，SketchUp FreeはWEB版のアプリケーションなので，常に最新のバージョンを使うことになります。本書のようなコンピュータの使い方を解説するテキストには，ソフトウェアの使い方を丁寧に解説するとバージョンアップにともない，合わない部分が生じてしまうという宿命があると思います。

本書は，初版を第2版にバージョンアップすることにより，2024年7月時点でのソフトウェアの最新バージョンに対応しました。それでも，今後もソフトウェアはバージョンアップするので，またテキストが新たなバージョンと合わない部分が出てくるだろうと思います。しかし，本書が取り上げている建築のカタチがバージョンアップすることはありません。また，建築のカタチをモデリングするための基本的な使い方が大きく変わることはないはずです。

すべてのソフトウェアは，ある意味，アドベンチャーゲームだと私は思います。ゲームは経験値ゼロからスタートしますが，操作をしていくうちに使える技が増え，だんだんとできることが増えていきます。最初はチュートリアルが役に立つとしても，そのうちに技のいろいろな使い方や目的を達成する方法が一通りではないことを自分で発見し，能力がアップしていくのだと思います。

本書はチュートリアルとして役立つと思いますが，SketchUpにもRevitにもヘルプが備わっていますし，実際の作業では，ネット上のさまざまな情報が役に立つことも多いと思います。本書をベースとして，3Dモデリングのためのさまざまな方法をご自身で発見していただければと思います。

本書は，現時点で，1章（ピラミッド），3章（パルテノン神殿），6章（ヒ

アシンスハウス），8章（箱形建築）の解説動画を作成しています（動画へのアクセス方法はP.6「本書サポートページの紹介」に記しています）。現在の動画は，新しいバージョンに合っていない部分がありますが，今後アップデートし，追加もしていきたいと思っています。また，今後のソフトウェアのバージョンアップについても動画の中で解説していきたいとも思っています。

本書初版を執筆中，カップマルタンの休暇小屋のレプリカ（実物大の正式なコピー）を建設・制作された，ものつくり大学名誉教授の八代克彦先生と藤原成曉先生に5章の草稿を読んでいただくことができました。両先生には，貴重なご講評のほか，本書のモデルが実物と異なっている点についてのご指摘をいただきました（本書のモデルは，本文で述べていますように，閲覧可能だった原図に基づいており，実物の実測に基づくものではありません）。

ヒアシンスハウスのモデリングに関しては，実現したヒアシンスハウスの実施設計を担当された「ヒアシンスハウスをつくる会」の津村泰範先生（長岡造形大学）にご提供いただいた図面を参考にさせていただきました。また，明石ゆり様，立原道造の会事務局様，株式会社新建築社様より資料をご提供いただきました。

法政大学55/58年館のカーテンウォールに関する作図にあたっては，大江建築アトリエ代表・法政大学名誉教授の大江新先生にご協力いただき，原図を参照させていただきました。

本書は，法政大学デザイン工学部建築学科および日本文理大学工学部建築学科において筆者らが担当する授業の内容を反映しています。筆者らのほかに，これまでに授業をご担当いただいた冨田和弘先生，佐藤類先生，柴田晃宏先生には，本書に関する示唆をいただきました。

本書の編集は丸善出版の萩田小百合氏と南一輝氏が担当されました。
ご協力いただいたみなさまに謝意を表します。

2024年7月

安　藤　直　見

索引

語句の後の（SU）／（RV）は，その用語が（SU）は SketchUp，（RV）は Revit に関係することを示します。

著者の紹介

安藤直見（あんどう・なおみ）
法政大学デザイン工学部建築学科　教授

石井翔大（いしい・しょうた）
日本文理大学工学部建築学科　准教授

浅古陽介（あさこ・ようすけ）
NAU 建築デザインスタジオ　代表取締役
法政大学デザイン工学部建築学科　兼任講師
東洋大学ライフデザイン学部人間環境デザイン学科　非常勤講師

種田元晴（たねだ・もとはる）
文化学園大学造形学部建築・インテリア学科　准教授

建築のカタチ　第 2 版
3D モデリングで学ぶ建築の構成と図面表現

令和 6 年 8 月 30 日　発　行

著作者　　安 藤 直 見　　石 井 翔 大
　　　　　浅 古 陽 介　　種 田 元 晴

発行者　　池 田 和 博

発行所　　丸善出版株式会社
　　　　　〒101-0051　東京都千代田区神田神保町二丁目17番
　　　　　編 集：電話（03）3512-3266／FAX（03）3512-3272
　　　　　営 業：電話（03）3512-3256／FAX（03）3512-3270
　　　　　https://www.maruzen-publishing.co.jp

Ⓒ Naomi Ando, Shota Ishii, Yousuke Asako,
　Motoharu Taneda, 2024

組版印刷・製本／三美印刷株式会社

ISBN 978-4-621-30995-7 C 3052　　　　　Printed in Japan